À NE PAS MANQUER !

"Les Héritiers" (Amours d'Aujourd'hui n°720)

Vous qui aimez les sagas, les histoires de famille, d'héritage, vous avez vibré avec notre grande saga familiale *Les Héritiers*. Vous avez suivi, au fil des mois, l'histoire captivante des Fortune et fait de cette passionnante série un éclatant succès.

Ce mois-ci, nous vous proposons de rencontrer une nouvelle fois cette famille dans un volume spécial composé de trois histoires, où vous retrouverez les Fortune, huit ans plus tard, réunis au grand complet pour fêter les quatre-vingts ans de Kate – un volume exceptionnel qui clôture cette magnifique saga, en attendant – qui sait – que nos auteurs se décident à ajouter une suite aux *Héritiers*.

Mais quoi qu'il en soit, n'ayez pas de regret. Dès le 1er avril, en effet, une nouvelle saga vous attend, tout aussi passionnante que la précédente. Pour en savoir plus, reportez-vous à l'annonce couleur, placée à l'intérieur de ce roman.

Les Héritiers

Les ombres du secret

SHARON SALA

Les ombres du secret

AMOURS D'AUJOURD'HUI

*Cet ouvrage a été publié en langue anglaise
sous le titre :*
A PLACE TO CALL HOME

Traduction française de
LIONEL EVRARD

HARLEQUIN®
est une marque déposée du Groupe Harlequin
et Amours d'Aujourd'hui®
est une marque déposée d'Harlequin S.A.

Originally published by SILHOUETTE BOOKS,
division of Harlequin Enterprises Ltd.
Toronto, Canada

*Toute représentation ou reproduction, par quelque procédé que ce soit, constitue-
rait une contrefaçon sanctionnée par les articles 425 et suivants du Code pénal.*
© 1999, Sharon Sala. © 2001, Traduction française . Harlequin S.A.
83-85, boulevard Vincent-Auriol, 75013 Paris — Tél. : 01 42 16 63 63
Service Lectrices — Tél . 01 45 82 47 47
ISBN 2-280-07721-3 — ISSN 1264-0409

Je dédie ce livre à ceux qui ont su vaincre les monstres tapis sous leur lit...

1.

— Bon Dieu, Hanna! Vous allez m'écouter?

Au-dessus du bureau encombré de dossiers, d'avis de recherche et de fiches anthropométriques, l'inspecteur Jim Hanna lança à son supérieur un regard glacial, qui en eût impressionné de moins coriaces que le capitaine Roger Shaw. Le chef de la police de Tulsa, qui vouait au respect de la discipline un culte presque fanatique, s'empourpra et assena au plateau métallique de son bureau un coup de poing retentissant. Plus prudent qu'intimidé par cette saute d'humeur, Jim Hanna jugea bon de se composer un visage contrit.

— Epargnez-moi aussi vos regards de chien battu! gronda alors le capitaine. Nous ne sommes pas au cirque...

Ne sachant plus quelle attitude adopter, Jim laissa ses yeux dériver du visage de son vis-à-vis vers un point situé juste au-dessus de son épaule gauche, à mi-hauteur de la baie qui occupait tout un pan de mur derrière lui. De l'autre côté de la rue, juché sur un échafaudage précaire suspendu à une poulie, un ouvrier nettoyait les vitres d'un building. Fugitivement, Jim s'étonna qu'un homme sensé pût choisir un métier aussi dangereux...

Shaw, à qui la distraction de son inspecteur n'avait pas échappé, tourna la tête pour voir ce qu'il fixait ainsi. Lorsqu'il aperçut le laveur de carreaux, son visage buriné d'Irlandais s'empourpra de plus belle. En moins de temps qu'il n'en faut pour le dire, il fut devant la fenêtre, dont il baissa les stores

9

d'un geste sec. Lorsqu'il se retourna, Hanna en avait profité pour gagner la porte, avec l'intention manifeste de s'éclipser sans demander son reste.

— Je n'en ai pas terminé ! aboya le capitaine. Revenez ici tout de suite, c'est un ordre, vous m'entendez ?

La main déjà posée sur la poignée, Jim hésita à peine plus d'une seconde. L'avertissement était clair... Faire la forte tête était une chose, mais aller jusqu'à désobéir à un ordre clairement donné pouvait lui attirer de gros ennuis. Avec un soupir, il pivota, résigné à la confrontation. Après tout, peut-être la nécessité d'avoir à se justifier effacerait-elle ce sentiment d'impuissance qui le taraudait. Depuis des semaines, il se sentait dépassé par ce qui lui arrivait. Et s'il était une chose que Jim Hanna détestait, c'était bien de sentir la maîtrise des événements lui échapper...

— Oui, monsieur..., dit-il sur un ton posé. Je vous écoute.

Shaw se rassit sur son siège et s'empressa de faire glisser dans sa bouche une pastille mentholée. Au cours des dix dernières minutes, il venait de s'énerver bien plus qu'il ne l'avait fait durant tout le mois précédent. Sa femme n'aurait pas aimé cela... Son médecin non plus. L'espace d'un instant, il s'inquiéta de sa tension et des battements désordonnés de son cœur, avant de rejeter cette pensée d'un haussement d'épaules.

— Ecoutez, Hanna..., dit-il en prenant une profonde inspiration. Vous savez que j'attache une grande importance au travail en équipe. Vous ne pouvez continuer ainsi à jouer les cowboys solitaires. Utilisez votre radio. Faites savoir où vous êtes. Faites-vous couvrir par votre équipier. C'est pour ça qu'il est là, bon sang !

A ces mots, les yeux de Jim se réduisirent à deux minces fentes.

— Mon équipier est mort..., répondit-il d'une voix sourde.

Désorienté, Shaw leva les yeux au plafond. D'une main tremblante, il plaqua sur son crâne dégarni les quelques mèches rousses qui y subsistaient. Pour la première fois depuis des semaines, l'envie impérieuse de griller une cigarette s'empara de lui... Saisissant un trombone sur le sous-main, il le tordit en tous sens entre ses doigts.

— Je sais, reprit le capitaine d'une voix radoucie, que perdre ainsi Myers a été un coup dur pour vous. Nous aimions tous Dan comme un frère, vous savez. Mais la vie continue, et lui-même l'aurait voulu ainsi. Que cela vous plaise ou non, David Sanger est votre nouvel équipier.

Jim Hanna resta de marbre. Sa sympathie, Shaw pouvait la garder pour lui. D'ailleurs, comment aurait-il pu comprendre la culpabilité que lui-même ressentait chaque fois qu'il pensait à cette balle dont Dan Myers avait écopé à sa place. Et cela à trois jours de sa retraite !... Au lieu de la petite sauterie projetée pour son départ, ils étaient tous allés à son enterrement. Quelque part sur une étagère, le cadeau pour lequel tout le service s'était cotisé prenait la poussière. Quant à Hanna, il n'avait pas connu une seule bonne nuit de sommeil depuis la mort de son coéquipier.

En butte à l'indifférence de son subordonné, le capitaine Roger Shaw sentit sa tension atteindre de nouveaux sommets. Rarement autant qu'en cet instant il n'avait eu envie de botter les fesses d'un de ses hommes... Mieux valait pourtant ne pas s'y risquer. Avec son mètre quatre-vingt-dix, sa carrure de footballeur et sa mine ombrageuse, Jim Hanna n'était pas du genre à se laisser marcher sur les pieds. Shaw poussa un profond soupir.

— Vous savez aussi bien que moi, expliqua-t-il patiemment, que les procédures réglementaires garantissent la sécurité de tous. Je n'ai aucune envie d'assister aux funérailles d'un autre de mes hommes...

Entre ses dents, Jim marmonna quelque chose que le capitaine, qui avait l'ouïe fine, interpréta comme une invitation peu polie à aller se faire voir ailleurs.

— Vous dépassez les bornes, Hanna ! hurla-t-il en se redressant, le visage écarlate. Posez votre badge et votre arme sur mon bureau. Je vous suspends de vos fonctions jusqu'à ce que vous ayez récupéré vos esprits.

La menace eut pour effet de faire sortir Jim Hanna de sa réserve.

— Vous ne pouvez pas me faire ça, plaida-t-il en s'approchant du bureau de Shaw. Nous sommes sur le point de mettre la main sur le salaud qui a tué Dan...

— Vous n'avez rien à faire dans cette enquête ! C'est aux Homicides de s'en charger.

Incapable d'accepter ce que sa suspension signifiait, Jim déglutit péniblement.

— Ecoutez, capitaine, supplia-t-il, la voix tremblante de colère, Dan et moi étions partenaires depuis des années et il a pris une balle qui...

Les bras croisés derrière son bureau, Shaw secoua la tête.

— Vous m'avez parfaitement entendu. Vous êtes en congé pour raison médicale à dater de ce jour. Avec solde, bien entendu... Vous vous mettrez en relation avec le Dr Wilson, dès demain 9 heures. Et vous retournerez le voir jusqu'à ce qu'il vous juge apte à assumer vos fonctions.

En entendant prononcer le nom du psychologue attaché au service, Jim se raidit. La simple idée d'avoir à se pencher sur les démons avec lesquels il avait dû apprendre à vivre depuis l'enfance lui soulevait le cœur. Pourtant, conscient qu'il était trop tard pour infléchir la décision de son chef, il s'approcha de son bureau, sur lequel il déposa son insigne et son arme de service. Puis, sans un mot, il se dirigea vers la sortie.

— Hanna...

Immobile face à la porte, l'inspecteur ne prit pas la peine de se retourner.

— N'oubliez pas : demain 9 heures...

Pour toute réponse, Jim Hanna fit claquer la porte à la volée derrière lui.

Aussitôt après son départ, Roger Shaw se renversa dans son fauteuil, poussa un soupir, et composa un numéro sur les touches de son téléphone.

— Docteur Wilson ? dit-il lorsque son correspondant eut décroché. Je viens de prononcer la mise à pied de Jim Hanna. Il sera chez vous demain à 9 heures. Je ne sais pas ce qui cloche avec lui. Sans doute la mort de Dan... En tout cas, il semble prêt à craquer d'un moment à l'autre. Je compte sur vous pour l'aider à refaire surface.

Après avoir raccroché, le chef de la police de Tulsa plaça ses mains derrière sa nuque et ferma les yeux. Régler le problème de Jim Hanna n'avait pas été une tâche aisée. Même si les circonstances l'avaient obligé à se montrer un peu dur avec lui, il aimait bien cet homme. Il lui était même arrivé d'admirer l'audace et le sang-froid dont il avait fait preuve à maintes reprises sur le terrain. Et puis, il fallait bien reconnaître que perdre son équipier après quinze années de compagnonnage avait de quoi déboussoler le flic le plus costaud... Mais au moins, songea Shaw avec satisfaction avant de se remettre au travail, il avait fait ce qu'il avait à faire. A présent, les choses allaient pouvoir rentrer dans l'ordre.

Pour la première fois depuis qu'il avait prêté serment, Jim n'avait d'autre endroit où se rendre que son petit appartement. Et ce n'est qu'en garant sa voiture au bas de son immeuble, après avoir conduit d'une main distraite depuis l'hôtel de police, qu'il se rendit compte qu'il n'avait aucune envie de rentrer chez lui, dans ce minuscule studio, qu'il ne se résignait en général à rejoindre que pour dormir. Et même s'il avait été l'heure d'aller se coucher — ce qui était loin d'être le cas —, Jim était moins que jamais décidé à chercher le sommeil.

Avisant un petit bar au bas de la rue, il plongea ses mains dans ses poches et s'y rendit d'un pas décidé. Encore dans l'attente de la foule qui prendrait possession des lieux en fin d'après-midi, l'établissement baignait dans une douce torpeur. Jim prit place au comptoir, sur un tabouret haut, et passa nerveusement ses doigts dans ses cheveux défaits. Les mêmes sempiternelles questions bourdonnaient sans fin sous son crâne. Comme diable s'y était-il pris pour faire en si peu de temps un tel gâchis de sa vie?

— Et pour monsieur, qu'est-ce que ce sera?

— Bourbon, marmonna Jim, jetant un œil morose au serveur, qu'il n'avait pas vu approcher.

Lorsqu'il fut servi, il porta lentement le verre à ses lèvres. Ce faisant, il surprit son reflet dans le grand miroir qui surplombait le bar, et se figea. Au lieu de l'homme qu'il était devenu, il avait cru apercevoir le gamin qu'il avait été... Le ventre noué par l'angoisse, le cœur au bord des lèvres, Jim dut se résoudre à laisser le passé resurgir du fond de sa mémoire...

En titubant sur le trottoir, Joe Hanna maugréait entre ses dents. Au fond de sa poche, ses doigts se crispaient autour de son dernier bulletin de paie, qu'il n'avait pu se résoudre à jeter. De rage d'avoir été licencié du dernier en date des petits jobs qui le faisaient subsister, il avait épuisé les quatre heures précédentes — et tout ce qui lui restait d'argent — à noyer son chagrin dans le bar qui lui servait habituellement de repère.

Loin d'atténuer sa rancœur, l'alcool n'avait fait qu'attiser la hargne que lui inspiraient les ennuis constants qui lui pourrissaient la vie. Sans compter le fardeau que représentait ce fils de dix ans, en qui il ne se reconnaissait pas, et que sa femme lui avait imposé !

Arrivé devant chez lui, il fouilla longuement dans ses poches, à la recherche de sa clé. Aucune lumière n'était visible dans la maison, bien que l'éclairage public fût depuis longtemps allumé. Joe Hanna jura sourdement. Satané gamin... S'il n'était pas encore rentré, il allait voir ce qu'il allait voir !

Anesthésié comme il l'était par le bourbon, il ne serait jamais venu à l'esprit de Joe qu'il s'était écoulé plus de sept heures depuis que son fils était sorti de l'école, et encore moins qu'il n'avait trouvé en rentrant qu'une maison vide — et un réfrigérateur plus vide encore. D'ailleurs, même s'il en avait pris conscience, Joe n'aurait pas éprouvé le moindre remords. Après tout, ne s'arrangeait-il pas pour garder un toit au-dessus de la tête de Jim ? Ce qui était déjà bien plus que ce que son propre père avait jamais fait pour lui.

D'un pas résolu, il s'engagea sur les marches du porche et trébucha, se rattrapant de justesse avec les mains avant que son visage ne heurte le plancher. Une douleur fulgurante lui poignarda aussitôt la main droite. Rendu plus furieux encore, c'est en hurlant et pestant contre le monde entier que Joe Hanna

14

pénétra dans sa maison. L'une après l'autre, il alluma les lumières dans toutes les pièces.

— Jim ? Jim ! Où est-ce que tu te caches encore ?

En l'absence de réponse, Joe lâcha une nouvelle bordée de jurons et se dirigea vers la cuisine. Ce satané gamin ne perdait rien pour attendre ! Penché au-dessus de l'évier, il jeta un coup d'œil à sa main, d'où s'écoulait un filet de sang. L'essuyant distraitement sur sa chemise, Joe ouvrit en souriant la porte du placard. Un petit remontant lui ferait du bien... Lorsqu'il découvrit que l'étagère où il rangeait sa réserve de scotch était vide, son sourire se figea sur ses lèvres.

— Nom de Dieu, Jim Hanna ! rugit-il en claquant la porte. Tu vas me répondre ? Qu'as-tu fait de mon whisky ?

De nouveau, seul le silence lui répondit. Joe sentit que sa rage, entretenue depuis des heures, atteignait son apogée. Son ventre était une boule de feu. La tête lui tournait. Dans quelques minutes, il le savait, il s'effondrerait sur le sol, pour ne reprendre conscience que le lendemain. Mais auparavant, il lui fallait mettre la main sur ce foutu môme...

Comme un fou, il se rua d'une pièce à l'autre. Les portes claquèrent. Des meubles et des chaises furent renversés. Une lampe alla se fracasser à grand bruit sur le sol. Mais nulle part, il ne trouva trace de son fils. Furieux et dépité, Joe regagna la cuisine. D'habitude, il ne tardait jamais à découvrir où Jim se cachait. Allait-il cette fois devoir renoncer à lui donner la correction qu'il méritait ?

La main posée sur l'interrupteur de la cuisine, il allait s'y résoudre lorsqu'il remarqua que la porte de la cave était restée entrouverte. Un sourire de triomphe, lentement, effaça sur son visage toute trace de colère.

La condensation avait chargé d'humidité les murs de la cave insuffisamment ventilée. Il y régnait une odeur de poussière et de moisissure mêlées qui soulevait le cœur de Jim. Pour ne rien arranger, il sentit quelque chose détaler entre ses pieds, et retint de justesse un petit cri. L'obscurité et les choses qui s'y cachaient étaient à ses yeux bien moins dangereuses que l'homme qui se tenait en haut de l'escalier.

— Jim..., murmurait Joe Hanna dans le noir. Jim, mon garçon... Je sais que tu es là, réponds-moi, nom de Dieu !

Effrayé que son père pût l'entendre, Jim se retint de respirer et même de déglutir. Lorsqu'il entendit les premières marches de bois grincer sous le poids de l'homme ivre et violent qui le cherchait, chaque muscle de son corps se tétanisa.

— Réponds-moi, sale petit bâtard ! gronda Joe. Qu'as-tu fait de mon whisky ? Ne m'oblige pas à venir te chercher...

Désespérément, Jim ferma les yeux et se coula un peu plus contre le mur chargé de salpêtre. S'il ne pouvait voir son père, peut-être celui-ci ne pourrait-il pas le voir non plus... C'était un petit jeu auquel il se livrait depuis des années. Parfois, cela marchait. D'autres fois, pas du tout. Et alors...

Jim serra les dents, assailli par un flot de souvenirs pénibles. Vaillamment, il lutta contre l'envie de pleurer. En aucun cas il ne devait pleurer. Cela faisait longtemps qu'il refusait à son père cette satisfaction lorsqu'il le battait.

Joe Hanna, entre deux jurons, soufflait comme une forge. Le déclic sec de l'interrupteur résonna à plusieurs reprises, et Jim sourit en songeant à l'ampoule qu'il avait pris la précaution de dévisser avant de se cacher. Mais, hélas, le répit ne fut que de courte durée. Toujours pestant et soufflant, son père s'aventura dans l'escalier plongé dans le noir.

En silence, Jim se laissa glisser jusqu'au sol, où il se tassa un peu plus encore sur lui-même, les yeux clos et le souffle presque inexistant.

— Tu sais que tu ne pourras pas m'échapper, murmura Joe. Alors pourquoi ne pas sortir et accepter en homme la punition que tu mérites ?

Un court instant, Jim fut tenté de l'écouter. Puis il se maudit de ressentir au fond de lui la culpabilité qui l'assaillait chaque fois que son père l'accusait de tous les maux de la terre. En grimaçant, le petit garçon sentit une gorgée de bile remonter jusque dans sa bouche.

En son for intérieur, d'une petite voix désespérée, il n'était

16

plus qu'une prière fervente et silencieuse. « *Je t'en prie, mon Dieu, si tu es là, tu dois m'aider, tu ne dois pas le laisser me faire mal encore...* » Mais déjà, la grosse main de son père s'abattait dans son dos pour le soulever de terre sans douceur.

— Je t'ai eu ! s'exclama Joe sur un ton guilleret.

Refusant la fatalité, Jim commença à se débattre avec une force décuplée par la panique. S'il parvenait à se libérer, il pourrait d'un bond se précipiter dans l'escalier et s'enfuir, jusqu'à ce que son père s'effondre ivre mort. Vu l'état dans lequel il était ce soir, cela ne tarderait guère... Dieu merci, Joe finissait toujours par s'écrouler. Alors enfin, Jim pouvait respirer plus librement et connaître quelques instants de répit...

Pourtant, cette fois, Joe Hanna tint bon. Tout ce que son fils parvint à faire, ce fut de lui entailler la jointure d'un doigt, d'un coup de dent malencontreux.

— Sale petit bâtard ! gronda-t-il. Tu lèverais la main sur ton père ?

— Je ne l'ai pas fait exprès, protesta Jim d'une voix tremblante. Je te jure que je ne l'ai pas fait exprès !

— Ne mens pas ! Pourquoi tu t'es caché ? Et qu'est-ce que tu as fait de mon whisky ?

Chancelant sous la force des coups qu'il lui assenait, Jim aurait été bien incapable de lui répondre. Tout ce qu'il pouvait faire, c'était de tendre les mains au-dessus de sa tête pour se protéger et tenter d'esquiver les coups de poing terribles qui pleuvaient sur lui. Sans grand espoir...

Ce soir, Joe Hanna était bien trop submergé par la rage pour faire preuve de la moindre retenue. Dans un brouillard d'alcool et de sang, il luttait contre l'homme qui l'avait licencié l'après-midi même, contre le barman qui lui avait refusé un dernier verre, contre la femme qui avait ri lorsqu'il s'était étalé par terre devant le bar, et contre lui-même, trop faible pour faire autre chose de sa vie qu'un suicide lent et programmé, sans espoir ni porte de sortie...

Ce fut sa propre douleur qui lui fit reprendre pied dans la réalité. Confusément, il sentit ses poings douloureux d'avoir trop frappé, ses poumons en feu, sa tête vide où battait à tout rompre un tambour. Il lui fallait faire vite. D'un instant à l'autre, sa volonté pouvait l'abandonner et son corps s'effondrer. Portant à son front une main tremblante, il jeta un coup d'œil à ce jeune garçon, assis sur le sol à ses pieds, qui était son fils. Son visage était couvert de sang. Joe frissonna. Son estomac se noua.

— A présent, murmura-t-il en titubant en direction de l'escalier, que cela te serve de leçon.

Effondré sur le sol de briques, Jim ne fit pas un geste, ne dit pas un mot. Haussant les épaules, Joe commença à gravir les marches et tenta d'ignorer l'inquiétude que suscitait en lui l'absence de réactions de son fils.

— De toute façon, bougonna-t-il, tout est de ta faute...

Toujours aucune réaction du gamin, dont il apercevait dans la pénombre le visage immobile et ensanglanté. Demain, il ne serait pas beau à voir... Aussi ivre fût-il, Joe n'était pas assez inconscient pour ne pas comprendre ce que cela impliquait. Si Jim allait à l'école dans cet état, ces satanées assistantes sociales ne tarderaient pas à remettre le nez dans leurs affaires.

Lorsque la mère de Jim était morte, lui laissant sur les bras la responsabilité d'élever leur fils, Joe s'était vite consolé. Sa femme — Dieu ait son âme — avait pris soin de contracter une assurance qui garantissait un petit revenu mensuel à son enfant jusqu'à sa majorité. En tant que tuteur légal, c'était lui qui encaissait tous les mois ce chèque qui payait, en plus du loyer, les quelques bouteilles qui lui permettaient de survivre. Si la garde de Jim finissait par lui être enlevée, il pourrait dire adieu à cette manne inespérée.

— T'as pas intérêt à faire le malin, prévint Joe en pointant un doigt accusateur vers son fils. Si tu crois que quelqu'un voudra t'aider, tu te fourres le doigt dans l'œil. Tu sais pourquoi ? Parce que, comme moi, tu n'es rien que de la petite racaille, fiston... Et qui se soucie de la petite racaille ? Personne !

Jim serra les poings. Il ne voyait rien qu'une sorte de brume rougeâtre, ne sentait rien d'autre que cette colère immense au creux de son ventre, et cette envie grandissante de se précipiter sur son père pour effacer à tout jamais de sa bouche ce sourire écœurant.

— Je suis fatigué, maintenant..., murmura Joe sur un ton las. Je vais me coucher.

La voix de son fils, s'élevant dans le noir, étonnamment claire et calme, lui parvint alors qu'il atteignait le milieu de l'escalier.

— Papa...

Joe se retourna, clignant des yeux comme un hibou. En contrebas, Jim n'était qu'une ombre plus sombre parmi les ombres.

— Quoi encore ?

— Avant de te mettre au lit... N'oublie pas tes prières.

Le visage de Joe se tordit en une grimace dégoûtée.

— Qu'est-ce que tu me chantes ?

— Quand tu dormiras, je te tuerai.

La surprise effaça toute expression du visage de Joe. La menace était si ridicule, si incroyable, qu'il ne parvint même pas à en rire. Pourtant, quand Jim s'avança au bas de l'escalier et que la lumière de la cuisine éclaira son visage, il ne put s'empêcher de reculer d'un pas. Une haine intense et bien réelle déformait les traits maculés de sang de son fils.

Alors, Joe éclata d'un rire nerveux. Ce n'était qu'un gamin... A peine dix ans... Son rire s'étrangla dans sa gorge lorsqu'il vit Jim monter les marches. Précipitamment, il regagna la cuisine, où la lumière brutale du néon l'aveugla. Sous son crâne, les mots terribles ne cessaient de résonner... *« Je te tuerai... Je te tuerai... »* Dans son dos, les bruits de pas gravissant l'escalier se rapprochaient dangereusement. Pour couronner le tout, Joe se sentait à bout de forces. Dans quelques minutes, quelques secondes peut-être, il s'effondrerait inconscient sur le sol. Et alors, lorsqu'il ne serait plus en état de se défendre...

C'est dans la peur panique de passer la nuit dans la même maison que son fils que Joe Hanna trouva la force de s'enfuir à toutes jambes, comme un animal traqué. Les buissons du parc l'accueillirent pour la nuit, et lorsqu'il refit surface, le lendemain, dans le plein soleil de midi, sa première pensée fut que

19

sa chance venait de tourner. Aussi, quand une assistante sociale vint l'informer, deux jours plus tard, que la garde de son fils lui était définitivement retirée, Joe n'éprouva-t-il qu'un intense soulagement. Sa seule réaction fut de souhaiter que ce petit démon aille se faire voir au diable...

Jim, quant à lui, ne conçut jamais ni peine ni soulagement d'avoir échappé à la tutelle paternelle. Dans sa tête, cela faisait des années déjà qu'il était seul. Son dernier refuge avait été de croire en un Dieu tout-puissant. Mais cette nuit-là, dans la cave, il avait compris que Dieu lui-même l'avait abandonné. Désormais c'était à lui, et à lui seul, de prendre en main son destin.

Un bruit de Klaxon, à l'extérieur du bar, vint mettre un terme à la rêverie de Jim. Clignant des yeux quelques instants, il considéra d'un œil incrédule cet homme qui, dans le miroir en face de lui, s'apprêtait à avaler un verre de whisky. D'un geste sec, il reposa le verre sans y avoir touché et sortit précipitamment du bar, après avoir jeté sur le comptoir quelques pièces de monnaie.

Les mains enfouies au fond des poches, furieux contre lui-même, il marcha droit devant lui. Shaw avait vu juste... Sans même savoir pourquoi, il était en train de s'engager sur une pente fatale et de jouer avec sa vie. Mais s'il était sûr d'une chose, c'était qu'il avait envie de vivre. Et s'il voulait vivre, il lui fallait absolument se ressaisir. Comme il avait su le faire, bien des années auparavant, au fond d'une cave humide, au plus profond de la douleur et du désespoir...

Durant des heures, il marcha ainsi dans les rues encombrées de Tulsa, indifférent aux mille sollicitations de la ville. Il soupesa avec soin toutes les options qui s'offraient à lui. Son loyer était payé jusqu'à la fin de l'année; ses charges étaient réglées mensuellement, par prélèvement automatique. Il était libre de toute attache, et n'avait aucune envie de déballer ses problèmes devant un psy.

En fin d'après-midi, il ne restait plus à Jim Hanna qu'une

seule alternative, et il se hâta de la mettre en œuvre tant qu'il en était encore temps...

La satisfaction de Roger Shaw d'avoir réglé le cas de Jim Hanna fut de courte durée.

A 9 h 30, ce matin-là, Sam Wilson l'informa que l'inspecteur ne s'était pas présenté au rendez-vous fixé. Furieux, le capitaine appela aussitôt l'appartement de Jim et tomba sur un message enregistré. Convaincu d'avoir fait une erreur, il recommença aussitôt, mais entendit de nouveau une voix métallique lui annoncer que le numéro demandé n'était plus en service.

A 18 heures, ce soir-là, le chef de la police de Tulsa dut bien se rendre à l'évidence : Jim Hanna s'était volatilisé.

2.

Rachel Franklin aimait bien les jours où sa mère faisait la lessive. Du haut de ses deux ans, elle adorait la voir fourrager dans le grand coffre, en sortir tout un tas de vêtements, pour les séparer sur le sol en piles bien distinctes. Par-dessus tout, il était amusant de donner un coup de main, de foncer à toute vitesse dans les tas de linge, d'y sauter à pieds joints, d'envoyer valser jeans et culottes, et de rajouter dans la pile son beau T-shirt rouge, que maman semblait avoir oublié...

Charlotte, quant à elle, n'avait jamais été aussi enthousiaste pour la lessive que sa fille. Elle aimait Rachel plus que tout au monde, mais il y avait des jours, comme celui-ci, où elle se serait bien passée de son aide. Alors qu'elle venait par deux fois déjà de séparer le blanc des couleurs, elle retrouvait une fois encore ce T-shirt rouge mélangé aux sous-vêtements de son frère Wade. Lui aussi aimait beaucoup ce T-shirt — qu'il avait d'ailleurs offert à sa nièce —, mais Charlotte doutait qu'il eût apprécié de se retrouver affublé de dessous roses...

— Rachel, demanda-t-elle doucement, donne ce T-shirt à maman.

Obéissante, la petite fille alla ramasser le vêtement, qu'elle tendit à sa mère avec un grand sourire désarmant. Elle était si craquante que Charlotte ne put résister à l'envie de tout laisser tomber séance tenante pour la prendre dans ses bras. Avec délices, elle l'embrassa dans le cou, et promena son visage contre la peau douce et parfumée de son bébé. Sous la caresse, Rachel se tordit de rire et trouva aussitôt la parade en lançant ses deux bras potelés autour du cou de sa mère.

— Ma maman ! s'écria-t-elle en enfouissant son visage dans ses cheveux.

— Ma petite Rachel..., renchérit Charlotte, la gorge nouée par l'émotion.

Cette enfant était toute sa vie. La seule bonne chose qui eût jamais résulté de ses amours avec Pete Tucker, le fils des voisins. Pete et elle étaient des amis d'enfance. Mais l'âge venant, l'intérêt qu'ils se portaient avait bien vite dépassé le simple plaisir du jeu... Pour parvenir à ses fins de petit coq viril, Pete n'avait pas hésité à abuser de la confiance qu'elle lui accordait. Les serments, les mots doux : il avait tout promis, tout juré. Trop amoureuse pour se méfier, Charlotte avait tout cru, tout accepté.

Mais alors qu'elle était enceinte de deux mois, Pete Tucker avait soudain décrété qu'une grande carrière l'attendait sur le circuit des rodéos. Et un mois avant la naissance de Rachel, un taureau était brutalement venu mettre fin à ses rêves de gloire. Charlotte avait eu de la peine, mais surtout pour sa fille, qui ne connaîtrait jamais son père. Quant à elle, son amour pour Pete était mort dès l'instant où elle avait pris conscience de la duplicité avec laquelle il s'était joué de ses sentiments.

— Descendre, murmura Rachel à l'oreille de sa mère.

En soupirant, Charlotte la déposa sur le sol. Elle avait beau savoir que l'indépendance croissante dont sa fille faisait preuve était une bonne chose, elle ne pouvait s'empêcher de regretter ce temps trop bref où elle n'avait été qu'un tout petit bébé.

— Maintenant, dit Charlotte en glissant ses doigts dans les mèches couleur d'ébène de Rachel, tu vas aller jouer dans ta chambre. Maman va porter tous ces vêtements dans la machine. Oncle Wade en aura besoin la semaine prochaine.

— Mon tonton?

— Oui, mon cœur. Ces affaires lui appartiennent. Ton T-shirt à toi devra attendre la prochaine lessive...

Apparemment satisfaite de ces explications, Rachel détala en gambadant. Après sa mère, Wade Franklin était l'être qu'elle aimait le plus au monde.

Un sourire aux lèvres, Charlotte rangea le minuscule T-shirt rouge dans le coffre, puis rassembla le linge à laver et se rendit à la buanderie. A son retour dans la cuisine, quelques minutes plus tard, le silence dans lequel baignait la maison lui parut suspect.

— Rachel, où es-tu mon cœur? appela-t-elle, une main en porte-voix.

Aucune réponse.

— Rachel! Réponds à maman... Où es-tu?

Cette fois-ci, confrontée au silence, Charlotte sentit son estomac se nouer. Essayant de ne pas céder à la panique, elle parcourut rapidement la maison, cherchant dans tous les petits coins secrets où sa fille aimait se cacher. Elle refaisait pour la deuxième fois ce circuit lorsqu'elle s'aperçut que la porte d'entrée, dans le hall, était entrebâillée. Elle se précipita sur le porche.

— Rachel, réponds-moi!

Toujours rien. Au pas de course, elle fit le tour de la maison. Rachel ne pouvait être que dans le bac à sable, sous les arbres, ou sur son tricycle dans l'allée... Mais elle n'y était pas. Une sourde appréhension envahit Charlotte.

Ce ne fut qu'en se retournant vers la maison pour aller téléphoner à Wade qu'elle remarqua le taureau d'Everett Tucker. Après avoir sauté la clôture, l'animal s'était réfugié dans leur pâture. Ce n'était pas la première fois que cela arrivait, et son frère s'était déjà maintes fois accroché avec leur voisin à ce sujet.

Intriguée par la pose curieuse de l'animal, Charlotte resta quelques secondes à le contempler. La tête levée, le corps immobile, la queue battant à tout-va, il avait cette attitude caractéristique des bêtes ombrageuses qui découvrent un intrus sur leur territoire.

— Oh, mon Dieu, non ! gémit-elle en se mettant à courir vers le pré.

En arrivant près du portail de bois, juste au moment où la bête se mettait à charger, Charlotte aperçut sa fille non loin de la route. Un bouquet de fleurs des champs à la main, la gamine gambadait sans se douter de rien entre les hautes herbes. D'un bond dont elle ne se serait jamais crue capable, Charlotte sauta par-dessus le portail et se mit à courir vers Rachel, aussi vite qu'elle le put, criant de toutes ses forces pour la prévenir du danger.

Tout en s'efforçant de ne pas perdre de vue la route devant lui, Jim jeta un coup d'œil à la carte routière dépliée sur le siège passager. Un panneau venait de lui indiquer qu'il pénétrait dans le territoire de Call City, Wyoming, et il aurait aimé situer la petite bourgade sur son trajet afin de décider si oui ou non il s'y arrêterait pour la nuit.

Alors qu'il tentait de le faire, une douleur aiguë lui traversa la nuque. Jim se redressa en grimaçant. Conduire sur de longues distances avait toujours été pour lui une épreuve, et la chaleur accablante de ce début d'août n'arrangeait rien. Malgré les vitres baissées, l'habitacle ressemblait à une véritable fournaise ! La mince pellicule de sueur qui lui couvrait le torse, plaquait désagréablement la fine toile de sa chemisette sur sa peau.

Un coup d'œil à sa montre lui apprit qu'il était à peine 17 heures. Même si la nuit était loin encore, cela ne l'empêchait pas de se mettre d'ores et déjà en quête d'un hôtel. Après tout, personne ne l'attendait, et la perspective de se coucher tôt n'était pas pour lui déplaire. Plus que fatigué, Jim se sentait fourbu, rompu, brisé. Peut-être serait-il enfin capable de dormir en paix cette nuit. Peut-être ses cauchemars lui laisseraient-ils un peu de répit. Au moins ne coûtait-il pas grand-chose de l'espérer...

Alors qu'il atteignait le sommet d'une colline, un mouvement furtif dans la pâture qui s'étendait à sa gauche attira son attention. Prudemment, il ralentit et il ne fallut guère plus d'un instant à son esprit vif, habitué à gérer les situations de crise, pour comprendre le drame qui était en train de se jouer. Une petite fille d'environ deux ans trottinait dans les herbes hautes en riant. Dans son dos — et à plus de cent mètres — une jeune femme courait vers elle à toute allure, la bouche ouverte sur un cri que ni Jim ni la gamine ne pouvaient entendre. A gauche de la jeune femme, un énorme taureau noir qui chargeait tête baissée était en train de la prendre de vitesse.

En un éclair, Jim comprit que l'enfant était la cible du taureau et que la mère ne pourrait rien pour la sauver. Sans prendre le temps de réfléchir, il enfonça l'accélérateur, pied au plancher, et donna un brusque coup de volant. Les pneus de la jeep crissèrent sur le macadam avant de quitter la chaussée. Le véhicule cahota quelques instants sur le bas-côté, puis fonça droit sur la clôture, ne laissant derrière lui que poteaux de bois brisés et fils de fer barbelés entortillés.

Rebondissant sur son siège, Jim serra les dents et s'agrippa au volant. Des yeux, il ne quittait plus l'espace qui séparait encore la bête de la fillette, et qui de seconde en seconde se réduisait dangereusement.

Charlotte ne sentait pas la morsure du soleil sur sa peau, n'entendait pas le son de ses propres cris. Comme dans un rêve qui se serait déroulé au ralenti, toute son attention était focalisée sur les longues mèches brunes de sa fille, ces mèches si douces contre son visage lorsqu'elle venait le soir l'embrasser dans son lit...

Les mugissements de colère du taureau résonnaient sinistrement dans l'air surchauffé. Le souffle court, Charlotte essaya une fois encore d'attirer son attention en criant de plus belle et en agitant les bras. Sans succès. Alors, elle comprit qu'elle allait voir sa fille mourir sous ses yeux sans rien pouvoir faire pour la protéger. Aussi vite qu'elle coure, jamais elle ne rattraperait le monstre en furie.

Soudain, surgie de nulle part, une jeep noire pénétra à toute allure dans la pâture, non loin de Rachel qui, stupéfaite, leva la tête pour la contempler. Au même instant, Charlotte se tordit le pied dans un trou, et s'effondra de tout son long sur le sol. Mais ni ses larmes, ni la poussière qui lui piquait les yeux, ni la douleur qui lui traversait la jambe, ne l'empêchèrent d'assister au miracle.

Pendant qu'elle gisait face contre terre, la mystérieuse jeep noire avait stoppé à quelques centimètres à peine de l'endroit où se tenait sa fille. La porte s'ouvrit côté conducteur, et elle vit un homme à la carrure impressionnante s'emparer de Rachel et refermer la portière, une seconde à peine avant que les cornes du taureau n'emboutissent le véhicule, côté passager.

Le bruit de la tôle déchirée résonna aux oreilles de Charlotte comme une douce musique. La tête levée vers le ciel, elle s'accorda quelques longues et apaisantes inspirations. Plus rien d'autre, à présent, n'avait d'importance. Rachel était vivante. Rachel était sauvée...

De nouveau à l'abri dans l'habitacle, Jim tremblait de tous ses membres. L'afflux d'adrénaline qui lui avait permis de faire face à cette situation désespérée avait reflué en lui aussi vite qu'il était venu. Il fallait absolument qu'il se reprenne. Pour lui, et surtout pour la fillette qu'il tenait serrée contre lui.

Etrangement, celle-ci paraissait bien plus stupéfaite de toute cette aventure qu'effrayée par les assauts furieux du taureau, qui ne cessait de les harceler. L'animal, qui avait déjà fait un sort à la portière, s'attaquait à présent au radiateur, à grands coups de cornes rageurs. Devant le rideau de vapeur qui s'éleva bientôt du capot, Jim soupira. Sa voiture n'en réchapperait peut-être pas, mais au moins la petite fille était vivante. C'était tout ce qui comptait.

Avec précaution, Jim fit courir ses mains le long des membres de l'enfant pour s'assurer qu'elle n'avait rien.

Lorsqu'il l'avait saisie par le bras pour la mettre à l'abri, l'heure n'avait pas été à la délicatesse... Dieu merci, elle ne semblait pas en avoir souffert.

Rassuré, il reporta son attention sur le taureau, qui s'était éloigné de quelques pas pour les observer, soufflant et grattant le sol de son sabot, en attitude de défi. Jim songea soudain que tant qu'il se focaliserait sur la voiture, la jeune femme qu'il avait vue s'effondrer sur le sol ne craindrait rien.

Des yeux, il la chercha quelques instants et la découvrit non loin de là, agenouillée dans les herbes hautes. A l'expression douloureuse qui se lisait sur son visage, il était clair qu'elle s'était fait mal et qu'elle ne pourrait pas marcher, et encore moins courir, pour s'enfuir...

Priant pour que la jeep veuille bien démarrer — et pour que le taureau ne se décide pas trop vite a faire d'elle sa prochaine cible —, Jim tourna la clé de contact. Le moteur se mit à ronronner sans rechigner.

— Allons-y, mon cœur, dit-il en souriant à la fillette, sagement installée sur le siège passager. Je crois que ta maman nous attend.

La petite fille tourna vers Jim deux grands yeux étonnés, et lui tendit la poignée de fleurs des champs qu'elle n'avait pas lâchée.

— Ma-man ? demanda-t-elle.

— Je la vois, juste devant nous... Et quelque chose me dit qu'elle sera très contente de te retrouver.

Jim relâcha la pédale d'embrayage. Avec une lenteur calculée, la voiture se mit en route, lâchant derrière elle un chapelet de vapeur blanche.

Le cœur de Charlotte s'accéléra dans sa poitrine lorsqu'elle vit la jeep rouler lentement vers elle. Le taureau, lui non plus, ne quittait pas des yeux le véhicule où Rachel avait trouvé refuge, sauvée par le mystérieux inconnu. Piétinant le sol du bout d'un sabot rageur, l'animal soulevait toujours des gerbes de poussière, mais ne paraissait pas décidé, pour le moment, à reprendre ses assauts.

Malgré sa jambe blessée, Charlotte essaya de se remettre debout, avant de se raviser en songeant que le moindre mouvement brusque risquait d'attirer l'attention de la bête furieuse. C'est alors qu'elle comprit combien elle constituait, seule en terrain découvert, une cible de choix... Parcourue d'un frisson, elle se tapit du mieux qu'elle put entre les graminées.

La douleur qui lui vrillait la cheville gauche commençait à irradier tout le long de sa jambe. Quand la voiture vint enfin s'arrêter près d'elle, après un parcours qui lui parut durer une éternité, elle tenta une fois encore de se mettre debout, mais ne put que se laisser retomber en grimaçant sur le sol.

— En douceur, jeune dame..., chuchota une voix grave tout contre son oreille. Laissez-moi vous aider.

Charlotte sursauta et commença à s'agiter.

— Ma fille...

— Elle va bien, ne vous inquiétez pas..., reprit la voix. A présent, essayez de passer votre bras autour de mon cou.

Sans réfléchir, Charlotte fit ce qu'il demandait. Le bras glissé autour de la nuque de l'inconnu, elle se cramponna au col de sa chemise, tandis qu'il la soulevait dans ses bras. Confusément, elle nota le corps souple et musclé de son sauveteur, les mèches brunes que ses doigts avaient effleurées, et le torse dur sous la chemise contre laquelle sa joue reposait. Avec un luxe de précautions, l'homme la déposa sur le siège passager.

Dès qu'elle y fut installée, Rachel se précipita dans ses bras.

— Maman ! s'écria-t-elle avec sa gaieté habituelle, comme si rien ne s'était passé.

Aussitôt, Charlotte s'accrocha au petit corps tout chaud de sa fille et enfouit son visage dans ses cheveux. Un instant plus tard, une portière claqua et elle sut que le chauffeur de la jeep était revenu s'installer au volant. Elle aurait voulu se tourner vers lui pour lui exprimer sa reconnaissance, mais elle ne se sentait capable de rien d'autre, pour le moment, que de serrer très fort contre elle le corps de son bébé et de le bercer doucement.

Finalement, ce fut Rachel qui s'écarta la première. Un grand sourire sur les lèvres — ce sourire à fossettes que Charlotte aimait tant —, elle ne semblait pas du tout troublée par ce qui venait de se passer. A la vue du pollen qui maculait son petit bout de nez et du pétale de marguerite au coin de sa bouche, Charlotte ne sut si elle devait rire ou pleurer. De toute évidence, Rachel ne s'était pas seulement mise en tête d'aller cueillir des fleurs, mais également de les manger...

Puis les larmes roulèrent le long de ses joues, chaudes et bienfaisantes. Comme si elle ne devait plus jamais les rouvrir, Charlotte referma ses bras sur la fillette, sur les fleurs, sur la merveilleuse beauté de cette petite vie si précieuse...

— Tu pleures, maman? demanda Rachel, surprise.

Charlotte s'écarta et essuya du plat de la main ses joues humides.

— Oui, mon bébé. Maman pleure parce qu'elle a eu peur. Très peur. Mais c'est fini maintenant.

— Fleurs, maman... Rachel a cueilli des fleurs pour toi.

Charlotte hocha la tête et essaya de sourire sans y parvenir. Lorsqu'elle tourna la tête vers lui, Jim comprit sa détresse. Après tant d'émotions, il était temps pour ses deux passagères de retrouver la sécurité de leur foyer.

Avisant derrière la clôture, dans la direction où était apparue la jeune femme, quelques bâtiments de ferme, il relança le moteur de la jeep et embraya en douceur.

— Accrochez-vous, jeunes dames. Je vous ramène à la maison.

La ferme paraissait vieille mais bien entretenue. De plain-pied, le bâtiment carré aux façades blanches était ceint par un large porche. Une cheminée de briques rouges s'élevait très haut au-dessus du toit, côté nord, et Jim se surprit à rêver au panache de fumée réconfortant qui devait s'en élever, l'hiver venu, bien au-dessus des arbres environnants.

La femme assise à son côté était toujours en larmes. Il aurait difficilement pu l'en blâmer. Pour un peu — de frayeur rétrospective autant que de soulagement —, il se serait lui-même laissé aller à pleurer. Au moment, où il serrait le frein à main après s'être garé devant la porte d'entrée, le moteur, qui avait déjà montré des signes de faiblesse sur le chemin, toussa et eut un raté. Mais peu importait à présent. Ils étaient arrivés, c'était tout ce qui comptait.

Après avoir coupé le contact, Jim se tourna vers la jeune femme. Son visage était couvert d'une pellicule de poussière, dans laquelle ses larmes avaient creusé deux sillons plus clairs. Un peu de sang coulait à son genou gauche, couvert de terre. De ses doigts tremblants, elle s'obstinait à arranger autour du visage poupin de sa fille quelques mèches qui ne paraissaient pourtant pas décidées à se laisser discipliner. Habitué, de par son métier, à s'occuper de victimes en état de choc, Jim comprit qu'il était préférable de la conduire à l'intérieur avant qu'elle ne craquât tout à fait.

— Si vous le permettez, dit-il d'un ton persuasif, je vais vous aider à rentrer chez vous. Ensuite, j'aurai besoin d'utiliser votre téléphone pour appeler un dépanneur.

Ce ne fut qu'à cet instant que Charlotte prit conscience des risques que cet inconnu venait de courir et de ce qu'il n'avait pas hésité à sacrifier pour leur venir en aide. Timidement, elle leva sur lui des yeux embués et le regarda.

Ses yeux étaient bleus, si bleus qu'ils en étaient presque transparents. Il avait des traits réguliers, une mâchoire carrée. L'arête légèrement brisée de son nez indiquait qu'il avait dû se le casser autrefois, et il portait une fine cicatrice au menton. Son regard, empreint d'une sorte de mélancolie indéfinissable, renforçait encore le charme de ses traits. Puis Charlotte remarqua sa carrure impressionnante. Cet homme était une véritable force de la nature...

Songeant à la facilité avec laquelle il l'avait soulevée dans ses bras, elle fut parcourue d'un petit frisson.

— Mon nom est Charlie, indiqua-t-elle.

Ces mots tirèrent à l'inconnu un sourire ironique.

— J'ai connu autrefois quelqu'un qui portait ce nom, mais il n'était pas aussi charmant que vous...

C'était le genre de remarques auxquelles le surnom de Charlotte l'exposait régulièrement, et qui l'agaçaient tant...

— C'est un diminutif, expliqua-t-elle, d'un ton un peu plus sec qu'elle ne l'aurait souhaité. Un diminutif pour Charlotte. Charlotte Franklin.

Aussitôt, l'homme lui tendit la main. Une main large et puissante.

— Ravi de faire votre connaissance, Charlie. Mon nom est Jim. Jim Hanna.

Charlie hésita un bref instant à serrer la main qu'il lui présentait, puis elle se laissa aller à cette politesse formelle, et lui en fut presque reconnaissante. D'une civilité un peu forcée, ces présentations leur permettaient de revenir en douceur à la normalité.

— Désolée pour ce qui est arrivé à votre voiture, monsieur Hanna, s'excusa-t-elle en jetant un coup d'œil embarrassé au panache de fumée blanche que laissait échapper le capot.

— Ce n'est rien à côté de ce qui aurait pu se passer... A présent, si vous le permettez, je vais vous conduire à l'intérieur.

Sans attendre son assentiment, Jim lui prit Rachel des bras et la conduisit en quelques pas sous le porche.

— Tu vas nous attendre ici, ma chérie. Je vais aider ta maman à descendre. D'accord ?

La petite fille approuva d'un hochement de tête grave, et s'assit en haut des marches, son bouquet de fleurs malmené, toujours dans la main.

Sans attendre le retour de Jim, Charlotte s'était mise en devoir d'ouvrir sa portière et de s'extraire elle-même de son siège. Tout se déroula tant bien que mal jusqu'à ce qu'elle se risque à poser sa jambe sur le sol. Aussitôt, sa cheville se déroba sous elle, et elle se serait effondrée sur le sol si Jim ne s'était pas empressé de la réceptionner dans ses bras. Avant qu'elle ait pu réaliser ce qu'il lui arrivait, il la soulevait déjà de terre et avançait vers la maison.

— Monsieur Hanna, je...

— Faites-moi plaisir : appelez-moi Jim...

Charlotte poussa un soupir.

— Jim, reprit-elle, tout ceci est assez embarrassant...

S'arrêtant au beau milieu du chemin, il plongea dans le sien son regard bleu, transparent et si troublant.

— En ce qui me concerne, répondit-il d'une voix ferme, je ne vois rien d'embarrassant au fait d'aider la personne la plus courageuse que j'aie jamais rencontrée. Vous rendez-vous compte que vous risquiez votre vie sans espoir de sauver la sienne ?

Charlie fit une grimace douloureuse et reporta son attention sur la fillette, occupée à effeuiller une marguerite.

— De toute façon, sans elle à mes côtés, ma vie n'aurait plus eu aucun sens.

La réponse de Charlie laissa Jim sans voix. En théorie, il comprenait que des parents puissent sans hésiter mettre leur vie en danger pour sauver celle de leur enfant. Mais Charlotte Franklin était le premier exemple vivant de cette sorte d'amour inconditionnel et sans limites qu'il rencontrait sur son chemin. Car même si l'adulte qu'il était devenu pouvait imaginer avoir un jour fait l'objet d'un amour semblable, l'enfant qu'il avait été, lui, n'en gardait pas le moindre souvenir...

— Cela, je ne peux que l'imaginer, commenta-t-il d'une voix troublée.

Puis il sourit à la petite fille qui, amusée, le regardait avancer vers elle, sa mère dans les bras.

— Allons-y, jeune fille, reprit-il d'un ton plus ferme. Il est temps à présent de me montrer ta maison.

A la grande surprise de Charlie, Rachel se leva aussitôt. Poussant toutes les portes sur son chemin — comme une grande —, elle les précéda à l'intérieur, où Jim déposa la jeune femme sur le sofa. A peine s'était-il écarté que Rachel se précipitait vers elle et se lovait dans son giron en suçant son pouce.

— Tout va bien ? s'inquiéta Jim.

— Je pense. Elle doit être un peu choquée, c'est tout.

Désignant le téléphone posé sur un petit guéridon près de la fenêtre, Charlie ajouta :

— Il y a un annuaire dans le tiroir. Je vous en prie, faites comme chez vous.

— Puisque vous m'y invitez. Mais, laissez-moi d'abord mettre un peu de glace sur cette cheville.

— La cuisine est de l'autre côté du couloir, précisa Charlie sans protester. Vous trouverez des sacs en plastique sous l'évier. Le bac à glaçons du réfrigérateur doit être plein.

En un clin d'œil, Jim fut de retour. Lorsqu'il posa sur sa cheville la serviette dans laquelle il avait enveloppé le sac de glaçons, Charlie ne put s'empêcher de tressaillir.

— Désolé, dit-il. Dois-je prévenir votre mari ? Travaille-t-il dans les champs, près d'ici ?

— Je n'ai pas de mari.

La voix de Charlotte n'avait pas tremblé. Considérant longuement Rachel, puis sa mère, Jim secoua la tête, l'air désolé.

— Excusez-moi..., murmura-t-il. Je ne voulais pas réveiller de douloureux souvenirs. Y a-t-il quelqu'un d'autre que je puisse prévenir ?

Comprenant qu'il se fourvoyait, Charlie poussa un profond soupir. Mais après tout, peu importait ce qu'il pouvait penser. Pourtant, presque malgré elle, elle se sentit obligée de rectifier :

— Je ne suis pas veuve. Le père de Rachel est mort, en effet, mais il n'a jamais été mon mari. Pour ce qui est de prévenir quelqu'un, si vous voulez bien m'apporter le téléphone, je vais appeler mon frère Wade, avec qui nous vivons.

Autant pour masquer son trouble que pour faire ce qu'elle lui demandait, Jim s'empressa d'aller chercher l'appareil sur le guéridon. Mais avant d'avoir pu s'en saisir, il s'arrêta net devant la fenêtre à la vue d'une voiture qui pénétrait dans l'allée.

— Une voiture de police est en train de se garer dans votre cour, indiqua-t-il.

— Ce doit être Wade, répondit Charlotte. J'ai oublié de vous dire qu'il dirige la police de Call City...

Le premier effet de surprise passé, Jim dut se retenir pour
ne pas rire du mauvais tour que lui jouait le destin. Après
avoir traversé la moitié du pays pour tenter d'oublier la
police, ses règles et ses rigueurs, pourquoi fallait-il que les
premières personnes rencontrées sur sa route fussent elles
aussi liées à cette institution?

Les yeux rivés sur l'officier de police moustachu qui
venait de s'extraire précipitamment de son siège, Jim finit
par conclure qu'il valait mieux prendre tout cela avec philo-
sophie. Dans une heure ou deux, la dépanneuse serait venue
le tirer de ce mauvais pas. Demain, après-demain au plus
tard, il reprendrait sa route et n'entendrait plus jamais parler
des Franklin...

Il se retourna vers Charlotte et fut tout de suite frappé par
sa ressemblance avec l'homme qui s'apprêtait à pénétrer
dans la maison. Les yeux dans le vague, elle caressait d'une
main distraite les cheveux de sa fille, toujours réfugiée dans
son giron.

Plus que jolie, Charlotte Franklin était une jeune femme à
la beauté émouvante. Grande, élancée, il émanait de tout son
être une énergie perceptible dans le moindre de ses gestes.
Elle avait un visage délicat, aux traits fins et réguliers. Ses
yeux noisette et la ligne de son menton témoignaient d'une
force de caractère et d'une fermeté qu'adoucissait son abon-
dante chevelure châtain, aux reflets roux. Sous ses vête-

ments, ses rondeurs féminines dessinaient des courbes discrètes mais infiniment troublantes.

En détournant à regret son regard pour faire face à l'homme qui venait de pénétrer en trombe dans la pièce, Jim sentit que venaient de se réveiller en lui des sensations depuis bien longtemps assoupies. Troublé, il songea qu'il ne serait peut-être pas aussi facile qu'il venait de le penser de quitter cette maison...

Wade Franklin s'était délecté par avance à la perspective d'une petite soirée tranquille. Mais en découvrant la clôture de son pré complètement défoncée, il comprit qu'il devrait réviser ses plans.

Déjà d'humeur massacrante en se garant près de la jeep accidentée et inconnue qui stationnait devant chez lui, son sang ne fit qu'un tour lorsqu'il aperçut l'étranger qui se tenait près de sa sœur. En un geste réflexe, sa main se porta à la crosse du revolver pendu à son côté.

— Charlie ! s'exclama-t-il en se précipitant vers elle. Bon sang, qu'est-ce qui se passe ici ?

— Tout va bien, répondit sa sœur d'une voix faible... avant de se mettre à pleurer à gros sanglots.

Jim soupira. Depuis leur rencontre, elle avait plusieurs fois frôlé la crise de nerfs sans jamais y tomber. Quoi de plus normal, eu égard aux circonstances, qu'elle se laissât enfin aller ? Ce qui le surprenait plus, en revanche, c'était l'impérieuse envie d'aller la consoler qui s'était emparée de lui...

D'un pas précautionneux, Wade se rapprocha de sa sœur, sans pour autant relâcher l'attention soutenue que depuis son arrivée il portait à l'homme qui se tenait auprès d'elle.

Dans l'espoir de briser la glace, Jim lui tendit une main amicale.

— Mon nom est Jim Hanna. Heureux de vous rencontrer...

Wade répondit par un vague hochement de tête, sans

même ôter les doigts de son revolver. De toute évidence, il réservait à plus tard — lorsqu'il en saurait plus sur l'étranger qui avait investi sa maison — les présentations. Jim haussa les épaules. Comment lui en vouloir alors que, placé dans la même situation, il aurait sans doute agi de même ? En toute circonstance, un flic restait un flic, il était bien placé pour le savoir.

— Qu'est-il arrivé à la clôture ? demanda Wade avec un regard soupçonneux à l'adresse de Jim. Je suppose que c'est elle qui a foncé sur votre voiture ?

Ce fut plus fort que lui, Jim ne put s'empêcher d'éclater de rire... Même Charlie, au milieu de ses larmes, le rejoignit dans son hilarité. Rachel, toujours juchée sur les genoux de sa mère, les imita de bon cœur, sans comprendre ce qui pouvait bien les mettre ainsi en joie.

— Taureau ! Taureau ! s'écria-t-elle en roulant de grands yeux effrayés.

Les sourcils froncés, elle regarda son oncle avec gravité, puis désigna la fenêtre d'un doigt insistant.

— Que veux-tu dire, ma chérie ? Quel taureau ?

Wade écarquilla les yeux et regarda dans la direction que Rachel indiquait.

— Oh, Wade ! intervint Charlotte, toujours partagée entre le rire et les larmes. Le taureau des Tucker est de nouveau entré dans notre pâture. Je ne trouvais pas Rachel, et puis je l'ai vue dans le pré... Le taureau fonçait droit sur elle ! Je suis tombée en courant. Si M. Hanna n'était pas passé sur la route... Il a foncé pour sauver Rachel. S'il n'avait pas défoncé ta chère clôture, ta nièce serait morte à l'heure qu'il est !

A cette idée, le corps de Charlotte fut secoué par un grand frisson. Consciente qu'elle ne pourrait éviter de se remettre à pleurer, elle s'empressa d'enfouir son visage dans ses mains. Wade, quant à lui, était devenu pâle comme un mort. Cette fois, ce fut à lui de s'avancer vers Jim pour lui tendre la main.

— Monsieur, dit-il avec solennité, je n'ai pas besoin des

détails qui me manquent pour comprendre que vous venez de sauver les vies de ma sœur et de ma nièce. Et pour cela, je n'aurai jamais de mots assez forts pour vous remercier.

Jim se laissa secouer la main avec effusion et baissa les yeux, un peu gêné d'être si vite passé du statut d'ennemi potentiel à celui de héros.

— Ce n'est rien, marmonna-t-il. Je me suis contenté d'être là au bon moment.

Mais Wade ne l'entendait pas de cette oreille. Incapable d'exprimer autrement sa gratitude, il s'approcha de lui et le gratifia d'une accolade chaleureuse. Trop surpris pour protester, Jim se laissa faire, immobile, les bras écartés le long du corps, étonné de constater combien ce geste lui allait droit au cœur.

Puis, Wade le lâcha et s'agenouilla près de sa sœur.

— Il faudrait peut-être que tu voies un médecin, suggérat-il en soulevant le sac de glace posé sur sa cheville.

— Ça va aller, le rassura-t-elle après avoir saisi sa main entre les siennes. C'est juste une entorse.

Devant l'évidente affection qui unissait le frère et la sœur, Jim se sentit un peu gêné, mais aussi en proie à un sentiment qu'il ne connaissait que trop bien, une douloureuse sensation de manque qui lui serra le cœur.

— A propos de ce coup de fil que je devais passer, intervint-il. Si vous me recommandiez un garage et un motel dans les environs, je pourrais vous laisser tranquilles.

Wade se tourna vers lui.

— Il n'y a jamais eu aucun motel à Call City. Quant à la seule dépanneuse dont nous disposons, je viens à l'instant de l'envoyer en intervention à trente kilomètres d'ici.

Il se retourna vers Charlie et lui lança du regard une question muette, à laquelle elle répondit par un hochement de tête.

— Charlie et moi, reprit Wade, considérerions comme un honneur de pouvoir vous accueillir chez nous.

Sans même réfléchir à la proposition, Jim refusa.

— Je vous remercie, mais ce n'est pas nécessaire. Ce ne sera pas la première fois que je dormirai dans ma voiture.

— Il n'en est pas question! s'exclama Charlotte. Vous dormirez ici, avec nous, dans la maison!

Jim baissa les yeux vers elle. Même maculé de poussière et de larmes, le visage de Charlotte Franklin restait celui d'une jeune femme belle et énergique. Mais plus que sa détermination, ce fut ce qu'il découvrit au fond de ses yeux qui le décida. Elle avait besoin de le remercier de façon tangible d'avoir sauvé sa vie et celle de sa fille, et c'eût été un manque de tact évident que de le lui refuser. Qu'il le veuille ou non, il était dans l'obligation d'accepter leur invitation.

— Dans ce cas, dit-il à contrecœur, c'est d'accord. Et pour vous épargner cette nuit de sursauter au moindre bruit, je dois vous préciser que je suis moi aussi de la police...

Wade se redressa. Un grand sourire gamin éclairait son visage, à peine durci par la coupe en brosse de ses cheveux.

— Vous êtes flic? Mais pourquoi ne l'avoir pas dit plus tôt!

Jim lui lança un regard sombre, décidé à jouer jusqu'au bout la carte de la franchise.

— Sans doute parce que je viens d'être mis à pied.

Le sourire de Wade se fana sur ses lèvres.

— Ce sont des choses qui arrivent, fit-il observer en enveloppant Jim d'un regard songeur.

Fouillant dans sa poche revolver, Jim en tira son portefeuille et s'avança vers lui pour lui tendre une carte.

— Appelez ce numéro dans l'Oklahoma. Demandez à parler au capitaine Roger Shaw, chef de la police de Tulsa. A défaut de vous rassurer sur ma santé mentale, il pourra toujours se porter garant de mon honnêteté.

En entendant la voix de Jim se briser sur une note amère, Charlotte tressaillit. Dans un geste instinctif, elle serra un peu plus Rachel contre elle. Alertée par ces paroles sibyllines, c'est d'un œil nouveau qu'elle regardait à présent leur sauveur. Avait-elle bien fait d'introduire chez eux ce parfait inconnu?

Ce changement d'attitude ne passa pas inaperçu de Jim.

— Ecoutez, reprit-il d'un ton grave en se tournant vers elle. Je ne vois dans cette pièce personne à qui je puisse m'en prendre à part moi-même. Je vous le jure !

Charlie s'efforça de soutenir le regard farouche qu'il posait sur elle. Au fond, elle n'avait aucune raison de le croire sur parole — hormis le fait qu'il venait de leur sauver la vie, bien sûr. Mais il émanait de cet homme quelque chose d'indéfinissable, de profondément rassurant, qui la poussait à lui faire confiance.

— Je vous crois, répondit-elle enfin, adressant à Jim un sourire chaleureux. Bienvenue chez nous.

— Alors c'est d'accord, conclut Wade en se frottant les mains. Mais avant que vous appeliez le garage, j'ai un coup de fil à donner. Il y a dans les parages un triste individu à qui je dois toucher deux mots de son fichu taureau...

Sans plus attendre, il se précipita sur le téléphone, pianota d'un doigt rageur une série de touches, puis l'emporta avec lui sur le porche.

Après son départ, Charlie se passa les doigts dans les cheveux d'un geste nerveux. Rachel, qui s'agitait depuis quelques instants sur ses genoux, demanda à en descendre. Par la porte entrouverte, des bribes d'une conversation téléphonique animée, parsemée d'épithètes rageurs, leur parvenaient. Charlotte adressa à Jim un pâle sourire d'excuse.

— Wade a toujours eu mauvais caractère, expliqua-t-elle avec un petit soupir.

Jim haussa les épaules.

— Ce n'est pas moi qui vais l'en blâmer. A sa place, je crois que je serais allé rectifier le portrait de cet inconscient avant de chercher à discuter.

De nouveau alertée par la violence de ces propos, Charlie ne trouva rien à répondre. Et lorsque Jim, ne sachant que faire, se mit à déambuler dans la pièce, elle se surprit à surveiller du coin de l'œil chacun de ses gestes.

Ce fut cet instant que choisit Rachel pour s'écrier :

— Pipi, maman ! Pipi !

Charlie fit la grimace. Avec sa cheville, elle ne devait pas s'attendre à pouvoir lui venir en aide. Tout du moins pas assez vite.

— Wade ! appela-t-elle. Reviens. Vite !

Alerté par ses cris, son frère se précipita aussitôt dans la pièce.

— Qu'est-ce qui se passe ?

— Rachel a besoin d'aller aux toilettes.

Soulagé, Wade se mit à rire et se précipita vers sa nièce, qu'il souleva à bout de bras dans les airs.

— Vite, vite, vite ! Dépêchons-nous, p'tit cœur...

Charlie les regarda sortir en courant, puis reporta son attention sur Jim, qui souriait.

— Apprentissage de la propreté..., expliqua-t-elle. Avec elle, il ne s'écoule jamais très longtemps entre l'alerte et le désastre.

Le sourire de Jim s'élargit, et Charlotte en fut rassurée. Bien que mystérieux — et même inquiétant parfois — leur hôte avait aussi des côtés charmants.

— Dès que Wade sera revenu, reprit-elle, il vous montrera la chambre d'amis. Quant à moi, après avoir fait un brin de toilette, je m'occuperai de notre dîner.

— Hors de question ! protesta Jim d'une voix ferme. Ce soir, ce sont les hommes qui cuisinent. Ce sera sans doute dur à supporter pour votre estomac, mais plus confortable pour notre tranquillité d'esprit.

Charlie se sentit rougir. Non content d'être charmant, leur invité pouvait aussi se montrer très prévenant...

Aussi, lorsque Wade revint aider sa sœur à se rendre à la salle de bains, ce fut sans la moindre hésitation que Charlotte laissa sa fille en tête à tête avec Jim Hanna.

Insensible aux suspicions, aux doutes et aux préventions des adultes, la petite fille vint aussitôt tendre les bras vers lui. Un peu hésitant, tout d'abord — ses contacts avec les enfants n'étaient pas si fréquents —, Jim la prit dans ses bras et décida de se laisser aller aux élans qui le portaient spontanément vers ce petit être si différent de lui. Avisant un pétale de marguerite qui était resté accroché à son menton, il s'en saisit et l'examina d'un air intrigué.

— Tu trouves ça bon, toi? demanda-t-il avec une grimace comique.

Puis, sans hésiter, il porta le pétale à sa bouche et le mastiqua avec application.

Lorsque Rachel se mit à rire aux éclats et à taper des mains, Jim sentit toute angoisse le quitter. Après tout, songea-t-il, ces vacances forcées ne seraient peut-être pas aussi pénibles qu'il l'avait craint.

Il ne fallut pas plus d'une heure à Jim pour comprendre qu'à Call City mieux valait savoir être patient.

Après deux ou trois essais infructueux, il parvint enfin à joindre le garagiste, qui lui assura ne pouvoir enlever son véhicule — au plus tôt — que le lendemain. Payer un supplément pour que la jeep fût emmenée en ville le soir même, comme Jim le suggéra, n'eût de toute façon rien résolu puisque le garage n'ouvrait qu'à 7 heures. Et aucun événement sur terre, semblait-il, n'eût été assez grave pour changer le cours des choses.

Résigné, Jim s'était donc résolu à aller chercher ses affaires dans sa voiture et à s'installer dans la chambre que Wade lui avait montrée. Petite et très propre, la pièce était confortable et décorée avec goût. Le fait d'avoir à partager la salle de bains avec deux adultes et un bébé semblait un faible prix à payer en échange d'un lit, un bon repas, et de la douceur d'un foyer.

Jim venait de regagner le salon lorsqu'il aperçut par la fenêtre ouverte une bétaillère en train de remonter l'allée bordée d'arbres qui conduisait à la maison des Franklin. Sans doute le voisin propriétaire du taureau, songea Jim, sans pouvoir s'empêcher de rester sur place afin d'observer la scène.

Déjà, Wade s'était porté à la rencontre du visiteur, et les insultes recommençaient à fuser. Alors qu'il en était encore à se demander s'il devait intervenir avant que les deux hommes n'en viennent aux mains, Jim fut stupéfait par ce qu'il finit par comprendre au hasard de leur dispute. Non seulement, le dénommé Tucker était le propriétaire du taureau, mais surtout, il était le grand-père de Rachel. Et de toute évidence, cette parenté lui déplaisait.

— C'est un homme malheureux...

Jim sursauta. Charlotte, qu'il n'avait pas entendue approcher, se tenait juste derrière son épaule.

— Qui cela? demanda-t-il sans réfléchir.

— Everett Tucker.

Jim se tourna vers elle, un peu confus d'être ainsi surpris en train d'écouter aux portes. Une fois encore, il maudit le flic en lui qui n'avait de cesse d'avoir tout vu, tout entendu, tout compris.

— Je vous prie de m'excuser, murmura-t-il. Mon intention n'était pas d'être indiscret.

Charlie haussa les épaules.

— Ce n'est ici un secret pour personne. Everett Tucker ne nous porte pas dans son cœur.

Elle se tourna vers sa fille, qui jouait tranquillement devant la télévision sur le tapis du salon, et ajouta, un ton plus bas :

— Je crois en plus, hélas, que de nous trois Rachel est celle qu'il déteste le plus.

— Pourquoi? demanda Jim, révolté à l'idée que l'on pût en vouloir à une enfant.

— Sans doute parce qu'elle est tout ce qui reste sur terre de son fils, et qu'il ne peut supporter cette idée...

Jim secoua la tête.

— Je suis désolé. J'ai l'art de sortir les fantômes des placards...

Sans plus se préoccuper de la dispute qui opposait son frère à leur voisin, Charlie reporta son attention sur lui.

— Ne vous excusez pas, répondit-elle en souriant. Tous mes fantômes reposent en paix. Je ne vois pas pourquoi j'aurais à porter éternellement le deuil de Pete Tucker, qui n'a pas hésité à m'abandonner alors que j'étais enceinte de sa fille.

Jim pâlit et baissa les yeux.

— Ecoutez, je sais que je me répète, mais je suis vraiment désolé. Cet homme devait être fou pour avoir fait une chose pareille.

Charlie soupira, et Jim se demanda si c'était des larmes qu'il avait vues briller dans ses yeux avant qu'elle se retourne vers la fenêtre.

— On peut voir les choses ainsi...

Il resta un moment à la contempler, indécis. Puis, troublé par les émotions contradictoires qui montaient en lui, il sortit sur le porche pour rejoindre Wade.

Le soleil n'était déjà plus qu'un point orange à l'horizon lorsque les deux hommes regagnèrent la maison. Jim avait aidé Wade à réparer la clôture, ou plutôt s'était contenté de lui passer les matériaux et les outils dont il avait besoin. Citadin depuis toujours, il n'avait aucune habitude de la campagne et aurait été bien en peine de construire un enclos.

Après s'être lavé les mains, Wade lui tendit un panier de pommes de terre et un épluche-légumes. Puis il sortit dans le jardin, muni d'un plat de steaks à griller. Debout devant la fenêtre de l'évier, Jim jetait de temps à autre un œil amusé à Rachel, qui ne cessait d'aller et venir entre son oncle, occupé à attiser le barbecue, et la balançoire.

Songeur, il se surprit à imaginer quelle pourrait être sa place dans cet univers chaleureux. Puis, furieux de se laisser aller à des rêveries aussi absurdes, il détourna les yeux et s'obligea à se concentrer sur ses travaux d'épluchage. Comment pouvait-il envisager de prendre en charge une famille, alors qu'il n'était même pas en mesure de prendre soin de sa propre personne ?

Il achevait de peler sa troisième pomme de terre lorsqu'il eut la sensation de n'être plus seul dans la pièce. En se retournant, il découvrit Charlotte, appuyée au chambranle de la porte de la cuisine, qui l'observait. Aussitôt, il laissa tomber dans l'évier couteau et pomme de terre et se précipita vers elle.

— Que faites-vous debout ? Laissez-moi vous aider...

Charlie s'apprêtait à prendre appui sur lui pour gagner une chaise, mais Jim la prit de vitesse : glissant un bras sous ses genoux et l'autre sous ses épaules, il la souleva de terre sans le moindre effort.

— Ce n'était pas nécessaire, murmura-t-elle en rougissant.

Pour la mettre à l'aise, Jim rétorqua sur le ton de la plaisanterie :

— Vous ne voudriez pas priver un homme d'une telle opportunité ! Je n'ai pas tous les jours l'occasion de porter une jolie femme dans mes bras.

— Même pas la vôtre ?

Jim crut voir briller une lueur de curiosité dans le regard de la jeune femme. Ils se fixèrent un long moment sans un mot. Une mèche des cheveux encore humides de Charlotte frôlait la main de Jim, qui se sentit encore plus troublé par la douceur de ce contact que par son corps abandonné contre lui. Immobile dans ses bras, elle semblait retenir son souffle, ses yeux un peu inquiets perdus dans les siens, comme si elle eût redouté sa réponse.

— Je ne suis pas marié, répondit-il enfin. L'emploi du temps d'un officier de police ne me semble pas compatible avec la vie de couple.

Charlotte baissa les yeux, semblant fuir son regard.

— Posez-moi, à présent, déclara-t-elle.

Un peu surpris de son brusque changement de ton, Jim hésita une seconde avant de se décider à traverser la pièce pour l'asseoir sur une chaise, près de la table.

— Merci.

— A vos ordres, madame.

Sur un petit salut militaire ironique, il s'apprêtait à regagner l'évier lorsqu'elle l'interpella :

— Monsieur Hanna...

Jim se retourna avec un soupir. Visiblement, elle ne semblait pas prête à l'appeler par son prénom...

— Oui ?

— Ce n'est pas le métier qui fait l'homme. Aucun uniforme ne peut priver celui qui le porte de son libre arbitre.

Que répliquer à cela? Conscient de la vérité de ces propos, Jim s'en retourna à sa tâche sans un mot. Il cherchait encore une réponse adéquate lorsque Wade les rejoignit, portant son plat de viande comme s'il se fût agi du saint Graal.

— Les steaks sont prêts!

— Pas les pommes de terre, bougonna Jim entre ses dents.

Wade lança à sa sœur un regard surpris, auquel Charlie répondit en haussant les épaules.

— Aucun problème, déclara-t-il, conciliant, en posant le plat sur la table. Il me faut encore extraire Rachel de son bac à sable, et cela risque de ne pas être une sinécure!

Une demi-heure plus tard, ils mangeaient tous quatre de bon appétit. Après les tensions qui avaient suivi l'effrayant épisode du taureau, l'heure était à la détente et aux rires, et Jim passa une soirée très agréable en compagnie de ses hôtes.

Pourtant, bien longtemps après qu'ils eurent achevé leur repas et qu'ils furent tous allés se coucher, les paroles de Charlotte résonnaient encore sous son crâne. *Ce n'est pas le métier qui fait l'homme. Aucun uniforme ne peut priver celui qui le porte de son libre arbitre...* Oui, que cela lui plaise ou non, il devait bien convenir qu'elle avait raison.

Et il eut beau se tourner sans cesse dans son lit, il ne parvint pas à trouver le sommeil avant que ne viennent le hanter des questions que, en règle générale, il s'empressait d'éluder. Pourquoi avait-il choisi de devenir officier de police? Par vocation? Il n'y croyait pas trop. En fait, s'il était honnête avec lui-même, il lui fallait reconnaître qu'il avait plus embrassé cette carrière pour se protéger lui que les autres. Mais de quoi cherchait-il à se protéger en endossant l'uniforme? Ou plutôt *de qui*?

Une seule réponse lui vint à l'esprit. Une réponse si inacceptable que Jim, par dépit, en fut réduit à bourrer son oreiller de coups de poing rageurs afin de retrouver son calme. Et lorsque, enfin, le sommeil le terrassa, il sombra dans des rêves agités où Dan Myers, son ancien coéquipier, ne cessait d'apparaître. Dan qui était là devant lui, riant aux éclats, et qui, l'instant d'après, s'écroulait à ses pieds, le visage baigné de sang, son rire figé en un horrible rictus...

4.

A l'aube, Jim émergea du sommeil en sursaut. D'abord éberlué d'avoir été réveillé par le chant d'un coq, il ne s'en étonna plus lorsque les événements de la veille affluèrent à sa mémoire, et qu'il se rappela où il se trouvait. Ce qu'il ne parvint pas en revanche à s'expliquer, ce fut ce petit souffle, chaud et régulier, qui lui caressait la joue...

Soudain bien réveillé, Jim ouvrit grand les yeux pour découvrir à deux doigts du sien un petit visage poupin, encadré de folles mèches noires. Avant même qu'il ait eu le temps de réaliser ce qui lui arrivait, Rachel lui fourrait son index dans le nez...

— Nez, déclara-t-elle avec une satisfaction évidente.

Trop surpris pour protester, Jim éclata de rire. Non de ce rire de gorge sarcastique que ses collègues de la police de Tulsa connaissaient si bien, mais d'un rire, massif, venu du fond de son ventre, et qui résonna haut et fort dans le silence matinal de la maison.

Malicieuse, la petite fille ôta aussitôt son doigt et pouffa, avant de rabattre le drap sur sa tête pour se cacher. Un instant plus tard, les beaux yeux noisette, qui ressemblaient tant à ceux de sa mère, émergèrent de nouveau pour le contempler avec curiosité. Incapable de résister, Jim se redressa dans son lit et se pencha pour la soulever de terre et l'asseoir à côté de lui.

— Toi, dit-il en lui pinçant gentiment la joue, tu m'as l'air d'un bel oiseau rare.

— Oiseau ! répéta Rachel, ravie, le doigt pointé vers la ramure de l'arbre qui poussait sous la fenêtre de la chambre.

Le sourire de Jim s'élargit. De toute évidence, la fillette était aussi dégourdie qu'adorable.

— Tu as tout à fait raison, reprit-il. Les oiseaux vivent dans les arbres.

Rachel approuva d'un air grave et se serra un peu plus contre lui.

Jim s'apprêtait à continuer leur petite discussion quand Charlotte fit soudain irruption dans la chambre.

Elle n'était guère mieux coiffée que sa fille, mais là s'arrêtaient les comparaisons... En fait, songea Jim un peu troublé, dépourvue de tout maquillage et les yeux encore gonflés de sommeil, elle ressemblait à une femme qui aurait passé la nuit dans les bras d'un amant très amoureux. Pendant un instant d'égarement, il se demanda quel effet cela ferait de la serrer dans ses bras et de l'embrasser. Puis, il se reprit bien vite et lui sourit aimablement.

— Je suis désolée, s'excusa-t-elle en se précipitant vers Rachel pour la soulever dans ses bras. Elle vient d'apprendre à sortir de son lit toute seule, et plus rien ne l'arrête à présent.

— Aucun problème, répondit Jim avec un sourire. En guise de réveille-matin, on fait pire !

Au pied du lit, Charlie hésita une seconde.

— Elle ne vous a pas embêté au moins ?

— Non. Elle s'est contentée de me nettoyer la narine gauche pendant que je dormais.

Charlie roula des yeux consternés.

— Oh, non !

Amusé de la voir aussi gênée, Jim s'esclaffa franchement.

— Cela n'a rien de bien méchant, vous savez. C'est toujours mieux que le canon d'un colt !

Charlotte fit la grimace.

— Je vois que votre sens de l'humour est aussi déplorable que celui de mon frère.

— Ce doit être la fonction qui veut ça.

— A présent, si vous voulez bien nous excuser, nous allons vous laisser dormir.

Jim s'assit dans son lit.

— J'ai bien assez dormi pour aujourd'hui. Si ça ne vous dérange pas, j'aimerais m'occuper du café.

Tandis qu'il s'étirait, le drap glissa, révélant son torse nu jusqu'à la naissance de son ventre. Soudain gênée, Charlie reporta bien vite les yeux vers son visage.

— Euh... Oui, bredouilla-t-elle. Enfin, je veux dire... Non, cela ne me dérange pas. Faites comme chez vous.

Sur ces mots, elle s'empressa de se détourner pour sortir. Ce fut alors que Jim aperçut l'hématome violet sur sa cheville enflée. Dans un geste spontané, il repoussa les draps et commença à se lever pour l'aider à porter Rachel... avant de se rasseoir rapidement en se souvenant qu'il était nu comme un ver. Heureusement, Charlotte ne s'était pas retournée !

Il attendit qu'elle ait refermé la porte pour sortir de son lit, et enfila le dernier jean propre qui lui restait ainsi qu'un T-shirt blanc arborant le sigle de la police de Tulsa.

Dans le couloir, il perçut au passage la voix douce et persuasive de Charlotte, qui tentait d'habiller sa fille dans la salle de bains. Du salon, lui parvint aussi celle de Wade, sans doute déjà occupé à régler par téléphone les premiers soucis de sa journée de policier.

Un bref instant, Jim ressentit comme un manque le fait de n'être pas lui-même en train de se préparer pour aller travailler. Puis il se rappela que c'était précisément son métier qui l'avait conduit là où il en était. Des échos des rêves qui avaient peuplé sa nuit lui revinrent à la mémoire, et il poussa un profond soupir. Tant qu'il ne réussirait pas à se pardonner de n'être pas mort à la place de Dan Myers, il serait bien inutile de songer à reprendre le travail...

Il était en train de fouiller tous les placards de la cuisine, à la recherche des filtres à café, lorsque Wade pénétra dans la pièce. Comme pris en faute, Jim expliqua :

— J'ai demandé à Charlie si je pouvais m'occuper du café et elle m'a dit...

Les mains au fond des poches, Wade haussa les épaules, l'air préoccupé.

— Faites comme chez vous...

Tout en préparant le café, Jim ne quittait pas des yeux le frère de Charlotte. Les bras et les jambes croisés, appuyé contre le plan de travail, celui-ci contemplait fixement le sol, comme s'il cherchait une solution à un problème ennuyeux.

— Un problème ?

Wade hocha la tête, sans le regarder.

— On dirait...

— Envie d'en parler ?

Le silence retomba dans la cuisine. Adossé au mur, les bras croisés, Jim attendit que Wade se décide à se confier. Bien qu'il le connût à peine, il devinait qu'il ne servirait à rien d'essayer de brusquer le chef de la police de Call City.

— J'ai parlé à votre capitaine, déclara enfin celui-ci en relevant les yeux vers lui.

— Ah oui ? répondit Jim avec un petit sourire crispé. Il va bien ?

— Pas trop, non. Il m'a dit que par votre faute il s'est remis à fumer.

— Facile d'accuser les autres quand on n'a pas de volonté... Et à part ça, que vous a-t-il dit ?

— Qu'il était heureux d'apprendre que vous étiez toujours en vie. Il vous conseille également de rappliquer à Tulsa vite fait, sous peine de représailles dont je préfère, par pudeur, vous épargner les détails.

Jim haussa les épaules, l'air suffisant.

— Il m'aime. Que voulez-vous que j'y fasse ?

Wade consentit à un sourire sans gaieté.

— Il m'a affirmé que vous êtes l'un de ses meilleurs éléments. Ce qui m'amène à vous demander un service. Si vous avez à Tulsa vos propres problèmes, il semble bien que j'en aie moi-même un ici. Et pas qu'un petit !

Wade prit le temps d'aller remplir en silence deux tasses, que Charlie avait disposées la veille sur la table, et lui en tendit une avant de poursuivre :

— Victor Schuler, le directeur de la banque de Call City, a disparu. Sa femme affirme qu'il avait un rendez-vous hier soir et qu'il n'est pas reparu depuis. Mon adjoint a retrouvé sa voiture garée sur le parking de l'hôtel de ville. C'était là que Schuler avait rendez-vous.

Le nez plongé dans sa tasse, Jim grimaça.

— Cela lui est déjà arrivé de disparaître ainsi dans la nature ?

— Jamais. Schuler n'est pas du genre à péter les plombs ou à s'envoler sans laisser de traces.

— A quoi pensez-vous ? Un rapt, un hold-up raté, une maîtresse ?

Wade balaya l'air de la main en signe d'ignorance.

— Difficile à dire... On ne peut rien exclure. J'en saurai peut-être plus tout à l'heure, en arrivant au bureau.

— En quoi cela me concerne-t-il ? demanda alors Jim d'un ton suspicieux.

Sans le regarder, le frère de Charlotte sirota longuement son café, comme s'il hésitait à parler.

— C'est à cause de Hershel Brown, mon adjoint, expliqua-t-il enfin. Il se marie demain, et part pour deux semaines en voyage de noces. Je peux difficilement lui demander de remettre son mariage à plus tard. Mais sans lui je vais manquer d'hommes pour mener à bien l'enquête.

Sentant ce qui allait venir, Jim se raidit.

— Combien d'autres adjoints avez-vous ? s'enquit-il.

Wade sourit.

— Aucun. Et puisque vous allez être bloqué ici jusqu'à ce que votre jeep soit réparée, je me disais que vous pourriez peut-être me donner un coup de main. Notre budget n'est pas élastique, mais je devrais pouvoir trouver un petit reliquat pour vous rémunérer, même s'il ne faut pas vous attendre à grand-chose...

Jim émit un soupir résigné. Une fois de plus, le destin semblait le narguer. Indésirable jusqu'à nouvel ordre dans les rangs de la police de Tulsa — ce qui l'avait conduit jusqu'ici —, il se voyait prié d'apporter son concours à celle de Call City... Mais puisqu'il n'avait rien de plus pressé à faire, pourquoi refuser à Wade l'aide qu'il lui demandait ? Aussi, après quelques instants de réflexion, répondit-il :

— C'est d'accord. Et il ne sera pas nécessaire de me rémunérer puisque, techniquement parlant, je suis toujours payé dans l'Oklahoma. Considérez ceci comme un cadeau de la police de Tulsa, avec les compliments du capitaine Shaw.

Wade se leva pour venir lui serrer la main avec chaleur.

— Merci beaucoup, dit-il, l'air soulagé. Vous ne pouvez pas savoir comme j'apprécie.

Jim haussa les épaules, un sourire amer aux lèvres.

— Attendez de m'avoir vu à l'œuvre avant de me remercier.

Choisissant d'ignorer l'avertissement implicite, Wade se pencha sur la table pour remplir leurs tasses. A cet instant, un coup de Klaxon retentit à l'extérieur.

— Ce doit être la dépanneuse qui vient chercher votre voiture. Mais il vous faudra attendre demain pour que le garagiste l'examine.

Jim fronça les sourcils, bien que cette remarque ne l'étonnât pas outre mesure. Depuis son arrivée à Call City, plus rien n'aurait pu le surprendre en matière de délai.

— Pourquoi cela ? demanda-t-il cependant.

Un sourire de gamin facétieux s'épanouit sur les lèvres de Wade.

— Parce que nous sommes lundi, répondit-il, et qu'Harold ne travaille jamais le lundi.

— Pourquoi ne travaille-t-il jamais le lundi ?

Le sourire de Wade s'élargit encore.

— Parce qu'en général, ce jour-là, il dort pour récupérer de sa cuite du week-end... Soit dit en passant, il vaut mieux pour votre voiture qu'il ne l'examine pas aujourd'hui. Harold a beau avoir des doigts de fée, engourdi par les vapeurs d'alcool, il ne vaut pas un clou.

— Ainsi, tout ce que je peux espérer aujourd'hui, c'est que ma voiture soit conduite en ville.

— Je vois que vous commencez à vous habituer à notre charmante bourgade.

— Dans ce cas, conclut Jim, je vais accompagner la dépanneuse au garage, et je vous rejoindrai après pour vous aider dans votre enquête.

Wade s'agita, l'air nerveux. Apparemment, ce n'était pas ce qu'il avait eu en tête...

— C'est-à-dire que..., bredouilla-t-il. Je ne crois pas que Charlie...

— ... puisse se débrouiller seule, compléta Jim. Vous avez raison. Mais n'y a-t-il pas une voisine, une amie qui pourrait l'aider ?

— Non.

— Peut-être souhaitiez-vous rester vous-même ici avec elle ?

Avec une grimace éloquente, Wade consulta sa montre.

— En fait, avec ce qui est arrivé à Schuler, je devrais déjà être au bureau à cette heure-ci.

Jim croisa les mains derrière sa nuque et leva les yeux au plafond.

— Je vois, dit-il sur un ton fataliste. Dans ce cas, je resterai là. Demain, sa cheville ira peut-être mieux, et nous pourrons la laisser seule avec Rachel.

A l'extérieur, le Klaxon retentit de nouveau, et Wade s'empressa d'avaler le fond de sa tasse avant de partir.

— Ne vous dérangez pas, déclara-t-il à Jim en quittant la pièce. Je me charge de donner vos clés et les instructions nécessaires au chauffeur de la dépanneuse. A ce soir ! Et encore une fois, merci pour tout.

Après que la porte d'entrée se fut refermée derrière Wade, Jim se demanda pourquoi la perspective d'avoir à s'occuper toute la journée d'une femme blessée et d'une enfant lui plaisait tant. Cela ne lui ressemblait pas. Vraiment, pas du tout...

Malgré tous ses efforts, Jim ne parvenait pas à quitter Charlotte des yeux. Comme attiré par un aimant, son regard revenait toujours vers elle, et il ne se souvenait pas avoir jamais ressenti un tel désir de toucher une femme, de la prendre dans ses bras pour la serrer contre lui.

Agenouillée dans la terre meuble d'une plate-bande, Charlotte avait tenu malgré ses mises en garde à faire un peu de jardinage avant le déjeuner. La peau nue de ses épaules gracieuses et de ses bras veloutés comme une pêche brillait au soleil sous une fine pellicule de sueur. Pour tout vêtement, elle portait sur un bermuda en jean élimé un petit débardeur à fines bretelles. Afin d'être plus à l'aise pour travailler, elle avait rassemblé ses cheveux en une tresse lâche, dont les reflets roux luisaient dans la lumière. De temps à autre, pour ménager son dos, elle se redressait, les mains sur les hanches, en un geste qui avait pour effet de tendre de manière évocatrice sous la toile fine la pointe de ses seins...

Pour tenter d'oublier la courbe généreuse que dessinaient les fesses de Charlie posées sur ses talons, Jim reporta son attention sur Rachel, qui jouait à deux pas de là, dans le gravier de l'allée. La petite fille transportait dans un seau de plage quelques cailloux pour les amener d'un tas à un autre. Lorsque l'un des deux tas avait disparu, elle recommençait dans l'autre sens, avec une patience qui n'avait d'égale que la concentration qui se lisait sur son visage...

— Jim ? demanda soudain Charlie. Pourriez-vous me passer ce râteau, s'il vous plaît ?

D'un geste vif, Jim s'empara de l'outil qu'elle lui indiquait et le lui apporta. Après un bref sourire en guise de remerciement, la jeune femme s'employa à ratisser la terre entre les racines d'un buisson.

— Vous savez, intervint Jim, j'aurais très bien pu faire cela moi-même.

Charlie se redressa, les deux mains posées sur le manche de son râteau, et le détailla sans vergogne de la tête aux pieds. A n'en pas douter, Jim Hanna était bien assez solide pour supporter quelques travaux de jardinage... Le jean et la chemise qu'il portait, tendus aux cuisses et aux épaules, ne laissaient rien ignorer de sa puissante musculature. Un court instant, Charlie se demanda s'il faisait partie de ces hommes qui passaient leur temps dans les salles de musculation, avant de bien vite rejeter cette pensée. Après tout, cela ne la regardait pas.

— Savez-vous distinguer une renoncule d'un pissenlit ?

Jim hésita, puis grimaça.

— J'en serais le premier surpris.

— Dans ce cas, reprit-elle, je préfère m'en charger.

Jim sourit, amusé.

— Vous n'accordez pas facilement votre confiance aux hommes, n'est-ce pas ?

Toujours occupée à ratisser, Charlie ne leva même pas les yeux pour répondre :

— L'expérience m'a appris qu'une confiance mal placée peut coûter cher.

Le sourire de Jim s'effaça. Il jeta un coup d'œil à Rachel, en train de jouer à deux pas de lui, ses longues mèches brunes retombant sur son visage d'ange, et songea à l'imbécile qui avait pu négliger un tel trésor. Un éclair de colère et de jalousie mêlées le traversa.

— Vous avez raison, approuva-t-il.

Rachel, qui avait abandonné son petit seau en plastique, trottina vers eux, sa pelle à la main.

— Soif, maman ! Soif !

— Juste un instant, ma chérie, répondit Charlie. Je termine ça et je vais te servir à boire.

— Je peux m'en occuper, si vous voulez, proposa Jim en s'approchant de l'enfant.

Charlie lui sourit.

— C'est gentil, mais je vais y aller moi-même. Elle a sans doute également besoin de faire un tour aux toilettes.

Ce nouveau manque de confiance de Charlotte à son égard le contraria. Il se sentait même un peu vexé qu'elle ne le jugeât pas capable de s'occuper de la fillette. Il n'était certes pas un spécialiste des enfants, mais l'accompagner aux toilettes était une tâche dont il aurait fort bien pu s'acquitter. Il s'apprêtait d'ailleurs à le lui dire, quand il se ravisa en songeant que, si Rachel avait été sa fille, il aurait sans doute lui aussi eu du mal à la confier, ne serait-ce qu'un moment, à un étranger.

De frustration, Jim glissa ses poings serrés dans ses poches et hocha la tête en silence. Après s'être essuyé les mains sur son bermuda, Charlotte s'avança en claudiquant vers sa fille. Alors qu'elle passait près de lui, leurs regards s'accrochèrent l'un à l'autre, et ne se quittèrent plus durant de longues secondes.

Quelque chose d'indéfinissable et d'infiniment troublant — une onde, un courant — circula entre eux de manière presque palpable. Charlie, de manière confuse, songea qu'il y avait comme une sorte de reconnaissance mutuelle dans ce regard intense. Jim, lui, ne ressentait rien d'autre que l'impérieux besoin d'embrasser ces lèvres entrouvertes qui l'ensorcelaient.

Doucement, il se pencha vers elle. Le visage levé, offert, elle retint son souffle, dans l'attente de ce qui allait se produire.

— Maman...

La voix de Rachel les ramena à la réalité.

Regrettant de devoir mettre un terme brutal à cet instant troublant, Jim se baissa pour soulever la fillette, et glissa son autre bras autour des épaules de Charlotte. Sa cheville encore enflée et douloureuse, la jeune femme accepta son aide sans protester. Tout au long du chemin, Jim ne sut s'il devait maudire ou bénir le plaisir que lui procurait le contact tendre et ondoyant de son flanc contre le sien.

Une fois à l'intérieur, il posa Rachel sur le sol, devant la porte de la salle de bains. Sans un mot ni un regard, Charlie passa devant lui, poussant gentiment sa fille à l'intérieur. Lorsque la porte se referma devant son nez, Jim se maudit d'avoir accepté de jouer le garde-malade. Pour ce à quoi il servait, il aurait tout aussi bien pu accompagner Wade à Call City et l'aider dans son enquête !

Lorsqu'il revint à lui dans le noir total, Victor Schuler songea tout d'abord, paniqué, qu'il était devenu aveugle. Puis il comprit qu'un bandeau serré lui masquait les yeux, et il chercha aussitôt à s'en défaire. Sans succès. Un cri de protestation monta alors dans sa gorge... mais ne parvint pas à franchir l'obstacle du bâillon enfoncé dans sa bouche. D'autres liens lui enserraient les chevilles et les poignets, mais quand il eut appréhendé la situation dans laquelle il se trouvait, tous ces détails ne comptèrent plus beaucoup pour lui. Ce qui était sûr, c'était qu'il avait été kidnappé, et qu'il allait sans doute bientôt mourir...

Le temps passa, mais Victor eût été bien incapable de dire s'il s'était écoulé deux minutes ou deux heures lorsqu'un courant d'air frais vint lui caresser la peau. L'esprit plus clair qu'à son réveil, il comprit alors qu'il était entièrement nu, ligoté et bâillonné, sur un sol de béton rugueux qui lui meurtrissait les chairs.

Une peur panique déferla en lui tandis qu'il se tortillait en tous sens pour tenter de se libérer. Il se sentait mal, la nausée lui soulevait le cœur, et il avait le ventre noué par l'angoisse. Le sol était poussiéreux et l'air qu'il respirait lui desséchait la gorge. Sous le tissu du bâillon, ses lèvres craquelées le brûlaient.

Brusquement, un bruit se fit entendre, comme le claquement d'une serrure, puis un autre suivit, et Victor sentit un frisson courir sur sa peau nue. Des pas, lentement, s'approchaient de lui. Sa dernière heure était-elle venue ?

Dans son esprit tourmenté se bousculaient une masse de pensées confuses. Il pensa à sa femme, aux dettes qu'il lui restait à payer, aux secrets qu'il emporterait dans la tombe. Comment le monde pourrait-il continuer à tourner sans lui lorsqu'il serait mort ? C'était inacceptable, incompréhensible...

Un hurlement étranglé monta dans sa gorge, qui ne s'éteignit que lorsqu'il fut sur le point d'étouffer. Stupidement, Victor songea qu'après tout, puisqu'il devait s'y résoudre, mieux valait encore mourir de cette manière plutôt que le crâne fracassé par une balle, le ventre ouvert par une lame, ou Dieu sait quoi encore !

Puis un nouveau cri de terreur monta dans sa gorge, et Victor fut certain de n'être pas prêt à mourir. Il voulait vivre ! Plus que tout il le voulait, et il se serait volontiers laissé aller à supplier, à gémir pour implorer la clémence de ses ravisseurs si le bâillon et les liens ne l'en avaient empêché.

Soudain, des doigts se refermèrent sans douceur sur sa hanche gauche. Il était allongé sur le dos et les mains inconnues, tirant avec force, le firent passer sur le ventre.

Ses cris de protestation étouffés cessèrent aussitôt qu'il sentit contre la peau de sa fesse droite une brûlure insupportable. Les yeux écarquillés de douleur et d'horreur, il sentit alors une odeur de chair brûlée lui remonter aux narines. On était en train de le torturer, de marquer sa peau au fer, comme celle d'un animal !

En un spasme de pure douleur, le corps de Victor Schuler s'arc-bouta sur le sol, où il retomba, évanoui, bien avant que ne cesse le supplice. Il ne sut jamais qu'une piqûre d'antibiotique lui était ensuite administrée dans l'épaule, tout comme il n'entendit pas les pas s'éloigner ni le bruit sec de la serrure qu'on refermait.

Lorsqu'il revint à lui, une nuit s'était écoulée, mais cela non plus il ne le savait pas. Tout ce à quoi il était capable de penser, c'était à cette douleur atroce qui prenait sa source dans sa fesse droite, s'amplifiait tout le long de sa colonne vertébrale, avant d'exploser dans son cerveau en proie à la stupeur.

5.

— Alors ? demanda Jim à Wade, en commençant à débarrasser la table du dîner qu'ils venaient de partager tous quatre dans la cuisine. Qu'avez-vous appris sur la disparition de ce banquier ?

Insensible au sérieux de cette conversation, Rachel se laissa glisser de sa chaise haute sur les genoux de son oncle. Très affairée, elle entreprit aussitôt de lui déboutonner sa chemise, un passe-temps qu'elle venait de découvrir et qui était devenu son jeu favori. Baissant les yeux sur elle, Wade regarda en souriant les petits doigts malhabiles s'acharner sur les boutons.

— Pas grand-chose, répondit-il. Si ce n'est que cela ressemble fort à un enlèvement, même si aucune rançon n'a été réclamée pour le moment.

— L'homme est-il riche ? s'enquit Jim.

Charlie, avec un sourire entendu, leva les yeux au plafond et haussa les épaules.

— Autant demander si le pape est catholique, marmonna-t-elle. En tout cas, si Schuler est riche, c'est bien grâce à notre argent.

Wade étendit le bras au-dessus de la table pour tapoter la main de sa sœur avec douceur, puis se retourna vers Jim pour expliquer :

— Lorsque ses concitoyens sont dans le besoin, Schuler est réputé pour freiner des quatre fers avant de consentir hypothèques et prêts. En revanche, lorsqu'il s'agit de récupérer sa mise, il ne tolère aucun retard et sait se montrer intraitable...

Puis, se rappelant la question de Jim, il ajouta :

— Quant à sa fortune personnelle, elle provient de l'héritage que lui a transmis son père, qui lui-même la tenait de son père — et vous pouvez remonter encore ainsi pendant une ou deux générations de banquiers.

Intéressé, Jim fronça les sourcils.

— Peut-être n'êtes-vous pas les seuls à mépriser la manière dont il exerce son métier. Diriez-vous qu'il s'est fait des ennemis, à Call City ?

— Il serait plus facile de compter ses amis, répondit Charlie d'un ton amer. Il ne doit pas en avoir beaucoup.

Jim la regarda avec un sourire amusé. Après le courage et le charme, il pouvait compter la franchise au nombre des atouts qui le séduisaient en elle.

— Ce Victor Schuler est-il vraiment si terrible ? demanda-t-il.

Charlie grimaça, puis se tourna vers son frère, une lueur interrogative dans le regard.

— A ton avis, Wade, j'exagère ?

— Comme d'habitude, sœurette. Mais tu sais que c'est une des raisons pour lesquelles je t'aime tant.

— Et quelles sont les autres ?

Wade baissa les yeux vers sa nièce qui continuait à s'activer sur ses genoux. Pendant qu'ils parlaient, elle avait fini de déboutonner sa chemise, et il était à présent dénudé jusqu'à la ceinture. Lorsque Rachel se mit en tête de tirer les poils sur sa poitrine, il eut une grimace de douleur et s'empressa de rendre sa fille à Charlie.

— Je suppose, dit-il, que miss Rachel est une autre de ces raisons, mais je dois être masochiste pour affirmer une chose pareille. Tous les matins, ces petits doigts mignons me font endurer les pires souffrances.

Il se tourna vers Jim pour ajouter :

— Avec Rachel, mieux vaut éviter de porter la moustache.

— Ou d'avoir le nez sale ! renchérit Jim.

Au souvenir de la manière dont sa fille avait réveillé leur invité, Charlie ne put s'empêcher de rire.

— J'ai raté quelque chose ? demanda Wade.

— Ce matin, expliqua sa sœur, Jim a lui aussi bénéficié d'un réveil personnalisé.

Le visage de Wade s'éclaira d'un grand sourire ravi.

— Pas le truc du doigt dans le nez, tout de même ?

— Vous y êtes ! répondit Jim en se joignant à leur hilarité. Mais ce qui m'a le plus sidéré, c'est ce petit mouvement exploratoire avant qu'elle ne retire son index...

Le sourire de Wade s'élargit en voyant sa sœur couvrir de petits baisers le cou de Rachel, qui se mit à rire aux éclats et à se tortiller en tous sens pour échapper aux chatouilles de sa mère.

— Et vous deux ? demanda Wade. Qu'avez-vous fait de votre journée ?

— Pas grand-chose, s'empressa de répondre Charlotte en triturant les boucles de lacets des tennis de Rachel.

Soudain, Jim se leva et ramassa les assiettes, qu'il porta dans l'évier.

— Malgré mes avertissements, Charlie a tenu à travailler au jardin, précisa-t-il.

Le ton emprunté avec lequel ils avaient répondu à sa question innocente éveilla la suspicion de Wade. Assis sur sa chaise, il les observa un instant en silence. Charlie venait de se découvrir un besoin urgent de relacer les chaussures de Rachel. Jim, penché sur l'évier, avait ouvert les deux robinets à fond pour faire la vaisselle.

Le doute fit bientôt place en lui à l'inquiétude. Bien qu'il fût un bon flic et qu'il eut sauvé la vie de Rachel, Jim Hanna n'en restait pas moins un étranger. Et s'il s'était permis quelque geste déplacé envers sa sœur durant son absence ?

Les pieds de la chaise de Wade raclèrent le linoléum lorsqu'il se redressa d'un bond.

— Ecoutez-moi, vous deux ! s'exclama-t-il. Ce sont les plus piètres explications que j'ai entendues depuis longtemps. Et Dieu sait que j'en ai entendues de mauvaises ! Que s'est-il passé, ici, qui mérite tant de cachotteries ?

Après avoir déposé Rachel dans sa chaise haute, Charlie alla se placer face à son frère. La colère qu'elle lut dans ses yeux ne le cédait en rien à celle qui la soulevait elle-même.

— Tous les hommes ne sont pas Pete Tucker, Wade, et tu devras bien un jour te mettre cela dans le crâne ! Penses-tu vraiment que si Jim s'était conduit autrement que comme un gentleman il serait encore ici à l'heure qu'il est ? Je pensais que tu me connaissais mieux que ça.

Tout aussi furieux que ses hôtes, Jim l'était pour des raisons différentes. C'était à lui-même qu'il en voulait — pour s'être fourré dans cette pénible situation.

— Ecoutez-moi, intervint-il en venant se placer entre eux. Vous n'avez qu'à me conduire en ville et, dans l'heure qui suit, j'aurai disparu de votre vie.

A cette idée, Charlie connut un instant de panique. Lorsqu'elle se retourna vers lui, elle comprit qu'elle n'avait aucune envie de voir Jim quitter leur maison. Encore sous le coup de cette révélation, elle allait tenter de le raisonner lorsque Wade la prit de vitesse.

— Je suis désolé, s'excusa-t-il, penaud. Je suis arrivé trop vite à des conclusions erronées. J'ai plutôt la tête près du bonnet, et mon métier n'arrange rien... De toute façon, vous ne pouvez pas nous quitter puisque vous avez promis de m'aider en l'absence de mon adjoint.

Jim hocha la tête, sans faire de commentaire. Au point où ils en étaient, le silence était encore la meilleure des tactiques à adopter. D'un strict point de vue technique, Charlie n'avait pas menti : rien ne s'était passé entre eux. Mais ils savaient parfaitement, l'un et l'autre, que ce n'était pas l'envie qui leur en avait manqué. Et c'était dans cette faille que se nichait le doute et, avec lui, leur sentiment de culpabilité...

Lorsque Charlie s'éveilla, à l'aube, le ciel couvert arborait une teinte couleur d'acier. Aussitôt sortie de son lit, elle vérifia l'état de sa cheville en déplaçant le poids de son corps sur la jambe gauche. De toute évidence, son entorse ne serait bientôt plus qu'un souvenir, ce qui était pour elle un soulagement. Avoir Jim Hanna pour invité était déjà assez difficile comme ça, sans qu'elle passe ses journées seule à la maison avec lui...

Il y avait quelque chose chez cet homme qui la troublait et la mettait profondément mal à l'aise. Au début, elle avait imaginé que c'était sa gratitude pour avoir sauvé la vie de Rachel — et sans doute la sienne — qui lui donnait cette impression. Mais cette théorie avait volé en éclats lorsque, la veille dans le jardin, elle avait soudain éprouvé une irrésistible envie de se lover dans ses bras et de l'embrasser. Au cours de son existence, il lui était déjà arrivé de se sentir redevable envers d'autres personnes — mais jamais au point de les désirer, comme elle avait désiré Jim Hanna à ce moment-là...

Une bonne partie de la nuit, elle s'était débattue avec sa conscience. Peu avant l'aube, après un sommeil entrecoupé de longues périodes moroses de réflexion, elle en était arrivée à la conclusion qu'elle ne voulait en aucun cas courir le risque de laisser un autre homme s'introduire dans sa vie. La dernière fois qu'elle avait baissé sa garde, un enfant qui ne connaîtrait jamais son père était né. Pour rien au monde elle ne laisserait une erreur pareille se reproduire.

Quelque peu réconfortée par sa résolution, Charlotte s'habilla en silence, dans l'espoir de pouvoir descendre dans la cuisine pour préparer tranquillement le petit déjeuner avant le réveil de Rachel. Face au ciel couvert, elle opta pour un jean plutôt qu'un short, et glissa son T-shirt dans sa ceinture avant de s'observer d'un œil critique dans le miroir de son armoire. Ses cheveux étaient brossés avec soin, ses vêtements usagés, mais nets et confortables, et elle était même parvenue à passer sur son pied encore enflé une sandale de cuir.

Alors qu'elle refermait la porte de sa chambre avec précaution, elle tourna la tête et aperçut Jim, qui sortait lui aussi dans le couloir. Un peu gênée de se retrouver nez à nez avec l'homme qui avait occupé ses pensées une bonne partie de la nuit, elle lui fit signe, d'un doigt sur sa bouche, de se taire, et passa devant lui à toute allure.

— Rachel est un vrai coucou, expliqua-t-elle lorsqu'ils furent dans la cuisine. Le moindre bruit suffit à la réveiller.

Jim hocha la tête en un geste mécanique. Il était bien trop fasciné par les mèches folles qui voletaient sur le front de Charlotte pour prêter attention à ses paroles.

S'emparant de la cafetière, Charlie entreprit de la remplir au robinet. L'insistance avec laquelle Jim la regardait la rendait nerveuse.

— Avez-vous bien dormi? finit-elle par demander, pour meubler la conversation.

— Oui.

Puis le silence, inconfortable et dangereux, retomba entre eux. Cette fois, ce fut Jim qui se décida à le rompre.

— Comment va votre pied?

Elle se retourna vers lui, un sourire aimable mais artificiel sur les lèvres.

— Bien mieux, je vous remercie...

Après une longue période de silence gêné, lorsqu'ils se décidèrent enfin à parler, ce fut au même instant, et ils en rirent tous deux, embarrassés.

— Vous d'abord, proposa Charlie.

Jim secoua la tête.

— Pas question. Honneur aux dames!

Charlotte décrocha du mur un poêlon qu'elle déposa sur la cuisinière, puis elle ouvrit la porte du réfrigérateur, d'où elle sortit un panier rempli d'œufs.

— Des œufs brouillés, ça vous va? demanda-t-elle.

— Cela correspond parfaitement à l'état de mon cerveau ces temps-ci, répondit Jim avec une grimace.

Charlie, qui s'apprêtait à casser un œuf, suspendit son geste. Ce n'était pas la première fois qu'il faisait allusion aux raisons de sa mise à pied, et elle suspectait que ce sujet ne le laissait pas aussi indifférent qu'il voulait bien le laisser croire.

— Puis-je vous poser une question ? demanda-t-elle en brisant la coquille contre le rebord de la poêle.

Appuyé contre le plan de travail, Jim la regardait faire, songeur. Les bras croisés, les yeux dans le vague, un sourire absent au coin des lèvres, il haussa les épaules avec nonchalance.

— Essayez toujours. Nous verrons bien...

— Que s'est-il passé, à Tulsa, pour vous valoir cette mise à pied ?

Aussitôt, son sourire s'effaça. Sans lui répondre, il se mit à marcher de long en large dans la pièce.

— Désolée, s'excusa Charlie. Cela ne me regarde pas.

Avec un profond soupir, Jim revint se poster près d'elle, cherchant son regard.

— A deux jours de la retraite, expliqua-t-il d'une voix basse, tremblant de colère contenue, mon partenaire a été tué par une balle qui m'était destinée. Je n'arrive pas à effacer de ma mémoire le visage de sa femme lorsque j'ai dû aller lui annoncer...

— Oh, non !

Les traits de Jim se crispèrent au souvenir de cet épisode atroce, puis il redevint impassible pour reprendre :

— C'est exactement ce qu'elle m'a dit lorsqu'elle a réalisé ce qui était arrivé.

— Une vie de flic est pleine de risques, rappela Charlotte sur le ton du constat. Votre coéquipier le savait certainement et l'avait accepté. Tout comme son épouse, je suppose.

Jim médita quelques instants cette réponse pleine de bon sens. Une fois encore, cette femme le surprenait par la fermeté de son jugement et son indépendance de caractère. Pourtant, savoir qu'elle avait raison ne diminuait en rien la culpabilité qui le rongeait.

— Charlotte ?

Surprise, Charlie releva la tête et le regarda. Elle était si habituée à son surnom qu'entendre Jim murmurer son prénom en entier la fit frissonner.

— Oui?

— Puis-je à mon tour vous poser une question?

Elle hésita une seconde, puis lui sourit en hochant la tête.

— Pourquoi pas?

— Aimiez-vous le père de Rachel?

Son sourire disparut.

— Il m'est arrivé de l'aimer, reconnut-elle dans un souffle. Lorsque j'étais encore assez naïve pour imaginer que les gens pensent vraiment les mots qu'ils prononcent...

Jim tressaillit. Il comprenait la douleur et la colère de Charlotte, mais fut surpris de la corde sensible qu'elle faisait vibrer en lui, à l'unisson. Dans un geste spontané, il lui caressa la joue.

— Je suis désolé...

A ce contact, Charlie se raidit, s'efforçant d'ignorer la douce chaleur de sa paume contre son visage et la tendresse qui emplissait sa voix.

— Vous n'avez aucune raison de l'être..., répondit-elle d'un ton un peu trop sec.

Puis, se détournant, elle saisit la poêle sur la cuisinière et la porta sur la table. Jim croisa les bras sur sa poitrine avec un soupir. Certes, il pouvait comprendre sa volonté de ne pas se compromettre en laissant un homme l'approcher de trop près. Une fois déjà elle s'y était risquée et s'y était brûlé les ailes. Mais pourquoi fallait-il, à présent, que ce soit lui qui paie les fautes de cet imbécile de Pete Tucker?

Le bruit mat de petits pieds nus sur le carrelage du couloir vint les distraire de leur face-à-face. L'instant d'après, Rachel pénétrait dans la cuisine, sa couverture glissée sous le bras, et le pouce dans sa bouche. Comme la veille, les mèches noires de ses cheveux emmêlés retombaient en boucles folles sur son petit visage. A peine sortie du sommeil, elle était si adorable que Jim ne put s'empêcher de s'accroupir au sol pour la prendre dans ses bras. Puis il enfouit son nez dans le creux de son cou, emplit ses narines de la douce odeur de bébé, et déposa un baiser léger sur sa joue.

70

— Bonjour jeune princesse. Quel trésor cachez-vous là ?

Il la taquina, faisant mine de lui enlever le pouce de sa bouche. Bon public, Rachel ne tarda pas, amusée par ce petit jeu, à éclater de rires sonores.

Charlie était fascinée par ce spectacle. La confiance que sa fille avait spontanément accordée à cet homme qu'elle connaissait à peine était stupéfiante — tout autant que l'émotion que leur évidente complicité faisait naître en elle. Un instant, elle ne put s'empêcher de penser que leur vie aurait pu ressembler à cela si Pete avait été un autre homme. Aujourd'hui, Rachel aurait un père. Elle-même aurait un mari, et...

Elle s'empressa de se détourner, furieuse contre elle-même. Que lui prenait-il de se laisser aller à des regrets aussi stupides ? Rêver était une chose, mais laisser la rêverie dominer son existence était un luxe trop dangereux, qu'elle ne pouvait se permettre...

Wade apparut dans les pas de Rachel, et bientôt la cuisine fut remplie de rires et de bruit. Accrochée au pantalon de sa mère, Rachel réclamait à grands cris son bol de céréales. Jim, assis au milieu de toute cette agitation, ne perdait rien de ce plaisant tableau familial, baignant avec délices dans les flots d'amour qui circulaient entre ces êtres dont, trois jours auparavant, il ignorait jusqu'à l'existence.

Après deux ou trois tasses de café avalées à toute allure, Wade monta dans sa voiture de patrouille et les laissa. Mais aujourd'hui, il était absolument hors de question pour Jim de rester en tête à tête avec Charlotte. Un peu plus tard dans la matinée, lorsque Rachel serait rassasiée et habillée, ils se rendraient tous trois en ville avec la voiture familiale des Franklin.

Le programme de la journée était déjà plein de menues choses indispensables à accomplir. Charlie avait des courses à faire à Call City, et Rachel un rendez-vous chez le médecin. Quant à Jim, il devait passer chez le garagiste s'assurer que sa voiture serait remise en état rapidement.

Une journée bien ordinaire, remplie de choses ordinaires,

en somme... Alors pourquoi, se demanda Jim alors qu'il faisait manger Rachel sur ses genoux, éprouvait-il cette étrange sensation de s'engager sur le seuil d'une toute nouvelle existence ?

Des vagues de douleur parcouraient le dos et la jambe de Victor Schuler. Il avait perdu toute notion du temps. Vivre constamment les yeux bandés, la bouche bâillonnée et les membres ligotés, était une expérience effroyable et totalement déroutante. Quelque part à l'extérieur, il le savait, la nuit continuait à succéder au jour et le jour à la nuit, mais, pour lui, l'obscurité était perpétuelle. Et dans ses moments de désespoir les plus intenses, il avait l'affreuse certitude qu'il ne reverrait jamais le jour...

Chaque fois qu'il commençait à reprendre conscience et à récupérer quelque peu ses esprits, quelqu'un lui faisait une piqûre qui l'envoyait aussitôt rejoindre le pays des songes — ce qui lui paraissait, à tout prendre, encore préférable à l'éveil. L'inconscience avait au moins cet avantage de rendre sa situation un peu moins insupportable.

Il n'en savait guère plus sur ses ravisseurs et les raisons de son enlèvement que lorsqu'il avait repris ses esprits pour la première fois dans ce lieu inconnu. Les seules choses dont il était certain, c'était qu'il était toujours nu comme un ver et que, quoi qu'ils aient pu faire à sa fesse droite, cela s'était à présent infecté.

La chaleur irradiait de sa blessure, battait comme un tambour, et gagnait tout son corps secoué de fièvre et de frissons. Le matelas sur lequel il était allongé à plat ventre sentait les plumes de poulet et la poussière. Et s'il n'avait pas été si malade, il aurait été affamé. A part un peu d'eau, aucune nourriture n'avait franchi le seuil de ses lèvres depuis le début de ce cauchemar.

De temps à autre, un éclair de lucidité un peu plus long lui permettait de se demander qui diable avait bien pu le haïr au point de lui infliger de tels supplices. Bien sûr, dans ses affaires, il n'avait pas manqué de se faire des ennemis, mais n'était-ce pas le lot de tous les banquiers? Et puis il avait beau y réfléchir, il ne voyait personne parmi ceux qui le détestaient possédant le cran nécessaire pour monter une telle opération.

Toutes ces cogitations ne le menaient qu'à se morfondre un peu plus encore. Il avait beau chercher, il ne décelait dans sa situation pas la moindre raison d'espérer. Blessé dans sa chair autant que dans son esprit, ficelé comme un vulgaire objet sur un matelas pourri, Dieu savait où et pour quelle raison... Voilà où il en était. Tout ce qu'il pouvait faire, c'était de prier pour que tout ceci se termine enfin, d'une manière ou d'une autre...

6.

Après un dernier au revoir au mécanicien, Jim sortit du garage, rassuré sur le sort de sa jeep. D'après ce qu'il avait vu, le véhicule était entre de bonnes mains. A présent, tout ce qu'il avait à faire, c'était de se montrer patient. Il s'écoulerait quelques jours avant que les pièces commandées n'arrivent à Call City. Ensuite, deux ou trois jours supplémentaires seraient nécessaires à Harold pour réparer les dégâts.

En temps ordinaire, un tel délai lui aurait paru très long. Mais dans sa situation, il le vivait presque comme un sursis inespéré. En plus de la promesse qu'il avait faite à Wade de l'aider dans son enquête, cela lui fournissait une autre raison de s'attarder un peu plus dans la maison des Franklin...

Debout sur le trottoir, Jim leva le nez et jaugea le ciel en grimaçant. Face aux nombreux nuages qui s'accumulaient, il n'aurait pas été surpris qu'il pleuve avant la tombée de la nuit. Une telle pensée le fit sourire : à croire qu'il était en train de se métamorphoser en parfait paysan ! Quelques jours encore et il parlerait avec l'accent du pays...

Il déambula d'un pas tranquille le long de la rue principale, les mains dans les poches, à la recherche de la voiture de Charlie. Lorsqu'ils s'étaient quittés, elle s'apprêtait à se rendre chez le médecin avec Rachel, où elle devait sans doute encore se trouver. L'espace d'un instant, il hésita à la laisser rentrer seule, et à rejoindre tout de suite Wade au poste de police. Mais même si la curiosité de Jim concernant le cas du banquier disparu ne cessait de croître, la crainte de laisser Charlotte seule en ville avec un bébé et une entorse à la cheville l'incita finalement à se rendre au cabinet médical.

La rue était presque déserte. Quelques voitures étaient garées le long des trottoirs, et un grand chien roux émergea soudain d'une allée, quelques maisons plus bas, pour se mettre en arrêt au bord de la chaussée. La tête dressée, il humait l'air en direction d'un homme un peu lourdaud, à la démarche maladroite, qui marchait dans sa direction, en traînant une petite carriole rouge.

Lorsque l'homme se rapprocha, Jim remarqua qu'il s'agissait sans doute d'un simple d'esprit. Tous les vingt pas, il faisait halte près des poubelles, dont il soulevait le couvercle avec précaution. Lorsqu'il y dénichait quelque canette en aluminium recyclable, son visage aussitôt s'éclairait et il s'empressait de lui faire rejoindre les dizaines d'autres déjà accumulées au fond de sa carriole.

Ce n'est que lorsqu'il fut tout près de lui que Jim comprit que le ramasseur de canettes usagées n'était pas aussi vieux qu'il l'avait cru au premier regard. En fait, il avait le corps d'un jeune homme, mais son visage un peu rond et poupin gardait en permanence l'expression d'un gamin de dix ans.

Touché par son innocence affairée, Jim se sentit porté vers lui par un élan de sympathie.

— On dirait que la pêche a été bonne, fit-il observer en désignant la petite charrette.

Sans doute surpris d'être interpellé par un étranger, le nouveau venu sursauta. Puis, l'air effrayé, il se réfugia derrière sa carriole pour observer son interocuteur d'un œil craintif.

— Je m'appelle Jim Hanna, se présenta Jim pour le mettre à l'aise. Je suis de passage chez Wade et Charlie Franklin. Est-ce que tu les connais ?

Le visage du jeune homme s'éclaira d'un grand sourire réjoui dès que Jim eut prononcé le nom de ses hôtes.

— Rachel ! répondit-il en hochant la tête avec vigueur.

— Tu as raison, acquiesça Jim. C'est également chez Rachel, et je vois qu'elle t'a conquis autant que moi. Comment t'appelles-tu, mon garçon?

— Davie. Je m'appelle Davie.

Jim tendit la main vers lui.

— Eh bien, Davie, très heureux de faire ta connaissance...

Davie hésita un court instant. Bien sûr, il savait ce qu'était une poignée de main pour avoir maintes fois observé les autres se livrer à cette pratique curieuse. Mais jamais personne auparavant ne s'était avisé de le saluer ainsi. Très impressionné, il essuya sa paume sur son sweater, puis saisit la main qu'on lui offrait pour la serrer avec enthousiasme.

Il ne fallut pas plus d'une dizaine de secondes à l'œil exercé de Jim pour remarquer que les vêtements du jeune homme étaient propres, et ses cheveux bien entretenus. De toute évidence, quelqu'un prenait soin de Davie.

— Maintenant, je dois travailler, annonça gravement celui-ci, en se penchant pour saisir le timon de sa charrette.

Jim le regarda s'éloigner, à la fois amusé et attendri. A en juger par son air satisfait, Davie ne souffrait pas de sa situation.

— Bonne chasse! lui lança-t-il, une main en porte-voix.

Mais Davie, focalisé sur la prochaine poubelle et son probable trésor d'aluminium à recycler, était trop absorbé par sa tâche pour l'entendre.

Ravi de cette rencontre impromptue, Jim traversa en sifflotant la chaussée pour rejoindre le cabinet médical qui se trouvait de l'autre côté de la rue. Lorsqu'il pénétra dans la salle d'attente, il fut assailli par les pleurs désespérés de Rachel, et vit la fillette en larmes émerger du cabinet du docteur, aussitôt suivie par sa mère désemparée. Sans se soucier des regards intrigués que leur lançaient les autres patients, il se précipita vers elles.

Aussitôt, la petite s'accrocha à sa jambe comme à une bouée.

— Qu'est-ce qui lui arrive? demanda-t-il en lui caressant les cheveux.

Charlie leva vers lui son beau regard troublé, et Jim dut lutter contre l'impulsion de la serrer dans ses bras pour la consoler.

— Il était plus que temps de faire sa dernière piqûre de rappel, expliqua-t-elle, sans quoi son vaccin aurait été périmé. Voilà pourquoi elle m'en veut autant, ainsi qu'au monde entier. Apparemment, vous êtes l'exception qui confirme la règle...

Comme pour illustrer les propos de sa mère, Rachel redoubla ses pleurs et tendit vers lui deux bras implorants.

— Ça ne vous ennuie pas de vous occuper d'elle un instant ? demanda Charlie. Je dois encore régler la consultation.

— Ce sera avec plaisir, répondit-il en se penchant souplement pour permettre à la petite fille de s'installer sur son bras. Viens avec moi, princesse. Nous allons voir si nous pouvons dénicher quelques oiseaux.

Les pleurs de Rachel cessèrent sur un dernier sanglot, et elle tourna vers lui deux grands yeux mouillés et fascinés.

— Voiseaux ? demanda-t-elle.

Jim sourit.

— Oui, mon cœur. Nous allons nous mettre à leur recherche.

Il se dirigea vers la porte et ajouta, à l'intention de Charlie :

— On vous attend dehors. Un peu d'air frais lui fera du bien, et les oiseaux finiront de la consoler...

— Voiseaux, voiseaux, voiseaux..., chantonna Rachel.

Tout le monde se mit à rire dans la salle d'attente. Rachel ne comprit pas pourquoi, mais de se sentir le centre d'attention de tant de regards bienveillants la consola aussitôt du traumatisme de la piqûre. Après avoir adressé à la cantonade un sourire qui eût fait fondre le cœur le plus endurci, elle s'accrocha au cou de Jim et y enfouit son visage.

— Attendez ! s'exclama Charlie alors qu'ils s'apprêtaient à sortir.

Elle les rejoignit sur le pas de la porte.

— Ceci pourrait vous être utile...

78

Elle sortit de son sac un sachet de minimarshmallows roses et blancs, qu'elle tendit à Jim.

— Ce sont ses bonbons préférés. Avec elle, il vaut mieux faire attention qu'elle ne fourre pas d'un coup tout le paquet dans sa bouche...

Elle attendit qu'ils sortent avant de regagner le comptoir d'accueil.

— Qui était-ce ? demanda l'assistante du docteur.

Au moins, voilà qui était direct, songea Charlotte avec amusement. Elle quitta des yeux le chèque qu'elle était en train de libeller, puis se pencha pour jeter un coup d'œil par la fenêtre. De là où elle était, elle apercevait Jim et Rachel de dos, leurs deux têtes levées vers le ciel.

— Vous voulez parler de Jim ? demanda-t-elle d'un air candide.

Même si elle la taquinait un peu en jouant celle qui ne comprenait pas, elle ne lui reprochait pas vraiment sa curiosité. Après tout, Call City était une petite ville, il était normal que l'arrivée d'un étranger — surtout aussi repérable que Jim Hanna — suscitât l'intérêt. Dans une heure, qu'elle l'ait voulu ou non, la nouvelle aurait fait le tour de la cité... Par expérience, elle savait qu'il valait mieux prêter à la rumeur un concours bienveillant plutôt que de laisser se propager les bruits les plus infondés. Aussi répondit-elle :

— Son nom est Jim Hanna. C'est l'homme qui nous a sauvées, Rachel et moi, du taureau d'Everett Tucker.

A ces mots, tous les regards convergèrent vers la fenêtre. A son arrivée, pressée de questions, Charlotte avait déjà dû raconter à la petite assemblée les circonstances de leur sauvetage. L'opportunité d'admirer *de visu* le héros du moment était pour chacun une occasion à ne pas manquer...

— Jim est inspecteur de police, ajouta Charlie. Il travaille à Tulsa, dans l'Oklahoma. Il restera chez nous tant que sa jeep ne sera pas réparée, et il a gracieusement accepté de prêter main-forte à Wade dans son enquête concernant la disparition de Victor Schuler.

Cette ultime révélation fit s'arrondir un peu plus les yeux

de l'assistante, qui se leva derrière son bureau pour apercevoir un peu mieux l'homme qui, à l'extérieur, promenait Rachel sur la pelouse.

— En tout cas, conclut la jeune femme en se rasseyant, on peut dire qu'il a fière allure...

Aussitôt sur la défensive, Charlie s'empressa de ranger chéquier et stylo dans son sac, qu'elle referma d'un geste sec. Ce commentaire était peut-être innocent, mais elle avait enduré trop de commérages lorsque Pete Tucker l'avait abandonnée, enceinte de plusieurs mois, pour ne pas se méfier.

Certes, après sa mort, il y avait également eu beaucoup de voix qui s'étaient élevées pour affirmer qu'il n'avait eu que ce qu'il méritait. Mais, outre le fait qu'elle n'était pas du genre à se réjouir de la mort d'un homme — quoi qu'il ait pu faire —, ces commentaires n'avaient en rien atténué les blessures infligées à sa fierté. Aux yeux de tous, elle avait été une fille trop naïve ou trop facile, qui n'avait pas su faire le poids pour retenir son homme face à l'attrait des rodéos.

C'est pourquoi elle se montrait aujourd'hui si attentive du regard que portaient les autres sur sa moralité, même si, au fond, elle savait que cela ne les regardait en rien.

— Je vous rappellerai pour prendre rendez-vous avant la date du prochain vaccin, déclara-t-elle d'une voix sèche.

L'assistante médicale venait d'être remise clairement à sa place et le comprit.

— Comme vous voudrez, répondit-elle, penaude. En attendant, prenez bien soin de votre cheville. Il ne faut pas plaisanter avec ces choses-là...

Charlie hocha la tête, pensive. Devenait-elle paranoïaque, ou ces paroles d'apparence anodine dissimulaient-elles réellement quelque sous-entendu ? Renonçant à s'en préoccuper, elle se dirigea d'un pas résolu vers la sortie, sous le feu croisé des regards dont elle n'aurait su dire s'ils exprimaient la sympathie, le jugement ou la condamnation.

*

Occupée à garer son véhicule à deux pas de la pharmacie, Charlie essayait de se concentrer sur la manœuvre qu'elle était en train d'effectuer. Mais elle avait beau faire, son attention se trouvait sans cesse distraite par l'homme assis juste derrière elle. Entre deux poignées de marshmallows que Rachel lui fourrait dans la bouche, Jim riait aux éclats. Chaque fois que la petite fille approchait ses doigts, il faisait mine de les mordiller en poussant des grognements d'ours, ce qui ravissait Rachel.

Charlie les regarda faire quelques instants dans le rétroviseur avant d'annoncer, en se tournant vers eux :

— J'ai une prescription à faire renouveler. Vous m'attendez ici ?

— Laissez-moi y aller à votre place, proposa Jim. Autant vous éviter de marcher le plus possible.

Elle hésita un court instant, puis accepta avec un sourire de remerciement.

— Dites à Judith Dandridge, la pharmacienne, d'envoyer la note au bureau de Wade.

— D'accord.

Avant de sortir, Jim se pencha vers Rachel avec un air complice.

— Je serai de retour dans une minute, mon cœur. N'en profite pas pour donner tous mes marshmallows à ta maman.

— Venir ! Venir ! s'exclama aussitôt la fillette.

Sans plus s'occuper de son paquet de bonbons, elle lui tendit les bras.

Jim lança un coup d'œil à Charlie.

— Ça vous ennuie si je l'emmène avec moi ?

— Pas du tout, répondit-elle sans hésiter. Mais ne vous laissez pas attendrir si elle vous demande de lui acheter quelque chose. Elle a déjà assez de babioles et de douceurs à la maison. Evitez aussi de la laisser se promener dans le magasin. Lors de notre dernière visite chez Judith, elle a profité que j'avais le dos tourné pour vider tout un présentoir de préservatifs. Et pendant que je m'escrimais à les remettre en place, la coquine en a glissé quelques-uns dans mon sac...

81

Jim rit de cette anecdote, et entreprit de déboucler la ceinture du siège-bébé de Rachel pour la sortir de la voiture.

— Viens par ici, jeune fille ! dit-il en la soulevant dans ses bras. Je te savais précoce, mais tout de même pas à ce point-là...

Par sa vitre baissée, Charlie lui tendit l'ordonnance et le flacon à remplir. Elle s'efforça de lui sourire aimablement, mais elle serrait si fort le volant que les jointures de ses doigts en étaient devenues blanches. Elle les regarda entrer dans la pharmacie. Le touchant tableau qu'ils formaient ainsi, en train de marcher main dans la main, la remplissait d'une sourde inquiétude. Et les sourires réjouis et complices qu'ils échangeaient n'étaient pas faits pour la rassurer.

Au bord des larmes, Charlie ferma les yeux et secoua la tête comme si elle espérait ainsi chasser les pensées qui s'insinuaient en elle. Non, elle ne pouvait pas se permettre de projeter une fois encore ses désirs et sa tendresse sur un homme, fût-il aussi séduisant et digne de confiance que Jim Hanna. Car lui aussi ne ferait que passer...

Au lieu de se plaindre de son sort, elle ferait mieux de remercier le ciel de lui avoir donné un frère aussi aimant et attentif que Wade, et une petite fille dont la présence la remplissait chaque jour de bonheur. Alors pourquoi ne pouvait-elle se débarrasser de cette impression de ne vivre qu'à moitié, de ces rêves et ces désirs qui lui donnaient envie d'autre chose...

Autant qu'elle le pouvait, elle se consacrait au bien-être de Rachel, de Wade, et à la bonne marche de leur foyer. Mais elle ? Qui se souciait de son bien-être à elle ? Elle s'endormait le soir seule dans son lit, et se réveillait au matin tout aussi seule. Elle en était presque arrivée à croire que tel était le cours normal de sa destinée. Mais de temps à autre, quelque chose arrivait, quelqu'un passait, pour lui rappeler à quel point sa vie était solitaire. Jim Hanna avait surgi dans son existence, et de nouveau elle traversait une de ces périodes où le lancinant besoin d'être serrée dans les bras d'un homme la submergeait.

Avec un soupir, Charlie se dit qu'il ne lui restait plus qu'à prendre son mal en patience... et à attendre que cet homme ressorte de sa vie aussi vite qu'il y était entré.

Jim posa sur le comptoir l'ordonnance et le flacon de pilules vide que Charlie lui avait remis, puis il lut le badge épinglé sur la blouse de la pharmacienne qui l'avait accueilli sans chaleur. Dandridge. Non pas Judith Dandridge, ni même Mme ou Mlle Dandrige, mais simplement : Dandridge.

Judith Dandridge était grande — presque aussi grande que lui — et bien qu'elle parût ne pas avoir dépassé de beaucoup la quarantaine, ses cheveux épais étaient d'un gris profond. Malgré sa coupe militaire, quelque chose dans son allure et sur son visage rappelait qu'elle avait dû autrefois être une femme séduisante. Mais pour s'en rendre compte, il fallait parvenir à faire abstraction de l'amertume et de la rigidité que trahissaient ses traits.

— Bonjour, madame, dit Jim.

Un bref hochement de tête répondit à son salut.

— Charlotte Franklin voudrait faire renouveler cette prescription. Elle vous demande d'envoyer la facture au bureau de Wade.

La femme s'empara du flacon, nota quelque chose dans un registre devant elle, et considéra Jim d'un œil suspicieux avant de reporter son regard derrière son épaule, à travers la vitrine. Ce n'est qu'après avoir constaté que Charlie patientait bien dans la voiture qu'elle se dirigea vers l'arrière-boutique, où elle fouilla dans ses tiroirs.

— Qu'est-il arrivé à Charlie ? demanda-t-elle au bout d'un instant. Pourquoi ne vient-elle pas elle-même ?

— Elle s'est fait une entorse à la cheville.

Judith Dandridge revint chargée d'un gros flacon rempli de pilules multicolores, dont elle entreprit de dévisser le bouchon. Pendant ce temps, Rachel ne cessait de porter sa main à la bouche de Jim, pressée de reprendre leur petit jeu précédent. Lorsqu'il se mit à grogner comme un ours avant de faire mine de lui mordiller les doigts, la petite fille se tordit de rire. Devant ce spectacle, un sourire aussi pâle que fulgurant glissa sur les traits de la pharmacienne.

— Rachel est un bébé plutôt dégourdi, remarqua-t-elle.

Tout sourires, Jim approuva d'un hochement de tête.

— Je m'en suis rendu compte, en effet.

Judith Dandridge fit rouler plusieurs pilules sur un petit plateau de métal et entreprit de les compter.

— Vous êtes un parent?

— Non. Je suis juste de passage...

L'esquisse de sourire qui s'était installée sur les lèvres de la pharmacienne disparut aussitôt.

— Les hommes sont doués pour ça, murmura-t-elle entre ses dents.

Jim fronça les sourcils, mais se garda de toute réponse. Visiblement, Judith Dandridge ne portait pas les hommes dans son cœur... La pharmacienne acheva sa tâche en silence, remplit le flacon, et le glissa dans un sachet de papier kraft qu'elle tendit à Jim. Puis, saisissant une sucette sur un des présentoirs devant elle, elle la donna à Rachel avec un sourire un peu forcé. Soudain timide, la petite fille s'en saisit et s'empressa d'enfouir son visage dans le cou de Jim.

— Merci, dit celui-ci en se dirigeant vers la porte.

Sa sucette à la main, Rachel se redressa et adressa un sourire éclatant à la pharmacienne.

— Merci! s'exclama-t-elle joyeusement en écho.

Jim ne put s'empêcher de rire, et constata avec étonnement qu'un véritable sourire, mince mais sincère, adoucissait les traits de la pharmacienne de Call City.

— Eh bien, soupira Jim en se glissant sur le siège passager, après avoir installé Rachel dans son siège-bébé. Ce fut une course bien intéressante...

— Pourquoi? demanda Charlie, alarmée. Rachel a fait des siennes?

— Ce n'est pas elle qui a fait le spectacle. C'est plutôt la pharmacienne.

Charlie mit le contact et desserra le frein à main.

— J'aurais dû vous prévenir, s'excusa-t-elle. Judith est un peu spéciale. A-t-elle rechigné à vous servir ?

Jim haussa les épaules. Les bras croisés, il regardait droit devant lui, un sourire amusé au coin des lèvres.

— Pas du tout. Mais je ne crois pas me tromper en affirmant qu'elle n'aime pas beaucoup les hommes.

— Sur ce point, je la comprends, commenta Charlie avec amertume.

Sur ces paroles, elle enclencha la marche arrière d'un geste sec. Un peu surpris, Jim ouvrit la bouche pour protester, puis il se ravisa au souvenir des circonstances de la naissance de Rachel. Décidément, Pete Tucker était un fantôme bien encombrant...

Ils roulaient depuis un bon moment en silence quand Charlotte demanda d'une voix hésitante :

— Jim ?

— Oui ?

— A-t-elle dit quelque chose qui pourrait...? Je veux dire : qu'a-t-elle dit quand vous lui avez demandé de...?

Jim soupira. Il croyait savoir où elle voulait en venir, mais préférait attendre qu'elle trouve elle-même ses mots.

Obligée de ralentir pour stopper à un feu rouge, Charlie se retourna vers lui et le dévisagea.

— A-t-elle paru imaginer qu'il y avait quelque chose entre nous ?

Jim la toisa de la tête aux pieds, sans se presser, et ce n'est que lorsque ses yeux furent de nouveau posés sur son visage qu'il répondit.

— Ce que vous voulez savoir, c'est si elle pense que nous couchons ensemble, c'est ça ?

Charlie s'empourpra violemment, mais acquiesça d'un signe de tête.

— Du diable si je le sais, bougonna Jim.

Les épaules de Charlie s'affaissèrent.

— Je suis sûre qu'elle le croit, conclut-elle à voix basse. Ma réputation dans cette ville n'est plus à faire depuis que Pete...

Cette fois, c'en était trop ! Jim l'interrompit.

— Il me semble que vous jugez vous-même bien plus durement que ne le font les autres.

Tout en conduisant, elle le fusilla du regard.

— Vous ne savez pas de quoi vous parlez. Vous ne savez pas ce que c'est que d'être la risée de tout le pays et d'entendre tout le monde se taire dès que vous entrez quelque part !

— Vous n'avez pas le monopole de la souffrance, vous savez...

Jim avait répondu sans la regarder, les traits inexpressifs, et les yeux fixés sur un horizon lointain. Elle s'aperçut qu'il serrait les poings sur ses genoux. Comprenant combien ses paroles irréfléchies l'avaient blessé, Charlie pâlit. Les heures passées en sa compagnie, l'intimité qui, par la force des choses, était en train de se nouer entre eux avaient tendance à lui faire oublier qu'elle n'en savait pas beaucoup plus sur cet homme, sur sa vie et son passé, que le jour où ils s'étaient rencontrés.

— Je ne... Excusez-moi, je ne voulais pas...

— Ecoutez, coupa Jim d'un ton las. Je vais vous accompagner au supermarché pour vous aider à faire vos courses. Ensuite, il sera plus que temps de me déposer au bureau de Wade. Plus vite nous aurons retrouvé ce banquier, plus vite, je pourrai partir.

Charlie hocha mécaniquement la tête, se concentrant sur sa conduite pour refouler les larmes qui lui montaient aux yeux. De la façon la plus abrupte qui soit, Jim venait de le lui rappeler : Jim n'était que de passage parmi eux. Et loin de la soulager, cette certitude lui faisait mal.

7.

Il faisait jour. Malgré ses yeux toujours bandés, Victor pouvait le deviner à la température de l'air de cette pièce fermée et étouffante dans laquelle il était retenu prisonnier.

Sa fesse droite lui faisait encore mal, mais bien moins à présent qu'au début. Une fois encore, il se demanda ce que ses ravisseurs avaient bien pu lui faire, avant d'écarter cette pensée pour une autre bien plus angoissante. Ce qui importait n'était pas tant ce qu'ils lui avaient déjà infligé, mais plutôt ce qu'ils comptaient encore lui faire subir...

Le fait qu'ils n'aient pas cru bon de le nourrir jusqu'alors ne plaidait pas en faveur d'un espoir de libération. Pourtant, si sa vie leur avait été tellement indifférente, pourquoi se seraient-ils souciés d'étancher sa soif de temps à autre et de lui faire avaler ce qu'il pensait être des pilules, sans doute destinées à soigner sa blessure ?

Soudain, il tressaillit en sentant quelque chose se poser sur sa fesse et lui chatouiller la peau. Une peur panique s'empara de lui, avant qu'il se rende compte qu'il ne s'agissait que d'une mouche. Il contracta un muscle pour la chasser, ce que la douleur qui irradia dans sa hanche lui fit aussitôt regretter.

Quelques instants plus tard, la mouche était revenue et il lui apparut avec horreur qu'elle était peut-être en train de chercher le meilleur endroit où pondre ses œufs...

Les yeux exorbités sous son bandeau, Victor se mit à

gémir de terreur et à se contorsionner pour essayer de desserrer les liens qui l'entravaient. C'est alors, au beau milieu de sa panique, qu'il entendit à l'extérieur du bâtiment des bruits de pas se rapprocher. Cessant tout mouvement, il se mit désespérément à l'écoute.

Lorsque les gonds de la porte grincèrent, il ne put s'empêcher de sursauter. Dans l'attente de ce qui allait se passer, son esprit n'était qu'une béance affreuse. Allaient-ils finalement le libérer? A moins que celui qu'il entendait à présent se rapprocher du matelas ne fût venu lui régler son compte pour de bon...

Puis il sentit une odeur forte et acide, comme celle d'une peau d'orange que l'on pèle, et ressentit au creux de son bras la piqûre de l'aiguille. Déjà pris de vertige, sur le point de sombrer dans l'inconscience, il perçut un bruit familier — quelque chose qu'il avait déjà entendu des centaines de fois.

Cela tourna quelques instants dans son esprit, insaisissable comme la mouche qui quelques minutes auparavant le tourmentait, puis il soupira et glissa comme une masse dans le sommeil, avant que la révélation ait pu s'imposer à lui.

— C'est tout ce que vous avez? demanda Jim, incrédule, en contemplant la demi-douzaine de photos et les trois pages de notes étalées sur le bureau de Wade devant lui.

Le chef de la police de Call City, plus bougon encore que d'habitude, haussa les épaules.

— Je vous avais prévenu. Nous avons peu de chose à nous mettre sous la dent pour commencer.

Jim siffla entre ses lèvres pincées.

— Ce n'est pas *peu de chose*, dit-il, c'est carrément le néant. Pas d'empreintes, pas de vidéo, pas de témoins, pas de motifs, pas de rançon. Si vous me permettez, ce dont vous avez besoin dans cette enquête ce n'est pas de mon aide, mais d'un miracle.

— Comme si je ne le savais pas, murmura Wade.

Mais en dépit des doutes qu'il venait d'exprimer, Jim était

déjà en train d'envisager la situation sous tous ses angles. Il avait toujours fonctionné ainsi. D'abord découragé par une énigme *a priori* insoluble, il se ressaisissait bien vite et mettait toutes les ressources de son esprit à relever le défi.

La tête déjà pleine des grandes lignes d'un plan d'action à venir, il se leva pour aller se poster devant la fenêtre, les bras croisés derrière le dos, et ne cessant de faire jouer nerveusement tous ses doigts.

— Qu'en est-il de la piste d'un client déçu ou grugé ? demanda-t-il sans cesser de regarder d'un œil absent la circulation sur la chaussée.

Wade haussa les épaules, l'air peu convaincu.

— Victor a vécu ici toute sa vie, répondit-il. Bien sûr, il n'est pas le personnage le plus populaire de Call City, mais je ne vois personne susceptible de lui en vouloir au point de l'enlever.

Jim hocha la tête.

— Que dit Mme Schuler ? Avez-vous approfondi les choses de son côté ? A-t-elle eu récemment des problèmes d'argent ? Existe-t-il une prime d'assurance-vie sur la tête de son mari ? Peut-être a-t-elle rencontré quelqu'un d'autre ?

A ces mots, Wade grimaça.

— On voit bien que vous ne connaissez pas Betty. Elle est dans tous ses états depuis la disparition de Victor. Bien sûr, elle se fait du souci pour lui, mais elle ne voudrait pas non plus perdre avec son mari son rang social dans la région. Etre femme de banquier lui apporte auprès des autres femmes de la ville un certain standing qu'elle n'a aucune envie de lâcher. Ce qui rend d'autant plus improbable l'hypothèse d'un amant. D'autant que personne ne peut garder très longtemps un secret dans une ville aussi petite que la nôtre. Chacun est au courant des petites affaires de chacun, et réciproquement.

Jim se retourna pour lui faire face.

— En somme, vous êtes en train de m'expliquer que Victor Schuler est un homme bien sous tous rapports.

Wade fronça les sourcils, déstabilisé.

— Non, bien sûr que non ! Mais tout ce que je peux dire, c'est que cet homme est presque chauve, qu'il porte à peu près vingt kilos de trop, et qu'il a tendance à user de son pouvoir pour manipuler les gens selon ses désirs.

Après un profond soupir, Wade ajouta :

— Mais voyez-vous, aucune loi de nos jours n'empêche un homme de se laisser aller ou de jouer au tyran. Et pour ce que j'en sais, il n'a jamais levé la main sur sa femme.

— Très bien, conclut Jim. Voilà ce que nous savons. A présent, reprenons tout depuis le début. Vous disiez que Schuler a été enlevé alors qu'il regagnait son véhicule ?

— Plus exactement, corrigea Wade, c'est ce que nous imaginons. Quand Betty a donné l'alerte, nous avons trouvé la voiture de son mari sur le parking de l'hôtel de ville. La porte du conducteur était ouverte, le plafonnier allumé, et la clé de contact dans le démarreur. L'attaché-case qu'il portait avec lui à son rendez-vous était posé sur le siège passager, et il y avait même quelques dollars en menue monnaie abandonnés sur le tableau de bord. En fait, tout ce qui manquait à la voiture pour démarrer, c'était Victor Schuler lui-même.

— Je suppose que vous avez mis le véhicule sous scellés.

Wade hocha la tête, la mine toujours aussi sombre.

— Je voudrais le voir, reprit Jim.

Le chef de la police de Call City se leva de son bureau, sur lequel il saisit un épais trousseau de clés.

— Voilà au moins quelque chose que je peux faire pour vous, répondit-il avec un sourire désabusé.

Un éclair déchira le ciel, zébrant la fenêtre située face au lit de Jim, qui sursauta avant d'enfouir sa tête dans l'oreiller. Depuis qu'il était couché, il connaissait un repos agité, oscillant en permanence entre éveil et sommeil.

Son inconscient, une fois encore, l'avait ramené bien loin dans le passé. Dans son rêve, de nouveau il avait dix ans et se terrait dans la pénombre, sous l'escalier de la cave, tremblant et priant pour ne pas être découvert. Une odeur écœurante de poussière et de moisissure mêlées emplissait ses narines. La toile mince de son T-shirt était trempée de sueur.

Durant ses jeunes années, Jim avait traversé plus d'épreuves — la peur, la faim, la douleur et la crainte constante de tomber sous les poings de son père — qu'un soldat en temps de guerre. Depuis, son esprit se débattait comme un rat dans un labyrinthe parsemé d'images terrifiantes, essayant en vain d'échapper à ce sous-sol humide et sombre où sa vie semblait s'être figée.

A l'extérieur de la chambre du Jim Hanna adulte, une rafale de vent envoya une branche d'arbre cogner contre un volet. Un bruit qui, dans le rêve où le petit Jim était pris au piège, se transforma en craquement du plancher au-dessus de sa tête, et le fit frissonner. Les yeux agrandis de terreur, le souffle coupé, il se laissa glisser jusqu'au sol où il s'accroupit.

Un éclair dans le lointain illumina un bref instant le ciel du Wyoming, mais c'est le rai de lumière venu de la cuisine et dégringolant l'escalier de la cave que le petit Jim aperçut.

Devant la maison des Franklin, un abreuvoir en plastique frappait à un rythme régulier la clôture à laquelle il était accroché. Le petit garçon terrorisé, prisonnier du rêve, entendit les pas lourds et hésitants de son père faire grincer les marches de bois au-dessus de lui.

Une plainte de détresse venue de la chambre de Rachel troubla soudain le silence qui baignait la maison. Mais l'esprit en déroute de Jim Hanna endormi reconnut aussitôt les beuglements avinés de son père, tandis qu'il l'agrippait pour le ramener en pleine lumière.

Il n'entendit pas Charlotte marcher dans le couloir à pas de loup et pénétrer dans la chambre de sa fille. Roulé en boule au fond de son lit, les muscles tétanisés, Jim Hanna se préparait à affronter la tempête de coups de poing que dans son rêve le petit Jim était condamné à recevoir.

Ce fut le silence, brusque et complet, à l'intérieur aussi bien qu'à l'extérieur de la vieille demeure, qui le réveilla en sursaut. Tous les sens en alerte, Jim se redressa sur son lit et lança à travers la pièce obscurcie des regards apeurés. Son cœur battait comme un tambour sonnant l'alerte. Sous le drap de coton, son corps nu était trempé de sueur.

Mais peu à peu, le spectacle familier et rassurant de sa chambre lui fit reprendre ses esprits. La cave humide et sombre était loin, aussi bien dans l'espace que dans le temps, et il n'avait pas revu son bourreau de père depuis vingt-trois ans.

— Espèce de salaud ! murmura-t-il en écartant le drap d'un geste rageur pour se lever.

Après avoir enfilé son jean, il se glissa sur la pointe des pieds dans le couloir. Devant la chambre de Rachel, il entendit le doux murmure de la voix de Charlie rassurant son enfant. Un peu plus loin, il perçut à travers la porte de la chambre de Wade ses ronflements intermittents. Arrivé dans le hall, il se décida à sortir sur le porche pour respirer un peu d'air frais. Tant qu'il ne l'aurait pas fait, lui semblait-il, il n'aurait pas échappé tout à fait aux monstres tapis sous son lit...

Charlie était assise dans le vieux rocking-chair en pin qu'elle avait hérité de sa mère, Rachel appuyée contre sa poitrine. Elle la berçait en chantonnant à mi-voix, comme sans doute sa propre mère, installée dans ce même siège, l'avait fait pour elle bien des années auparavant.

Ce qui avait dérangé le sommeil de la petite fille, quoi que cela ait pu être, semblait bien loin à présent. Les traits relâchés de Rachel, son souffle régulier, prouvaient qu'elle s'était de nouveau profondément endormie. Charlie étouffa un bâillement et se leva pour la déposer dans le petit lit à barreaux. Elle-même n'avait à présent plus qu'une envie : regagner le sien.

Après avoir jeté à la chambre de sa fille un dernier coup d'œil pour s'assurer que tout était en ordre, Charlie éteignit la veilleuse sur la commode peinte de motifs fleuris et sortit dans le couloir. En passant devant la chambre de Jim, elle remarqua que la porte en était entrebâillée.

Intriguée, elle poussa le battant, et déduisit devant le lit vide que leur invité avait dû se rendre aux toilettes. Elle allait regagner sa propre chambre sans plus y songer lorsqu'elle sentit sur ses pieds nus un petit filet d'air froid venu du hall. Avait-elle oublié de fermer une fenêtre quelque part?

Avec un soupir, elle se résigna à remettre à plus tard le plaisir de se glisser entre ses draps. Parvenue au bout du couloir, il ne lui fallut pas longtemps pour découvrir dans le hall la porte d'entrée grande ouverte. En revanche, elle ne distingua pas tout de suite la haute silhouette d'homme qui se découpait en ombre chinoise sur le porche, derrière l'écran de la moustiquaire.

Un peu alarmée, elle ne put s'empêcher de reculer d'un pas en portant une main à sa poitrine. Mais à la faveur d'un éclair prolongé, elle reconnut le visage de Jim et poussa un soupir de soulagement. Ce qu'elle eut du mal à reconnaître — et qui lui étreignit aussitôt le cœur — c'était la profonde douleur que ses traits trahissaient. La tête haute, le menton levé et les yeux perdus dans le lointain, il ressemblait à un soldat vaincu par la peur, en train de contempler un champ de bataille sur lequel il aurait renoncé à s'engager.

Aussitôt, elle eut envie de se précipiter vers lui pour le prendre dans ses bras et le consoler, mais son instinct l'en empêcha. Jim Hanna paraissait pour l'heure bien trop loin de tout pour être sensible à la compassion. Lorsqu'il se retourna vers elle, son visage mangé par la pénombre lui demeura invisible. Pourtant, elle comprit au petit sursaut qu'il eut en la voyant qu'il n'était pas ravi de la découvrir là.

— Jim? appela-t-elle d'une voix prudente.

Il fit un pas en arrière. Charlie déverrouilla la moustiquaire pour le rejoindre sur le porche.

— C'est Rachel qui vous a réveillé?

Toujours aucune réponse. Un peu inquiète, Charlie plissa le front et s'avança en tendant vers lui une main hésitante.

— Est-ce que vous vous sentez bien?

Alors seulement, elle découvrit son visage. Sa première

réaction fut de reculer. La seconde de se porter à son secours. Et c'est à la seconde qu'elle choisit finalement d'obéir en s'approchant de lui.

La voyant faire, Jim connut un moment de panique. Si elle s'avisait de s'approcher de trop près, il n'était pas sûr de pouvoir répondre de lui.

— Je vais bien, déclara-t-il d'un ton sec, soulagé de constater que sa réponse avait arrêté la jeune femme dans son élan.

Elle était déjà bien trop proche... D'un geste nerveux, Jim fourra ses mains dans les poches de son jean pour être certain de ne pas la toucher. Tout ce dont il avait besoin, c'était qu'elle s'en aille, maintenant, avant qu'il ait perdu toute raison.

— Si vous en êtes sûr, répondit-elle d'une voix hésitante.

Jim se mit à rire, et le vent qui courait sous le porche s'empara de son rire pour l'emporter au loin. Charlotte frissonna. A l'évidence, la joie n'était pour rien dans ce rire de dément.

— Sûr? dit-il d'une voix grinçante. Vous me demandez si je suis sûr? La seule chose dont on puisse être sûr en ce bas monde, Charlotte, c'est que la vie vous balance une grande claque dans les dents dès l'instant où vous vous hasardez à sourire!

Charlie retint son souffle. Le ton de sa voix avait été mille fois plus violent encore que ses paroles. Cet homme n'était pas celui qu'elle avait vu rire aux éclats avec Rachel. Il n'avait rien à voir non plus avec celui qui avait réveillé en elle des émotions depuis longtemps endormies. Cet homme était un inconnu. Un terrifiant et dangereux inconnu.

— Est-ce la mort de votre partenaire qui vous met dans cet état?

— Cet état, comme vous dites, n'a rien à voir avec rien!

Puis, comme pour échapper à la confrontation, il fit un pas en avant et descendit sur la pelouse. Les brins d'herbe sous ses pieds nus avaient beau être rafraîchissants, il savait qu'il était préférable de ne pas trop s'éloigner. Les serpents étaient de grands noctambules, et malgré les noirs sentiments qui l'agitaient, il n'avait pas encore envie de mourir...

Après un instant d'hésitation, Charlie quitta l'abri du porche et le rejoignit. Il ne l'avait pas entendue approcher, aussi sursauta-t-il lorsque ses longs doigts frais se refermèrent sur son avant-bras.

— Vous ne devriez pas être pieds nus dans l'herbe à cette heure-ci, fit-il observer d'un ton de reproche sans la regarder.

— Vous non plus.

Il soupira et glissa les doigts dans ses cheveux.

— Ecoutez, reprit-il, une pointe d'agacement dans la voix. Je n'arrivais pas à dormir. J'ai pensé qu'un peu d'air me ferait du bien, c'est tout...

Le vent qui s'était levé faisait voleter autour du visage de Charlotte ses longs cheveux défaits et plaquait contre son corps la toile fine de sa chemise de nuit. Jim essayait de ne pas y prêter attention, mais il était presque surhumain d'ignorer les formes généreuses de sa poitrine et les tendres courbes de ses hanches sous le voile de soie frissonnant.

Charlie leva les yeux vers le ciel. Un bouquet d'éclairs déchira l'horizon vers l'ouest, aussitôt suivi d'un roulement de tonnerre menaçant. L'orage se rapprochait. Gentiment, elle se saisit du poignet de Jim et tenta de l'entraîner vers l'intérieur.

— S'il vous plaît... Rentrons maintenant. Sinon, nous ne tarderons pas à être trempés.

Jim frissonna. Il avait perdu la bataille et le savait. La gentillesse qu'elle opposait obstinément à son mal-être avait eu raison de ses dernières résistances.

Se dégageant de son emprise, il leva les mains vers le visage de Charlotte pour emprisonner son fin visage entre ses deux paumes. Elle ne fit pas un geste pour s'y opposer. Comme attiré par un aimant, Jim se rapprocha jusqu'à toucher ce corps de femme tendre et chaud, qui ne se déroba pas. Dans l'esprit de Jim, sa volonté d'oublier les derniers miasmes de son cauchemar n'avait d'égale que sa soif de goûter à ces lèvres pulpeuses et de vérifier si elles étaient aussi douces et fruitées qu'elles le paraissaient.

— Charlie..., gémit-il dans un souffle. Je ne sais pas si...

Pour toute réponse, les deux mains de Charlotte vinrent se poser sur sa poitrine nue, aussi douces et timides que des oiseaux effarouchés. Une brusque sensation de chaleur, née au creux de ses reins, remonta le long de sa colonne vertébrale, et le fit tressaillir.

A présent, l'orage était au-dessus de leurs têtes. Les premières grosses gouttes de pluie, tièdes et lourdes, explosaient l'une après l'autre sur le sol autour d'eux.

Faisant Charlie prisonnière de ses bras, Jim verrouilla ses deux mains dans son dos.

— Jim, je vous en prie, supplia-t-elle.

Il prit une profonde inspiration.

— De quoi me priez-vous, Charlotte?

Sa réponse se perdit dans le fracas du ciel. Avec un long flash aveuglant et dans une forte odeur d'ozone, la foudre venait de s'abattre à quelques mètres d'eux à peine, quelque part entre la maison et la grange...

— Courons! hurla Charlie en saisissant la main de Jim pour l'entraîner précipitamment à l'intérieur de la maison.

Quelques instants plus tard, essoufflés et tremblants d'une frayeur rétrospective, ils tentaient de reprendre leurs esprits dans le hall. Adossés au vantail de la porte d'entrée, ils virent Wade déboucher au bout du couloir, hirsute et à moitié habillé, ses boots à la main.

— Qu'est-ce qu'il y a? demanda-t-il en leur lançant un regard intrigué.

— Rachel a fait un cauchemar, répondit aussitôt Charlotte. Elle a réveillé Jim, qui est sorti prendre l'air, et je suis venu voir pourquoi la porte était restée ouverte. C'est elle qui t'a réveillé, toi aussi?

Avec un soupir las, Wade se laissa tomber sur le sofa du salon pour enfiler ses chaussettes et ses chaussures.

— J'aurais préféré cela, bougonna-t-il. Malheureusement, c'est le téléphone qui m'a tiré du lit. Un accident vient de se produire sur la nationale, juste à la sortie de la ville, et la circulation est bloquée.

— Besoin d'un coup de main ? demanda Jim.

Wade leva les yeux vers Charlie, les fit glisser sur Jim, puis secoua la tête en nouant ses lacets.

— Avec ce temps, dit-il, je préfère que vous restiez ici avec Rachel et Charlie. Les orages peuvent être terribles dans la région.

Il se leva, saisit son blouson au portemanteau et vint déposer un baiser sur la joue de sa sœur.

— Allume la télévision et garde un œil sur les bulletins météo. On ne sait jamais...

— C'est d'accord, promit Charlie en refermant la porte derrière lui. Ne t'inquiète pas pour nous.

Après le départ de Wade, un silence pesant retomba dans le hall, troublé par le crépitement des éclairs, les roulements de tonnerre et le chuintement assourdi de la pluie sur le sol. Lassée de feindre regarder ailleurs, Charlie risqua un coup d'œil en direction de Jim, pour constater que lui ne la quittait pas des yeux.

Le souffle coupé, elle se força à relever le menton et à soutenir son regard. Les yeux brillants, le visage indéchiffrable, il fit un pas vers elle, mais se figea aussitôt : de nouveau réveillée, Rachel sanglotait dans sa chambre en appelant sa mère d'une voix terrifiée.

— Elle a peur de l'orage, déclara Charlie en contournant Jim pour s'engager dans le couloir.

Tandis qu'elle se dirigeait vers la chambre de sa fille, elle n'aurait su dire si elle était déçue ou soulagée que les événements se soient chargés par deux fois cette nuit-là de les séparer...

Lorsque quelques instants plus tard, elle revint dans le salon avec Rachel dans les bras, Jim s'était installé sur le sofa et regardait la télévision d'un œil absent. Prenant place dans le rocking-chair de Wade, Charlotte s'efforça de se concentrer à son tour sur le bulletin météo.

Ainsi restèrent-ils très longtemps, absorbés l'un et l'autre par les images fugitives qui défilaient sur l'écran. Au moins cela les préservait-il, tant que Wade n'était pas de retour, du danger qu'ils couraient à rester seuls tous les deux...

8.

Née à Call City, où elle avait toujours vécu, Wilma Self
était depuis la mort de son prédécesseur, dix-sept ans plus
tôt, l'unique responsable de la petite bibliothèque de la ville.
Aussi ponctuelle que l'horloge parlante, la bibliothécaire
mettait un point d'honneur, tous les matins et par tous les
temps, à ouvrir les portes au public à 8 heures tapantes.

Dure à la tâche, le verbe haut, aussi péremptoire qu'impa-
tiente — ce qui expliquait sans doute son célibat prolongé
—, Wilma était devenue au fil des ans l'une des figures
emblématiques de la cité. Chaque jour de la semaine, elle
trottinait le long des quatre pâtés de maisons qui séparaient
son domicile de la bibliothèque et pénétrait dans le bâtiment
par la porte de service.

Son premier geste, après avoir retiré son manteau et réa-
justé sa coiffure permanentée, était de mettre en route la
cafetière qui lui permettrait d'assouvir, tout au long de la
journée, son goût immodéré pour le café. Ensuite, elle dispo-
sait avec soin sur une assiette, de petits cookies maison, dont
le secret de fabrication était jalousement gardé dans sa
famille depuis des générations.

Ce jour-là, après avoir arraché sur le petit calendrier
mural derrière son bureau, la date du jour précédent, Wilma
jeta un coup d'œil machinal à sa montre. Ses yeux s'arrondirent de surprise ; il ne lui restait plus que quinze secondes

99

pour ne pas faire mentir sa réputation de ponctualité infaillible...

En hâte, elle traversa la vaste salle de lecture, où ses talons résonnèrent sur le sol carrelé. Petite et un peu boulotte, la quarantaine bien tassée, la bibliothécaire de Call City n'en conservait pas moins le pas léger. C'est avec cinq secondes d'avance qu'elle parvint à la porte principale. L'œil rivé au cadran, la main posée sur la clé, elle attendit que la trotteuse fût à la verticale pour déverrouiller la lourde porte en chêne.

Avec effort, elle ouvrit en grand l'un des deux vantaux, dont le bois avait été patiné par des générations de lecteurs. Puis, de la pointe de son soulier, elle rabattit le loquet qui le maintenait ouvert. Ensuite, seulement, elle s'autorisa un coup d'œil à l'extérieur.

Après les fortes pluies de la nuit précédente, le ciel était dégagé et l'atmosphère semblait plus pure, comme lavée par l'orage. Pourtant, ce ne fut pas le soleil éclatant qui attira ce matin-là le regard de Wilma Self, mais l'homme nu et inconscient, couché sur le dos, qui gisait en haut des marches du perron.

Elle porta une main à son cœur, comme pour s'assurer qu'il battait encore. Les yeux exorbités, les lèvres tremblantes, elle ne put s'empêcher de faire un pas, fascinée, vers celui qu'elle reconnut aussitôt. Victor Schuler avait beau être sale, et même ensanglanté par endroits, c'était sans aucun doute possible le banquier de Call City, aussi nu qu'au jour de sa naissance.

Wilma déglutit avec difficulté, partagée entre la nécessité d'appeler la police et l'envie de regarder de plus près ce spectacle qu'elle n'avait jamais eu l'occasion de voir. Puis, consciente qu'une telle occasion ne se représenterait jamais, elle jeta nerveusement un regard à droite et à gauche avant de se décider, le rouge aux joues, à faire un pas de plus et à se pencher sur le corps évanoui.

Aussitôt, les coins de sa bouche s'affaissèrent en une grimace de déception. C'était donc pour cela qu'on faisait tant d'histoires! Mais Wilma n'eut pas le temps de s'interroger plus longtemps sur ce qu'elle venait de découvrir, car dès que Victor Schuler remua la tête, sa curiosité fit place à une terreur irraisonnée, et elle poussa un hurlement si perçant qu'il alerta aussitôt le garagiste, deux pâtés de maisons plus bas.

Sortant de son atelier un cric à la main, prêt à en découdre, Harold comprit tout de suite que Wilma avait besoin d'aide. Après avoir crié à son apprenti d'appeler la police, il se mit à courir sans hésiter vers la bibliothèque. Ce serait bien la première fois, songea-t-il amusé, qu'il y mettrait les pieds en cinquante années de vie à Call City...

Wade était sur le point de sortir lorsque la sonnerie du téléphone retentit. S'immobilisant aussitôt dans l'encadrement de la porte d'entrée, il bloqua du pied la moustiquaire et attendit quelques instants. A cette heure-ci, cela ne pouvait être que pour lui.

— Wade? appela Charlie depuis le seuil de la cuisine, bouchant d'une main le combiné téléphonique. C'est Martha, la standardiste du poste de police. Elle semble très agitée, et tout ce que j'ai pu comprendre, c'est que cela concerne Victor Schuler.

Wade regagna la cuisine alors que Jim y faisait lui-même son entrée. Prêt à partir travailler, celui-ci s'arrêta sur le seuil, son chapeau à la main. Ce serait sa première journée complète à son nouveau poste et il était étonné de se découvrir si impatient de se mettre au travail.

— Que se passe-t-il? demanda-t-il à Charlie en voyant Wade se ruer sur le téléphone.

Charlie haussa les épaules en signe d'ignorance, et se précipita vers la chaise haute de Rachel, juste à temps pour rattraper son assiette avant qu'elle aille se fracasser sur le sol.

— Martha? demanda Wade après avoir saisi le combiné. Quel est le problème?

Un flot de paroles incompréhensibles et hystériques répondit à sa question. Il leva les yeux au ciel.

— Martha, écoutez-moi, coupa-t-il d'un ton agacé. Vous allez vous calmer, respirer un grand coup et tout reprendre depuis le début. D'accord ?

Sans doute impressionnée par l'autorité de sa voix, la standardiste parvint enfin à articuler :

— Il faut que vous veniez au plus vite... On vient de retrouver Victor Schuler sur le perron de la bibliothèque.

— Vous ne pouviez pas me le dire avant ! tonna Wade. Est-il toujours en vie ?

A l'autre bout du fil, Martha ne put s'empêcher de pouffer.

— Oui, mais il était entièrement nu et je crois que Wilma Self, qui l'a découvert, ne sera plus jamais la même...

— Martha ! protesta Wade, exaspéré. Ce n'est pas pour colporter les derniers potins de Call City que la ville vous paye ! Rien d'autre concernant Schuler ?

Douchée par la réaction de son supérieur, la standardiste recouvra son sérieux.

— Si, une drôle de blessure sur sa fesse droite, mais je n'en sais pas plus. Avec Hershel qui se marie aujourd'hui, c'est la panique au poste. Voulez-vous que je lui demande quand même de passer ?

Wade poussa un soupir résigné. A quelques heures de passer la bague au doigt de sa promise, Hershel Brown se trouvait sans doute dans un état de surexcitation tel qu'il ne lui serait d'aucune utilité.

— Non, déclara-t-il avec fermeté. Avez-vous appelé une ambulance ?

— Bien sûr. J'ai prévenu les urgences de l'hôpital de Cheyenne, et elle ne devrait pas tarder.

— J'arrive tout de suite, conclut Wade avant de raccrocher et de se tourner vers Jim. Notre banquier disparu vient d'être retrouvé. Il gisait nu devant la bibliothèque de la ville, sain et sauf, à part une blessure à la fesse.

Tout en faisant avaler à Rachel quelques cuillères de bouillie, Charlie eut un sourire sarcastique.

— Je ne suis pas curieuse, mais j'aurais bien voulu voir ça...

— D'après Martha, reprit Wade, c'est Wilma Self qui a profité du spectacle. Il paraît qu'elle en est toute tournebouleée...

Voyant Charlie éclater de rire, aussitôt suivie par sa fille, Jim ne put retenir un sourire.

Wade traversa la pièce à grandes enjambées et vint déposer un baiser sur le front de sa sœur.

— Je t'appellerai dans la journée, sœurette. Si tu as le moindre problème, appelle Martha. Elle saura en permanence me trouver.

Charlie approuva de la tête, regardant avec attendrissement son frère se pencher sur Rachel pour l'embrasser.

— Tonton Wade! s'exclama gaiement la petite fille en agitant sous son nez sa petite cuillère pleine de bouillie.

— Hey, petit cœur! protesta Wade. Baisse les armes, je me rends...

Lorsqu'il lui prit la cuillère des mains pour déposer sur sa joue un gros baiser sonore, Rachel se tortilla de plaisir en minaudant. Mais quand Jim et Wade se dirigèrent de concert vers le hall, ses gazouillements se transformèrent en cri perçant. Les deux hommes se figèrent aussitôt et se retournèrent, alertés. Comme la veille dans la voiture, lorsqu'il était allé faire pour Charlie une course à la pharmacie, Rachel tendait vers Jim deux petits bras implorants.

— Venir! Venir! cria-t-elle, prête à éclater en sanglots.

Un peu ennuyé, Jim revint sur ses pas et se pencha sur elle.

— Désolé, fillette, dit-il en lui caressant la joue. Tu ne peux pas venir avec moi aujourd'hui, mais si tu es bien sage avec ta maman, il se pourrait bien que je te rapporte un cadeau...

A ces mots, une lueur intéressée s'alluma dans les yeux de Rachel. Elle n'avait pas compris tout ce que Jim avait dit mais, de toute évidence, le sens général du message était passé.

— Cadeau ! répéta-t-elle en trépignant dans sa chaise haute.

Tous se mirent à rire, ce qui eut pour effet d'agrandir encore son sourire. Elle gigota de plus belle sur son siège et lorsque Jim se pencha pour l'embrasser sur la joue, il en fut récompensé par une cuillère pleine de bouillie sur le nez.

— Des baisers comme celui-là, dit-il en grimaçant, on ne m'en a pas fait souvent...

Aussitôt, Charlie se précipita vers l'évier où elle prit un torchon qu'elle lui tendit.

— Tenez... A présent, je ne sais plus si je dois m'excuser pour la maladresse de ma fille ou vous réprimander pour l'avoir soudoyée...

Après s'être essuyé le visage, Jim lui lança un regard ironique, assorti d'un sourire charmeur.

— Rachel n'est sans doute encore qu'une enfant, répondit-il, mais elle n'en est pas moins femme pour autant. Je ne me suis pas comporté envers elle autrement que je l'aurais fait avec vous...

Charlie cligna des paupières, ne sachant comment interpréter ces paroles sibyllines.

— Que voulez-vous dire ?

— Vous savez, reprit Jim sans cesser de sourire, je ne suis pas expert en ce qui concerne les femmes. Mais s'il est une chose que j'ai apprise au cours de toutes ces années, c'est qu'il est préférable de ménager leur bonne humeur si l'on veut rester dans leurs bonnes grâces ou se dégager de leurs griffes. Vous n'êtes pas d'accord ?

Sur le seuil de la cuisine, son grand sourire de gamin sur les lèvres, Wade n'avait rien perdu de cet échange. Troublée par ce que Jim venait de dire, Charlie en demeura sans voix. La nuit précédente, elle était restée des heures éveillée, après leur petit intermède nocturne sur le porche, à essayer de se convaincre elle-même qu'il valait mieux en rester là. Mais sans cesse, en elle, les élans du cœur venaient mettre à bas les constructions de la raison.

Et voilà qu'à présent il s'amusait à ses dépens... Pourtant, sous peine de révéler à Wade la tournure qu'était en train de prendre leur relation, elle ne pouvait se risquer à le remettre en place en lui répondant sur le même ton.

— Il n'y a qu'un homme pour penser ça, murmura-t-elle sans le regarder.

— Je plaide coupable, Votre Honneur ! plaisanta Jim, d'un air faussement désolé.

Puis, après lui avoir adressé un dernier sourire rempli de promesses qu'elle seule était à même de décrypter, il se hâta de rejoindre Wade, qui l'attendait déjà à l'intérieur de la voiture de patrouille.

Lorsque Jim et Wade émergèrent de l'ascenseur, ils aperçurent Betty Schuler, effondrée sur un banc, qui pleurait à gros sanglots. Son chagrin paraissait tel qu'ils pensèrent aussitôt que le banquier devait être mort et s'empressèrent de la rejoindre.

Après avoir porté la main à son Stetson en guise de salut embarrassé, Wade présenta Jim comme son nouvel adjoint. Malgré ses larmes, l'épouse de Victor Schuler ne put s'empêcher de jeter sur lui un regard intrigué. Elle avait beaucoup entendu parler en ville de cet étranger à la carrure imposante qui avait pris pension depuis quelques jours chez les Franklin. Pourtant, jusqu'à ce que Wade le lui présente ainsi, elle s'était refusée à croire la rumeur qui faisait de lui un policier.

— Oh, Wade ! gémit-elle en se tamponnant avec son mouchoir. Si vous saviez ce qu'ils ont osé lui faire ! C'est tout simplement affreux !

— Que s'est-il passé ? demanda-t-il en fronçant les sourcils. Ils lui ont tiré dessus ?

Elle poussa un autre gémissement, accompagné d'un nouveau flot de larmes, qu'elle s'empressa d'éponger à l'aide de son mouchoir détrempé.

— Non ! sanglota-t-elle. D'après le docteur, c'est pire que cela. On dirait qu'ils l'ont... qu'ils l'ont... brûlé !

Pour lui permettre de faire face à la nouvelle crise de larmes qui s'annonçait, Jim arracha de la boîte posée sur une table basse deux ou trois mouchoirs en papier, qu'il lui tendit. Betty s'en saisit avec un hochement de tête reconnaissant.

— Sait-il qui sont ses ravisseurs? s'enquit-il. Vous a-t-il indiqué où il avait été retenu prisonnier?

Le nez plongé dans son mouchoir, Betty secoua la tête.

— Non... Il dit qu'il ne se rappelle de rien. Mais cette marque, cette marque sur sa fesse, il ne pourra jamais l'oublier!

Jim se rapprocha d'elle et lui posa une main sur l'épaule.

— Quelle genre de marque, madame? La cicatrice de cette brûlure dont vous parliez?

Betty Schuler roula des yeux terrifiés.

— Si encore ce n'était qu'une cicatrice! Mais c'est une marque! Ces bandits ont osé marquer mon Victor au fer rouge, comme un bœuf!

Wade et Jim échangèrent un regard perplexe. Puis, tandis que Wade s'asseyait près d'elle pour tenter de la consoler, Jim patienta, les bras croisés, jusqu'à ce qu'un jeune docteur émergeât de la chambre du banquier.

— Quand pourrons-nous interroger M. Schuler? demanda Wade, qui s'était levé pour se porter à sa rencontre.

Jim, qui avait esquissé un geste pour faire de même, s'en était abstenu au tout dernier moment. Il ne devait pas oublier que Wade était sur son territoire, et qu'il s'agissait donc de son enquête.

Le médecin haussa les épaules.

— Mis à part le fait que nous l'avons placé sous sédatif, vous pouvez l'interroger quand ça vous chante, s'il est d'accord, bien sûr.

— De quoi souffre-t-il exactement?

— Légère déshydratation. Quelques bosses. Pas mal de bleus et d'écorchures sur tout le corps, comme s'il avait été traîné sur un sol rugueux. Et surtout une curieuse marque de brûlure sur la fesse droite.

— Sa femme parle d'une sorte de marque au fer rouge, intervint Wade, l'air soucieux.

Le jeune docteur secoua la tête en signe d'incompréhension.

— C'est la chose la plus étrange qu'il m'ait été donné d'observer de toute ma carrière. On dirait la lettre V... Pour Victor, je suppose. De nombreuses marques de piqûres au creux du bras et sur l'épaule laissent penser que ses ravisseurs l'ont drogué à plusieurs reprises. D'après l'état de la plaie, on peut aussi supposer qu'ils lui ont administré des antibiotiques. Mais je l'avoue, que des hommes puissent kidnapper quelqu'un dans le seul but de lui imprimer au fer rouge l'initiale de son prénom sur la fesse est quelque chose qui me dépasse !

— Merci beaucoup pour ces précisions, docteur, le remercia Wade en lui serrant la main. Si nous avons d'autres questions, nous vous recontacterons.

Victor Schuler, couché sur le côté, avait repris suffisamment conscience pour apprécier le fait de n'être plus pieds et poings liés. Sa blessure à la fesse avait été nettoyée et bandée, et la substance qu'on lui avait administrée le rendait un peu euphorique. Une certitude, pourtant, faisait bien plus que le sédatif pour le soulager et le mettre en joie : Il était libre. Vivant. Sauvé !

Ce qui restait pour lui un grand mystère, c'était la façon dont sa libération s'était opérée. La dernière chose dont il se souvenait, c'était cette mouche, et cette aiguille au creux de son bras. Ensuite, il s'était réveillé sur le perron de la bibliothèque, nu et honteux sous les regards concupiscents de cette vieille fille de Wilma Self, dont il gardait encore à la mémoire les cris d'orfraie...

Soudain, la porte de sa chambre s'entrouvrit et Victor ne put s'empêcher de sursauter.

— Victor ? appela Wade Franklin en passant la tête dans l'entrebâillement. Vous vous sentez d'attaque pour me dire quelques mots ?

Victor eut un soupir de soulagement. Le chef de la police, Dieu soit loué ! Même s'il arrivait un peu tard, il était plus que bienvenu...

— Bien sûr, entrez, murmura-t-il.

La première chose que Jim lut dans le regard de Victor lorsqu'il le découvrit fut une peur terrible.

— Monsieur, dit-il pour le rassurer, je suis l'inspecteur Jim Hanna, de la police de Tulsa dans l'Oklahoma.

Victor fronça les sourcils, essayant d'établir dans son cerveau embrumé ce qu'un flic de l'Oklahoma pouvait bien faire dans le Wyoming, avant de renoncer à comprendre. Après tout, peu importait qui s'occupait de son affaire, du moment qu'ils parvenaient à mettre la main sur les salauds qui lui avaient fait ça !

Pour attirer son attention, Wade lui posa la main sur le bras.

— Victor, dit-il d'une voix précautionneuse. Que pouvez-vous nous dire à propos de votre enlèvement ?

Mal à l'aise, Schuler s'agita sur son lit, ce qui eut pour effet de lui arracher un gémissement de douleur. Avec un soupir las, il secoua la tête sur son oreiller.

— Rien d'autre qu'un grand choc reçu sur le crâne, alors que je m'apprêtais à monter dans ma voiture. Quand je me suis réveillé, j'étais nu sur un sol de béton, pieds et poings liés, bâillonné et les yeux bandés.

— Vous est-il arrivé d'entendre les voix de vos ravisseurs ? demanda Wade.

— Jamais. Je ne peux même pas vous dire combien ils étaient. Tout ce que je sais, c'est qu'après qu'ils m'ont torturé quelqu'un m'a régulièrement fait des piqûres pour m'endormir et soulager la douleur. Et je suppose qu'ils m'ont soigné quand la plaie s'est infectée, puisque la fièvre est tombée.

— Avez-vous une idée du mobile de vos ravisseurs ?

Visiblement, cette question ébranla Victor qui demanda :

— Que voulez-vous dire ? Ce n'était pas pour obtenir une rançon ?

Wade secoua la tête.

— Non.

A cette nouvelle, Victor pâlit.

— Ils n'ont jamais rien demandé ?

— Absolument rien. Ils ne se sont même pas manifestés.

— Dans ce cas, pourquoi m'ont-ils libéré ?

Sur le visage de Wade, la perplexité fit place à la préoccupation.

— Vous ne vous êtes donc pas échappé ?

— Bien sûr que non ! Entravé et drogué comme je l'étais, j'aurais été bien incapable de me traîner jusqu'à la porte.

Après s'être approché du lit de Schuler, Jim intervint.

— Monsieur Schuler, je vais vous poser une question à laquelle je voudrais que vous réfléchissiez avec soin avant de répondre.

— Allez-y...

— Avez-vous des ennemis ?

Victor Schuler recommença à s'agiter sur son lit, ce qui lui arracha une nouvelle grimace de douleur.

— Je suis banquier, rappela-t-il. Vous connaissez beaucoup de banquiers sans ennemis ? Pourtant, je ne vois personne qui me haïsse assez pour faire une chose pareille.

— Réfléchissez-y encore, insista Jim. Revenez en arrière. Avant de travailler à la banque, que faisiez-vous ?

Le front de Schuler se plissa sous l'effet de la concentration.

— J'étais à l'université, bien sûr. Et avant cela, je suis allé au collège, ici à Call City. Mon père dirigeait la banque avant moi. Lorsqu'il est mort, j'ai dû interrompre mes études pour regagner la ville et lui succéder.

— Jim, intervint Wade, perplexe, où voulez-vous en venir ?

— Je pense que tout ceci n'a rien à voir avec l'argent.

— Qu'est-ce que cela signifie ? demanda Victor, les yeux écarquillés. J'ai bien peur de ne pas vous comprendre...

Avant de lui répondre, Jim le fixa un long moment, droit

dans les yeux. Depuis qu'il était entré dans cette pièce, il ne l'avait en fait jamais quitté du regard, et ce qu'il lisait sur son visage lui en apprenait plus sur cet homme que les rares paroles qu'il prononçait.

— Je crois, répondit-il enfin, que ce qui vous est arrivé est un cas de vengeance pure et simple, aussi froidement accomplie que calculée. Vos, ou votre ravisseur, qui que ce puisse être, n'avait en tête que le besoin de vous humilier, de vous rabaisser, sans pour autant vous anéantir. La marque qui vous a été infligée en est d'ailleurs la preuve. Je crois que celui qui vous a fait cela a tenté de se rappeler à votre souvenir et a fait en sorte que vous ne puissiez plus jamais l'oublier...

A ces mots, le visage de Schuler se décomposa.

Devant sa réaction, Wade se félicita d'avoir su persuader Jim de l'aider. Cette hypothèse, si elle se vérifiait, apporterait à leur enquête un angle inédit et sans doute déterminant.

— Mais qui ? bredouilla le banquier, effrayé. Qui peut bien me haïr à ce point ?

Jim, le poing posé sur le matelas, se pencha un peu plus près de lui, les yeux brillants.

— C'est à vous de nous le dire, monsieur Schuler... Réfléchissez bien. Retournez-vous sur votre passé, cinq, dix, peut-être quinze ou vingt ans en arrière. N'avez-vous jamais fait quelque chose qui ne vous rend pas très fier ? Quelque chose qui aurait blessé quelqu'un, peut-être pas physiquement, mais financièrement ou socialement ? A en juger par l'ampleur de l'humiliation qu'on a voulu vous infliger, il semble évident que vos ravisseurs trouvent leur motivation dans la loi du talion : œil pour œil, dent pour dent...

Les yeux de Victor Schuler flamboyaient de colère, comme si l'hypothèse de Jim suffisait à porter atteinte à sa réputation.

— Bien sûr que non ! protesta-t-il avec véhémence. Personne n'a...

Soudain, le corps du banquier fut secoué par un grand frisson. A la grande surprise de Jim et de Wade, il parut plonger dans une sorte d'état second, aussi bref qu'impressionnant. Ses yeux devinrent vitreux, sa lèvre inférieure s'affaissa, ses mains se mirent à trembler.

— Que se passe-t-il? le pressa Wade en s'accroupissant à la tête de son lit. Vous vous rappelez quelque chose?

— Non! s'écria Schuler, les paupières obstinément fermées. Rien du tout. Laissez-moi, maintenant. Je voudrais dormir.

— Comme vous voudrez..., répondit Wade, de mauvaise grâce. Nous en reparlerons plus tard.

— Il n'y a rien de plus à en dire, répliqua Schuler, la tête enfouie dans l'oreiller.

Comprenant qu'il était inutile de tenter de faire parler contre son gré un homme aussi buté que le banquier de Call City, Wade fit signe à Jim de se diriger vers la porte.

Dans le hall, ils saluèrent Betty Schuler, qui leur répondit à peine avant de se précipiter dans la chambre de son époux. Tandis qu'il marchait vers l'ascenseur, Jim ne put s'empêcher de penser à cette mystérieuse lettre V à présent gravée dans la chair de cet homme. V comme Victor? Peut-être. Mais pourquoi pas V comme voleur? Ou V comme vantard? Ou V comme vérité?

En regardant les portes d'aluminium de la cabine d'ascenseur se refermer en tintant devant eux, Jim se sentit parcouru par un petit frisson d'excitation anticipée. Il en était souvent ainsi, pour lui, aux prémices d'une affaire prometteuse...

9.

En regagnant leur voiture de patrouille sur le parking de l'hôpital de Cheyenne, les deux policiers étaient pour le moins perplexes.

— Voilà qui ne nous aide pas beaucoup, soupira Wade.

Jim secoua la tête et réajusta son Stetson sur son crâne.

— Je n'en suis pas si sûr. Si je ne me trompe pas, je crois que nous l'avons amené à se remémorer un souvenir gênant, qu'il aurait préféré garder enfoui...

— Peut-être, mais pour l'instant nous n'en tirerons rien de plus. D'après le médecin, il devrait être bientôt autorisé à rentrer chez lui. Lorsqu'il aura récupéré un peu, il nous sera plus facile de l'interroger.

Alors qu'ils arrivaient près de leur véhicule, Wade adressa à Jim une grimace comique.

— En parlant de rentrer chez soi, nous ferions peut-être bien de nous presser un peu. En règle générale, on dirait que les ennuis prennent un malin plaisir à attendre que je m'absente pour se manifester.

Ils s'installèrent dans la voiture, et après avoir démarré roulèrent quelques instants sans mot dire. Puis, lorsque Wade fut sorti de la ville et qu'ils se retrouvèrent sur la nationale, Jim rompit le silence.

— Wade? Quel effet cela fait-il d'être le seul flic en ville?

Wade eut une mimique éloquente.

— Cela occupe...

— Vous n'avez jamais pensé à chercher un poste dans une ville plus importante ? Pour être mieux secondé, par exemple. D'après ce que je constate, vous semblez être ici sur la brèche vingt-quatre heures sur vingt-quatre.

— Vous n'êtes pas loin du compte. Mais vous savez, deux ou trois adjoints pour me seconder ne pèsent pas lourd en comparaison de tout ce que je perdrais si je quittais cette ville. Call City a bien des défauts, mais je ne peux m'empêcher de m'y sentir chez moi. Et je sais que Charlie pense la même chose, même si elle a vécu ici des jours difficiles. Quant à Rachel, je me refuse à ce qu'elle grandisse dans l'enfer d'une grande cité.

— Je vois ce que vous voulez dire, répondit Jim. Pourtant, il semblerait que, avec l'enlèvement de Victor Schuler, l'enfer ait fini par vous rattraper, ici à Call City...

— Un point pour vous, reconnut Wade avec un sourire contrit. A ce propos, je tenais à vous dire combien j'ai apprécié votre intervention tout à l'heure. Je serais sans doute arrivé moi aussi à envisager l'affaire sous cet angle, mais cela m'aurait pris plus de temps.

— Que pensez-vous de mon hypothèse ?

— Je crois que vous êtes arrivé à vous approcher de très près d'un des vieux fantômes de Schuler, et que cela lui a fait diablement peur.

Jim hocha la tête.

— La clé de toute cette affaire repose quelque part dans le passé de cet homme. Si vous n'y voyez pas d'inconvénient, nous pourrions commencer à lancer quelques investigations à son sujet.

Pour toute réponse, Wade se contenta de hocher la tête, et le silence retomba dans l'habitacle.

— Avant de rentrer ce soir, reprit Jim, quelques kilomètres plus loin, il faudrait que nous nous arrêtions dans une épicerie pour acheter le cadeau que j'ai promis à Rachel. Elle a beau n'avoir que deux ans, quelque chose me dit qu'elle n'est pas du genre à oublier ce genre de promesses...

A la dérobée, Wade lui lança un regard soucieux.

— On dirait qu'elle s'est tout de suite attachée à vous, fit-il remarquer. Pourtant, cela ne lui ressemble pas trop. Vous avez des enfants ?

La question sembla beaucoup amuser Jim, dont le sourire vira à l'amertume lorsqu'il répondit :

— Non, hélas. Mais si c'était le cas, je ne me serais certainement pas conduit comme cet enfant de salaud qui a laissé tomber Charlie et Rachel.

La virulence de son indignation laissa quelques instants Wade Franklin songeur. D'un côté, il aimait bien cet homme, dont il ressentait confusément qu'il pouvait lui faire confiance. Mais d'un autre, il comprenait qu'il n'était pas du genre à se satisfaire du style de vie que l'on pouvait mener dans une petite ville telle que Call City.

Cela n'aurait pas prêté à conséquence si Wade n'avait pas perçu l'attraction grandissante qui se développait entre cet étranger et sa sœur. Bien sûr, Charlie était assez grande pour savoir ce qu'elle avait à faire, et il n'avait aucun droit de se mêler de sa vie sentimentale. Mais si Jim Hanna s'avisait, d'une manière ou d'une autre, de façon volontaire ou non, de la faire souffrir, alors...

Wade serra les dents et s'efforça de se concentrer sur la conduite. Il avait déjà assez à faire, décida-t-il, avec les ennuis qu'il avait sur les bras pour ne pas en plus s'en inventer d'autres. Pour ce qui concernait Jim et Charlotte, le mieux était d'attendre de voir comment les choses évolueraient.

Un peu moins d'une heure avant la fin de leur journée de travail, une évasion au pénitencier de Cheyenne se produisit, qui mit aussitôt Wade et Jim sur le pied de guerre. D'après les derniers rapports qui leur étaient parvenus, les évadés en fuite avaient été aperçus alors qu'ils roulaient en direction de Call City dans un camion volé.

Avec l'aide de la police d'Etat, deux barrages routiers

furent mis en place à l'entrée et à la sortie de la ville. Dès que les chicanes furent installées, aussitôt que les sentinelles filtrant le trafic eurent été postées, officiers et inspecteurs regagnèrent leurs véhicules pour attendre l'arrivée éventuelle des malfaiteurs.

Le cadeau destiné à Rachel — un gros sachet de marshmallows multicolores — était posé sur le siège arrière de la voiture de patrouille où patientait Jim. Plus l'attente se prolongeait, plus la tentation pour lui était grande de plonger la main dans le paquet. Mais il lui suffisait pourtant d'imaginer la joie qu'aurait la petite fille à ouvrir elle-même le sachet et à se poudrer le nez de sucre pour y résister.

A quelques centaines de mètres en contrebas de la route, il pouvait apercevoir le terrain de sport du collège de la ville où une rencontre de football était engagée. Entre le stade et la grand-route, un troupeau de bovins paissait dans un pré, indifférent au déploiement policier. Débouchant d'un chemin perpendiculaire à la nationale, une jeune fille à vélo fut aussitôt renvoyée à ses foyers par un agent de la police d'Etat.

Tout était calme. Presque trop calme au goût de Jim.

Les paupières plissées, il reporta son attention sur le maigre flot de véhicules dans le lointain, qui roulaient en direction de la ville. Après vérification, ils avaient déjà laissé quelques semi-remorques poursuivre leur route vers le nord, autorisé un fermier sur son tracteur à livrer à son voisin une charretée de foin, et permis à un bus rempli de jeunes footballeurs de sortir de Call City pour se rendre à une rencontre dans la ville voisine. Il était toujours possible que les évadés aient préféré un autre itinéraire, mais tant qu'ils n'en auraient pas la certitude, il leur serait impossible de lever le barrage.

Quelques minutes plus tard, alors qu'il s'apprêtait à laisser Wade prendre son tour de guet, Jim vit apparaître en haut de la côte la plus proche de lui, un semi-remorque qui roulait à vive allure. Tout d'abord, il n'y prit pas garde, mais en constatant au bout de quelques secondes que le véhicule ne faisait pas mine de ralentir, sa tension commença à monter.

Penché au-dessus du volant, les yeux presque collés au pare-brise, il redoubla d'attention. Toujours aucun signe de débrayage du camion suspect... Lorsqu'il se décida à s'extraire de la voiture de patrouille pour mieux surveiller sa cible, il avait déjà porté la main à son holster pour y saisir son arme.

— Wade, appela-t-il d'une voix tendue.

Le chef de la police de Call City, occupé à discuter avec un collègue de la police d'Etat, se tourna vers lui.

— Jim ? Qu'y a-t-il ?

D'un signe de tête, Jim désigna le semi-remorque qui, parvenu à moins de cinq cents mètres du barrage, ne montrait toujours aucun signe de décélération. Soudain, le pot d'échappement chromé qui se dressait au-dessus de la cabine laissa échapper un flot de fumée noire. Manifestement, si le conducteur venait de changer de vitesse, c'était pour accélérer, et non pour ralentir...

Le camion dévalait à présent la route à toute allure.

— Attention ! s'écria Jim. Ils nous foncent dessus...

Aussitôt, les hommes en uniforme se dispersèrent et s'accroupirent à l'abri de leurs véhicules. Comme une onde presque palpable, la tension grandit lorsque le bruit du diesel lancé à un train d'enfer parvint à leurs oreilles. Mais alors que tous attendaient, l'arme au poing, l'ordre de tirer, un bruit grinçant de roues mal huilées s'éleva de derrière une haie d'aubépine, masquant un petit chemin creux, de l'autre côté du barrage.

Effarés, les policiers placés en embuscade virent alors déboucher sur la route, juste devant eux, un jeune homme au visage d'enfant qui tirait une petite carriole rouge. Surpris de se retrouver face à un tel déploiement de force, le simple d'esprit se figea au beau milieu de la chaussée, en leur lançant des regards affolés.

Wade se redressa et avança vers lui en agitant les bras pour le faire décamper.

— Va-t'en, Davie ! Retourne dans le chemin...

Un murmure consterné s'éleva du groupe de policiers

lorsque Davie, pour toute réponse, se contenta de secouer la tête.

D'un regard, Wade évalua le temps qui leur restait avant que le semi-remorque ne les rejoigne, et il s'élança en direction du jeune homme.

— Ouvrez le feu dès que je l'aurai mis à l'abri ! hurla-t-il par-dessus son épaule.

— Visez les pneus ! conseilla quelqu'un d'autre.

Mais Jim n'eut pas à réfléchir très longtemps pour comprendre que lorsque Wade aurait rejoint Davie, il serait trop tard pour tenter de stopper la course folle du camion. Au jugé, sans même réfléchir aux conséquences de ses actes, il s'élança en direction du semi-remorque. L'arme au poing, il courait à toute allure sur l'herbe du bas-côté et ne tarda pas à dépasser Wade et Davie. Quand le véhicule ne fut plus qu'à quelques dizaines de mètres, il s'arrêta, se campa sur ses jambes écartées et, comme à l'exercice, visa avec soin.

Derrière le pare-brise apparaissaient les silhouettes indistinctes de trois hommes. Soudain, celui qui se trouvait près de la portière du passager se pencha par la vitre, épaula une carabine et se mit à tirer dans sa direction. La déflagration le fit sursauter, mais Jim se tranquillisa bien vite ; à ce genre d'exercice sur cible mouvante, il ratait rarement son coup lors des entraînements.

Dans son dos, des bruits de course précipitée se firent entendre. Les autres avaient dû comprendre son plan et venir lui prêter main-forte. Soutenu par cette certitude, sans perdre son sang-froid, Jim tira lorsqu'il fut certain d'atteindre son but. La première balle fit exploser la roue avant, côté conducteur. Sans attendre, il fit subir le même sort au pneu arrière, et les jantes mises à nu arrachèrent à l'asphalte d'impressionnantes gerbes d'étincelles.

Déstabilisé, le monstre d'acier se mit à zigzaguer. Jim perçut, derrière le pare-brise, les efforts désespérés du conducteur et la panique de ses passagers. Puis la cabine commença à vaciller et Jim comprit que, s'il ne bougeait pas, il allait être fauché par le camion fou. D'un bond au-dessus d'une clôture de barbelés, il sauta dans un pré voisin où, à plat-ventre, il mit en joue sa cible, et vida son chargeur sur les roues arrière.

D'autres officiers placés sur la trajectoire du camion l'imitèrent. La cabine était à présent couchée sur le flanc, poussée par la force d'inertie de l'énorme remorque qu'elle tractait derrière elle. Mais une seconde plus tard, la remorque elle aussi bascula sur le côté, alors que l'épave accidentée arrivait aux abords des premières voitures de patrouille.

Le métal, torturé par le revêtement de la chaussée, emplissait l'air de hurlements stridents. Aussitôt après, la cabine entra en collision avec deux des voitures pie, les défonçant comme de vulgaires boîtes de conserve. Enfin le camion fou s'immobilisa tout à fait. Des hommes affolés couraient en tous sens et l'odeur âcre du fuel répandu sur la chaussée emplissait l'atmosphère.

Tournant ses regards vers l'entrée du petit chemin creux, Jim aperçut la carriole rouge de Davie. Elle n'avait pas bougé de l'endroit où le garçon était apparu, mais Wade et lui n'étaient nulle part en vue. Un bruit d'explosion sourde se fit entendre. Jim comprit, en voyant les hommes s'éloigner en hâte, qu'un des deux véhicules de patrouille accidentés venait de prendre feu. Un bruit de sirène retentit dans le lointain. Apparemment, quelqu'un avait déjà prévenu les pompiers.

Certain que tout était à présent terminé, Jim se redressa et laissa échapper un long soupir.

— Ça va, mon vieux ?

D'un signe de tête, Jim rassura le motard qui s'était mis à couvert non loin de lui.

— On peut dire que ça a chauffé, reprit l'homme.

Ensuite, il se dirigea vers la clôture, dont il abaissa les barbelés pour permettre à Jim de l'enjamber. Parvenu sur le bas-côté, Jim lui rendit la politesse et tous deux hâtèrent le pas pour rejoindre leurs collègues sur le lieu de l'accident.

En plus du camion, les deux voitures de police étaient

entièrement détruites. Les hommes en uniforme, l'arme au poing, cernaient à présent la cabine couchée sur le côté, d'où s'élevaient des flots de fumée grise. Lorsque la portière, côté passager, commença à s'ouvrir en grinçant, tous se mirent en position de tir, prêts à faire face à toute éventualité. Mais le malfaiteur qui émergea de la carcasse, mains en l'air, semblait bien trop terrorisé pour opposer la moindre résistance.

— Ne tirez pas ! cria-t-il. Je me rends !

— Jetez vos armes ! lui fut-il aussitôt répondu.

Deux armes de poing et une carabine furent éjectées sans attendre de la cabine. Puis l'homme, l'air sonné, entreprit avec effort de s'extraire de la carcasse, aussitôt suivi par un de ses complices.

— Artie est mort, annonça le premier des deux au policier qui lui passait les menottes.

— Artie aurait mieux fait de se servir de ses freins, commenta celui-ci en l'entraînant vers un fourgon cellulaire qui venait d'arriver de Cheyenne.

Jim cligna des paupières pour humidifier ses yeux desséchés par la fumée noire qui s'épaississait autour d'eux. Enjambant les tuyaux enchevêtrés des pompiers, il se mit en quête de Wade et de Davie. L'inquiétude commençait à le gagner lorsqu'il les aperçut enfin sur le bas-côté, à une dizaine de mètres en contrebas. Un bras passé autour des épaules du jeune homme, Wade tentait de le réconforter.

Tandis qu'il les rejoignait, Jim ramassa au passage le timon de la petite carriole emplie de canettes vides pour la ramener à son propriétaire. Après l'enchaînement d'événements dramatiques qui venaient de se dérouler, le couinement intermittent des roues mal graissées paraissait presque comique... Ce doux bruit familier fit se retourner Davie. A son visage décomposé et noyé de pleurs, Jim comprit que le pauvre garçon venait de connaître la frayeur de sa vie.

— Davie, annonça-t-il d'une voix posée, je te rends ton bien.

Le jeune homme s'accrocha au timon de la charrette comme à une bouée dans une mer déchaînée. Puis il se laissa tomber sur les genoux pour se mettre à compter, frénétiquement mais sans grand résultat, la cargaison de canettes vides qu'elle contenait.

Jim lui glissa un bras autour des épaules.

— Elles sont toutes là, mon garçon, assura-t-il. Il n'en manque aucune, je te le promets.

Le ton de voix apaisant autant que le contact rassurant semblèrent calmer l'agitation du jeune homme.

— Toutes ? répéta-t-il.

Le regard vide et lointain que Davie lui adressait éveilla dans le cœur de Jim un écho douloureux. En proie à la peur panique, ce garçon ressemblait tout à fait à un autre qu'il avait connu autrefois... Mais avant qu'il ait pu dire quoi que ce soit pour le réconforter, il fut interrompu par une femme qui appela Davie d'une voix stridente.

Lorsqu'elle émergea près d'eux, affolée, Jim reconnut avec surprise Judith Dandridge, la pharmacienne aux mâchoires d'acier et à la coupe de cheveux militaire. Baissant la tête, Davie commença à s'agiter nerveusement.

— Ma tante Judy est fâchée, gémit-il.

— Ne crains rien, intervint Wade. Elle n'est pas fâchée, elle a juste eu peur pour toi.

Judith Dandridge serra Davie dans ses bras et le garda tout contre elle en une étreinte désespérée.

— Que s'est-il passé ? demanda-t-elle d'une voix blanche.

— Des prisonniers échappés du pénitencier de Cheyenne ont essayé de forcer un barrage de police. Davie s'est malencontreusement retrouvé mêlé à tout cela, mais grâce à Jim, il en a été quitte pour la frayeur.

Le visage de Judith se décomposa un peu plus encore et elle appuya la tête du jeune homme contre son épaule, tapotant son dos d'une main maternelle.

— Davie, mon chéri... Tu aurais pu être blessé...

— Je cherchais des canettes, tante Judy, répondit-il d'une petite voix coupable.

Jim vit la pharmacienne serrer les mâchoires pour retenir ses pleurs. Lorsqu'elle releva les yeux, son regard ne ressemblait en rien à celui, froid et accusateur, qu'elle lui avait adressé lors de leur précédente rencontre.

— Vous devriez le ramener à la maison, conseilla Wade. Je crois qu'il a eu sa dose d'émotions pour aujourd'hui.

Judith Dandridge hocha la tête, puis, prenant Davie par la main, l'entraîna vers la ville, dans un concert de roues grinçantes et de boîtes en aluminium entrechoquées.

— Seigneur! marmonna Wade en les regardant s'éloigner. C'est dans des moments comme celui-ci que je mesure pleinement notre chance d'avoir une petite Rachel aussi pleine de vie et de santé...

— Judith est vraiment sa tante? demanda Jim.

Wade haussa les épaules.

— Pas au sens strict du terme. Les parents de Judith ont toujours accueilli des orphelins placés chez eux par l'assistance sociale. Davie est le seul à ne les avoir jamais quittés. Je crois qu'ils l'ont adopté de manière officielle lorsqu'il avait sept ou huit ans. A cette époque, Henry Dandridge, le père de Judith, s'occupait déjà de la pharmacie. Après ses études universitaires, elle est revenue travailler avec lui, et lorsque ses parents sont morts dans un accident, elle a hérité de l'affaire... et de la responsabilité de Davie.

— Une bien lourde charge, murmura Jim, pensif.

— Heureusement, conclut Wade, elle ne manque pas de courage.

S'approchant de Jim, il lui assena une tape amicale dans le dos.

— Vous n'en manquez pas non plus, d'ailleurs! s'exclama-t-il en riant. Si vous ne vous étiez pas précipité ainsi tête baissée sur ce foutu camion, j'aurais tout juste eu le temps de mettre le gosse à l'abri, mais ces bandits auraient sans doute réussi à passer.

Jim, plus gêné qu'il ne l'aurait souhaité par le compliment, se détourna pour jeter un regard alentour. Non loin de là, il vit que leur voiture avait échappé à la collision et poussa presque un soupir de soulagement en songeant au paquet de marshmallows abandonné sur la banquette arrière.

— Allons voir ce qu'il nous reste à faire ici, dit Wade en s'éloignant. Après une journée pareille, je suis pressé de retrouver ma maison...

Pendant tout le trajet de retour, Wade demeura silencieux. Jim eut ainsi tout loisir, du fond du siège passager, d'admirer le resplendissant coucher de soleil qui déployait ses fastes à l'horizon.

Lorsqu'il était passé dans l'après-midi au garage prendre des nouvelles de sa voiture, Harold lui avait promis qu'elle serait prête dès le lendemain. Pourtant, il était maintenant décidé à rester à Call City, comme il l'avait promis à Wade, jusqu'au retour de son adjoint. A présent que Victor Schuler avait été retrouvé, il aurait tout aussi bien pu s'estimer quitte de sa promesse. Mais pour quoi faire? Et pour aller où?

En regardant une fine strie orange apparaître au-dessus de la ligne de nuages pourpres qui cernait l'horizon, Jim soupira. Dans son esprit, les images de ce jour peu ordinaire ne se faneraient pas de sitôt. De sa rencontre nocturne avec Charlie sur le porche à cette image de Wade tentant de réconforter Davie, il avait vécu une journée à nulle autre pareille, au cours de laquelle il s'était senti vivant comme rarement auparavant.

Par-dessus son épaule, il jeta un coup d'œil au paquet de friandises destiné à Rachel. Pour la troisième fois depuis leur départ de Call City, il se représenta la joie de la petite fille lorsqu'il lui tendrait sa surprise, et sourit. Puis son sourire se figea sous l'effet d'un brusque sentiment d'inquiétude. Insensiblement, il était en train de s'attacher beaucoup plus qu'il n'eût été raisonnable de le faire à la famille de Wade Franklin. Après tout, il n'était à leurs yeux qu'un étranger de passage. Mais sans s'en rendre compte, il en était arrivé au cours des jours précédents à éluder le fait qu'il aurait un jour à les quitter.

Pour juguler le malaise que suscitait en lui cette découverte, Jim s'absorba dans la contemplation du crépuscule. La lumière s'affaiblissait à chaque instant. Il s'efforça de ne manquer aucun détail, d'enregistrer le plus infime changement de luminosité, la plus discrète nuance de couleur. Et lorsqu'il n'y eut plus à contempler sur la voûte céleste que la première étoile clignotante, il baissa les yeux sur la route balayée par les faisceaux lumineux des phares de leur voiture.

Bientôt, Wade commença à ralentir, et Jim en déduisit qu'ils étaient presque arrivés. Dans la lumière jaune des phares apparurent les traces de pneus laissées par sa jeep, lorsqu'il avait quitté la route pour défoncer la clôture et sauver d'une mort certaine une petite fille de deux ans. Il avait agi sans réfléchir, mais ce geste impulsif avait eu sur son existence une influence bien plus grande que bien des décisions longuement mûries...

Puis la voiture atteignit le sommet de la colline, au-dessus de la vieille maison, et ils aperçurent au coin d'une fenêtre une petite lampe briller telle une balise dans la nuit.

— Regardez! fit remarquer Jim en la pointant du doigt. On dirait que Charlie est en train de lire une histoire à Rachel, dans votre fauteuil.

Wade eut un petit rire amusé.

— Pas forcément, répondit-il. C'est aussi une tradition familiale. Lorsque nous étions enfants, notre père travaillait au loin, et maman avait pris l'habitude de laisser cette petite lampe briller la nuit tant qu'il n'était pas de retour parmi nous.

Un frisson parcourut le dos de Jim tandis qu'il observait, incrédule, la tache de lumière jaune et réconfortante qui trouait les ténèbres.

— Vous voulez dire que Charlie, à son tour, la laisse allumée la nuit tant que vous n'êtes pas rentré?

— Oui.

— Chaque nuit?

Wade hocha la tête.

Jim sentit le nœud qui lui serrait le ventre en permanence se resserrer un peu plus encore. Lui revinrent aussitôt à la mémoire les innombrables fois, au cours de son enfance, où il était rentré chez lui, la peur au ventre, pour ne trouver qu'une maison vide et froide, dépourvue de toute nourriture, de toute affection et de toute chaleur. Pas une seule fois il n'avait connu la rassurante certitude d'être attendu.

A la dérobée, Jim lança à Wade un regard d'envie. Il aurait voulu se convaincre qu'il était heureux pour lui du bonheur tranquille qui était le sien, mais comment ignorer cette cruelle jalousie qui lui dévorait le cœur ? Lorsqu'ils se garèrent enfin devant la maison, il avait renoncé à mener contre lui-même cette bataille perdue d'avance. Précipitamment, il descendit du véhicule, le sachet de marshmallows dans la main.

Il le savait à présent, c'était de cela qu'il avait toujours manqué. C'était cela qui lui manquait toujours et l'empêchait de vivre sereinement sa vie d'adulte. Il voulait être aimé ainsi. Il voulait être espéré, attendu, choyé. Il voulait qu'une femme lui fasse un jour assez confiance pour garder une lampe allumée près d'une fenêtre jusqu'à son retour. Il le voulait comme un voyageur égaré soupire après une gorgée d'eau, en plein désert. Il le voulait comme un fou, désespérément...

10.

Quand, par la fenêtre de la cuisine, Charlie vit les phares de la voiture de Wade apparaître au bout de l'allée, son cœur commença à battre plus fort. Elle se précipita dans le hall pour y vérifier sa coiffure et sa mise, sans même se demander pourquoi elle se souciait de son apparence bien plus qu'elle ne l'aurait fait en temps ordinaire pour son frère. Tout comme elle n'avait pas cherché à savoir, un peu plus tôt, ce qui l'avait poussée à enfiler une robe plutôt qu'un jean ou relever ses cheveux.

Inconsciente des implications de ces gestes anodins, elle s'observa quelques instants dans le grand miroir en pied. La femme qui lui faisait face paraissait bien plus vivante et jolie qu'elle ne l'avait été depuis longtemps. Dans un bref moment d'égarement, elle se laissa aller à imaginer ce que ce pourrait être d'accueillir ainsi Jim Hanna tous les soirs, de laisser ses bras forts se refermer autour d'elle, de sentir sur son visage son souffle chaud, de déposer sur ses lèvres un baiser de bienvenue...

Agacée par sa propre stupidité, elle haussa les épaules et tira la langue à son reflet. Que lui arrivait-il pour se laisser aller à de telles rêveries ? Elle était pourtant bien placée pour savoir ce qu'il en coûtait de succomber au charme d'un homme ! Certes, tout tendait à prouver que Pete Tucker et Jim Hanna étaient à peu près aussi dissemblables que l'eau et le feu... Mais quand bien même cela serait vrai, que préférait-elle ? Périr noyée dans un océan de tristesse ou consumée par les flammes ?

Des pas résonnèrent sous le porche. Elle s'empressa de se recomposer un visage neutre.

— Rachel ! cria-t-elle en direction de sa fille, qui jouait dans le salon. Oncle Wade est de retour...

Un bref cri de joie se fit entendre, aussitôt suivi par un bruit de course précipitée. La petite fille déboucha en trombe dans le hall, juste au moment où les deux hommes y faisaient leur entrée. Un sourire radieux sur le visage, Wade s'accroupit et ouvrit ses bras à sa nièce, qui s'y précipita en riant. Souriante, Charlie contemplait cette scène familière — mais toujours aussi touchante — qui se renouvelait chaque soir.

Si l'attention de Wade était tout entière retenue par la petite fille, celle de Jim s'était polarisée sur Charlie. Ce soir, elle lui paraissait plus séduisante que jamais. Belle à faire se damner un saint, songea-t-il en la détaillant. C'était la première fois qu'il la voyait avec les cheveux relevés, et cette coiffure qui dégageait son cou gracile la faisait paraître encore plus jeune, plus vulnérable. Quant à sa robe, elle mettait bien plus en valeur les courbes de son corps que son éternel ensemble jean-T-shirt.

Le tissu, un jaune orangé d'une tonalité très chaude, lui faisait une seconde peau, qui épousait le moindre de ses mouvements et rehaussait la nuance de cuivre doré de ses bras nus. Quant au doux renflement de ses seins sous la toile fine, il troublait Jim bien plus qu'il ne l'aurait souhaité.

— Désolé, dit Wade en se tournant vers elle, nous sommes en retard.

Charlie fit la grimace.

— Pas tellement plus que d'habitude...

Voyant le visage de son frère s'assombrir, elle se mit à rire et ajouta :

— Martha m'a mise au courant à propos de cette évasion. Tout ce qui compte, c'est que vous soyez là, entiers et vivants.

Charlie tourna les yeux vers Jim, ce qu'elle s'était interdit de faire au cours des minutes précédentes. Découvrant le regard intense qu'il posait sur elle, elle ne put s'empêcher de rougir et s'en voulut. Conscient qu'il la contemplait trop fixement, Jim se força à parler pour briser l'enchantement.

— Vous êtes trop gentille, murmura-t-il. On ne peut que se sentir coupable d'avoir fait attendre tant de charme et de beauté.

Wade lui lança un regard interloqué puis, considérant sa sœur d'un œil plus attentif, remarqua enfin les changements dans son apparence.

— Jim a raison, renchérit-il, un peu gêné de n'avoir pas été le premier à la complimenter. Tu es superbe ce soir. Qu'est-ce qu'on fête ?

Charlie s'empourpra de plus belle. Au regard furieux qu'elle lui lança, Wade comprit que, si elle s'était laissé aller, elle l'aurait étranglé sur-le-champ.

— Rien du tout, marmonna-t-elle en détournant le regard. Je n'ai pas fait d'effort particulier d'élégance : cette robe a au moins cinq ans !

— Peut-être, reprit Jim, mais sur vous elle paraît comme neuve.

A l'adresse de Rachel, qui était restée dans les bras de son oncle, il déclara :

— Tu n'as pas oublié ? Il me semblait avoir promis ce matin une surprise à une petite fille bien sage...

D'un geste théâtral, il sortit de derrière son dos le sachet de marshmallows. Avec un petit rire excité, la fillette quitta les bras de Wade pour se jeter dans les siens.

— Ah, les femmes ! soupira Wade avec une feinte amertume. Si même ma nièce m'abandonne pour un simple paquet de bonbons, il ne faut pas s'étonner que je sois toujours célibataire.

Avec un sourire de triomphe, Charlie se tourna vers son frère.

— Vois-tu, nous savons déterminer nos priorités, nous les femmes.

Aussitôt cette petite vengeance consommée, elle s'éclipsa en direction de la cuisine. Il lui était difficile de regarder sans envie sa fille goûter entre les bras de Jim à un havre de paix et de sécurité auquel elle-même ne pouvait que rêver...

Assommé par sa journée de travail, Jim dormit cette nuit-là du sommeil du juste. Nul rêve ne vint le tourmenter. Dans le confort et la sécurité de ce foyer qui n'était pas sien mais où on l'avait accueilli si volontiers, il connut sa première nuit véritablement reposante depuis des mois.

Ce n'est qu'aux premières lueurs de l'aube qu'il entrouvrit une paupière, la refermant aussitôt pour tenter de déterminer ce qui l'avait réveillé. Pour mieux écouter, il souleva la tête de l'oreiller et guetta le bruit de pas discrets qui s'éloignait dans le couloir. Cela ne pouvait être Charlie. Au cours des jours précédents, il avait appris à distinguer la manière unique qu'elle avait de se déplacer, et l'aurait reconnue entre mille.

Cela ne pouvait pas non plus être Wade. Même si sa vie en avait dépendu, le frère de Charlie n'aurait jamais pu se mouvoir aussi silencieusement. Presque aussi grand, mais un peu plus enrobé que Jim, il passait en général d'une pièce à l'autre avec la même détermination fonceuse qu'il mettait à avancer dans l'existence.

Ce qui signifiait — à moins qu'un elfe eût élu domicile dans la maison des Franklin — que miss Rachel était déjà debout... Curieux de découvrir ce qui avait pu réveiller une enfant de deux ans à une heure aussi matinale, Jim sourit et se glissa rapidement hors de son lit.

Après avoir enfilé son jean, il suivit le couloir en silence et pénétra dans le salon. Rachel n'y était pas. Soudain, un bruit sourd lui parvint de la cuisine, suivi d'un petit cri. Il marcha alors jusqu'à la pièce, certain d'y trouver la fillette. Mais, à sa grande surprise, elle ne s'y trouvait pas non plus. Peut-être voulait-elle jouer à cache-cache ? Immobile, il tendit l'oreille, à l'écoute du moindre bruit.

— Rachel ? appela-t-il à voix basse. Tu es là ?

Silence complet.

— Rachel, c'est moi, Jim.

Un peu alerté par l'absence de réponse, il s'avança au milieu de la cuisine, qu'il parcourut d'un regard circulaire. La porte de la resserre était entrebâillée. Jim s'en approcha et la poussa pour jeter un œil à l'intérieur.

Rachel s'y trouvait bien, tranquillement assise dans un coin, sa couverture favorite autour des épaules et le sachet de marshmallows ouvert posé sur ses genoux. Un anneau de sucre coloré encerclait ses lèvres, et ses joues étaient gonflées de bonbons. Alertée par le léger grincement des gonds, elle leva les yeux vers lui et lui sourit — ce qui eut pour effet de laisser sourdre de ses lèvres entrouvertes un petit filet de sirop qui dévala jusqu'à la pointe de son menton.

Charmé par ce tableau aussi amusant qu'innocent, Jim se sentit tomber amoureux pour la deuxième fois en moins d'une semaine. Un sourire béat sur les lèvres, il pénétra dans le réduit et se surprit autant qu'il surprit Rachel en s'asseyant sur le sol auprès d'elle.

— Que faites-vous là, jeune fille ?

— 'Mallows, répondit-elle, la bouche encore pleine.

— Je peux en avoir aussi ?

Ravie d'avoir un prétexte pour plonger de nouveau la main dans le sachet, Rachel y saisit un petit cube rose poudré de blanc qu'elle introduisit elle-même dans la bouche de Jim.

— Miam ! s'exclama-t-il, le regard gourmand, en mâchonnant la friandise.

Puis il fit mine de vouloir dévorer les doigts pleins de sucre de la fillette.

Rachel rejeta la tête en arrière et éclata d'un rire joyeux, ce qui fit s'écouler de ses lèvres de nouveaux filets de sirop. Du mieux qu'il put, Jim les essuya du plat de la main et lui fit un clin d'œil.

— Si tu ne veux pas te transformer en fontaine à sirop, dit-il, tu ferais mieux d'avaler cette bouchée sans tarder.

Obéissante, Rachel fit ce qu'il conseillait. Mais avant qu'il ait pu l'en empêcher, elle replongea dans le sachet et remplit de nouveau sa bouche à ras bord, avec un sourire mutin. Une seconde plus tard, elle s'était d'elle-même installée sur ses genoux.

Bouleversé par cet élan de confiance, Jim lui caressa tendrement les cheveux lorsqu'elle posa sa petite tête contre sa poitrine. Trop submergé par les émotions qui se bousculaient en lui, il ne prêta pas attention au fait qu'ils n'étaient plus seuls et que, depuis quelques instants, on les observait du seuil de la réserve.

Son instinct maternel éveilla Charlotte avec la certitude que sa fille était levée. Après avoir enfilé un T-shirt et un short, elle sortit de sa chambre sur la pointe des pieds. Mais lorsqu'elle parvint à la chambre de Rachel, ce fut pour découvrir la porte entrouverte sur une pièce vide. Charlie poussa un soupir découragé. Ces manifestations d'indépendance avaient beau être normales, elles n'en demeuraient pas moins épuisantes.

Tandis qu'elle parcourait le couloir à la recherche de sa fille, elle s'avisa que la chambre de Jim était vide également. Sans doute s'était-il levé en entendant Rachel. Le cœur plus léger, elle reprit ses recherches dans le living-room tout en s'étonnant du soulagement que lui procurait l'idée de savoir que Jim veillait sur sa fille. De toute évidence, sans même s'en rendre compte, elle avait fini par lui accorder sa confiance.

Parvenue dans la cuisine, elle perçut aussitôt un léger bruit qui s'échappait de la porte du cellier. Le gazouillement de Rachel — elle l'aurait reconnu entre mille — et un rire plus grave et plus profond. Le rire de Jim, qu'il lui arrivait parfois d'entendre au fond de ses rêves...

Debout sur le seuil de la resserre, elle les regarda un long moment discuter et rire, avec l'étrange impression de s'immiscer dans une scène intime où elle n'avait pas sa place.

La complicité qui les unissait sautait aux yeux. Attendri comme elle ne l'avait jamais vu jusqu'alors, Jim avait la tête penchée sur celle de Rachel posée sur sa poitrine. De temps à autre, d'une main rêveuse, il caressait ses longues mèches brunes.

Dès qu'elle eut passé le seuil, Jim parut deviner sa présence car il dit aussitôt, sans même relever la tête :

— Oh! oh! Ta maman est réveillée, on dirait que nous sommes faits !

En hâte, Rachel referma les deux bords du sachet à moitié éventré et lança à sa mère un regard coupable. A deux doigts d'éclater de rire, Charlie s'efforça, les bras croisés, de paraître fâchée.

— Rachel Ann, dit-elle sur un ton sévère, ne crois-tu pas qu'il est un peu tard pour tenter de cacher ton forfait ?

Jim, consterné, paraissait encore plus nerveux et mal à l'aise que sa comparse en gourmandise.

— Je... Je l'ai entendue se lever. Alors je...

— Arrêtez de chercher des excuses, répliqua-t-elle, l'air sérieux. Dites plutôt que vous aviez envie de vous goinfrer de marshmallows, vous aussi..

Après avoir assis Rachel sur le sol à côté de lui, Jim fit mine de se lever mais Charlie l'en empêcha d'une main sur l'épaule, avant de demander d'un ton radouci :

— Y a-t-il encore de la place à votre table, messieurs dames ?

La surprise qui se peignit sur le visage de Jim sembla très drôle à Charlotte, mais l'éclat qu'elle vit passer au fond de ses yeux sitôt après ne manqua pas de l'inquiéter.

— Chère madame, susurra-t-il en rasseyant Rachel sur ses genoux, pour vous il y a toujours de la place...

Sans hésiter, Charlie vint s'asseoir face à lui, le dos calé contre le mur opposé à celui qu'il occupait. L'intimité de ce face-à-face, dans l'espace réduit de la resserre à peine éclairée, créait une ambiance des plus troublantes, à laquelle ni l'un ni l'autre ne pouvait rester insensible.

Sur un ton badin qui la surprit elle-même — qu'était-elle

donc en train de faire ? —, Charlie demanda, tout en consultant une carte de restaurant imaginaire :

— Qu'avons-nous au menu, aujourd'hui ?

Sérieux comme un pape, Jim se pencha au-dessus de l'épaule de Rachel, et examina d'un œil de connaisseur le paquet de marshmallows, avant de répondre d'un ton grave :

— J'ai bien peur qu'il ne nous reste plus que des 'mallows... Des 'mallows verts, des 'mallows roses et même — vous avez de la chance — quelques 'mallows blancs.

Avec une petite moue dépitée, il ajouta :

— Hélas, nous ne pouvons plus vous servir de 'mallows nature. Il ne nous reste plus à cette heure que des 'mallows à la sauce gluante.

Charlie aperçut alors le sirop sucré qui poissait le menton et les doigts de sa fille et éclata d'un rire joyeux, qui résonna dans la maison endormie.

Jim se délecta de ce rire éclatant, les yeux fixés avec fascination sur la courbe émouvante de la gorge blanche d'où il avait jailli. Les cheveux en bataille, les yeux ensommeillés, vêtue d'un short sans âge et d'un T-shirt décoloré, Charlie était assurément à cette minute la femme la plus désirable qu'il eût rencontré de toute son existence...

— Hey ! tonna soudain une voix au-dessus de leurs têtes. C'est quoi ce bazar ?

Le rire aux lèvres, ils levèrent les yeux pour découvrir Wade sur le seuil de la pièce, qui leur lançait des regards effarés. Se poussant un peu pour lui faire de la place, Charlie tapota le sol du plat de la main.

— Viens donc te joindre à nous, proposa-t-elle. Le déjeuner est déjà servi. Rachel nous a concocté ce matin un menu à base de 'mallows. En veux-tu des roses, des verts, ou préfères-tu rester sage et te contenter de 'mallows blancs ?

Wade jeta à sa sœur un regard réprobateur, puis secoua la tête et laissa apparaître son sourire de grand gamin.

— Vous êtes tous devenus fous, conclut-il en s'avançant pour saisir Rachel sous les aisselles et la soulever dans les airs.

Puis, regardant avec amusement l'état dans lequel sa nièce se trouvait, il ajouta :

— Désolé, ma chérie, mais tonton Wade a besoin de caféine plutôt que de sucre pour se réveiller. Quant à toi, c'est un bon bain qu'il te faut... Mais nous pourrions peut-être commencer par te laver le bout du nez dans l'évier, qu'en penses-tu ?

Lorsqu'ils eurent tous deux quitté le cellier, Jim se releva, puis tendit la main à Charlotte. Après un court instant d'hésitation, elle s'en saisit. Un frisson la parcourut en sentant ses doigts forts se refermer autour des siens, puis la tirer vers son torse nu, sous la peau duquel jouait une musculature puissante.

Quand elle fut debout, son visage à quelques centimètres du sien, Jim ne la lâcha pas. Alors, troublée, le cœur battant à toute allure dans sa poitrine, elle leva les yeux vers lui. Il avait la joue balafrée par une coulée de sirop de sucre, sans doute déposée là par Rachel. Dans un geste instinctif, elle voulut essuyer cette trace, mais il l'en empêcha en emprisonnant son autre main. Puis, il se pencha vers elle... Aussitôt, Charlotte sentit sa raison vaciller. Elle savait qu'elle aurait dû s'éloigner, que si elle reculait Jim ne ferait rien pour la retenir. Mais, loin de résister, elle ferma les paupières et lui offrit ses lèvres...

Ce fut un baiser rapide, mais infiniment tendre. Et lorsque leurs lèvres se séparèrent, Charlie étouffa un gémissement de frustration.

Pourtant, se reprenant bien vite au souvenir de son frère occupé à laver les mains de Rachel devant l'évier de la cuisine, elle se détourna pour regarder par la porte entrouverte. Un simple coup d'œil suffit à la rassurer : de toute évidence, Wade semblait ne rien avoir remarqué.

— Pourquoi avez-vous fait cela ? murmura-t-elle.

Jim libéra les mains de Charlotte pour venir mettre les siennes en coupe contre ses joues.

— Pour voir si vos baisers sont aussi doux que ceux de Rachel...

Charlie eut l'impression que son cœur s'arrêtait de battre.

— Le sont-ils ? demanda-t-elle d'une voix étranglée.

Il se pencha sur elle, le regard rivé au sien, jusqu'à ce que son souffle vienne lui caresser le visage.

— Ils le sont bien plus... Je crois que je vais flotter toute la journée sur un petit nuage.

Par-dessus le bruit du robinet cascadant dans l'évier, la voix de Wade se fit entendre dans la pièce voisine.

— Hé, vous deux ! s'écria-t-il. Qu'est-ce que vous trafiquez là-dedans ?

— Je suis en train d'embrasser votre sœur, répondit Jim, le plus tranquillement du monde. Cela vous ennuie ?

Charlie sursauta, les yeux agrandis de frayeur. Il était beaucoup trop tôt pour mettre son frère au courant ! D'ailleurs, comment aurait-elle pu s'y résoudre, alors qu'elle avait déjà bien du mal elle-même à admettre ce qu'impliquait ce baiser.

Jim se détourna, arracha quelques feuillets de papier absorbant à un dévidoir accroché au mur et s'accroupit pour nettoyer sur le sol les reliefs du petit déjeuner de Rachel. Charlie le regarda, incrédule. S'il connaissait Wade comme elle le connaissait, il n'aurait pas ignoré de la sorte les conséquences de l'imprudent aveu qu'il venait de faire...

S'efforçant de se composer un visage neutre, Charlie sortit de la resserre et se dirigea vers le réfrigérateur, la tête haute, sans même jeter un regard à son frère.

— Brouillés ou sur le plat ? demanda-t-elle en saisissant un panier d'œufs dans le frigo.

Au terme d'un long regard perplexe, Wade essuya le visage et les mains de sa nièce, la reposa sur le sol, et répondit d'une voix glaciale :

— Pourquoi pas brouillés ? Cela serait de circonstance...

Agacée, Charlie ouvrit à grand fracas un tiroir pour en tirer un fouet de cuisine, qu'elle pointa vers lui.

— Pas un mot de plus, Wade Franklin ! menaça-t-elle, les yeux flamboyant de colère. Tu ferais bien de ne pas t'en mêler...

Jim fit son entrée dans la pièce, alla jeter dans la poubelle les boules d'essuie-tout froissées, puis se rendit à l'évier pour s'y laver les mains. Les fesses appuyées contre le rebord de la table, bras croisés, Wade le regarda faire, la mine sombre.

— Vous êtes quand même un fieffé salaud! lança-t-il enfin entre ses dents. Pas vrai, Hanna?

Tout en s'essuyant les mains, Jim regarda Charlie, ennuyé de la découvrir à ce point gênée, puis il se tourna vers Wade qui, de toute évidence, se contenait pour ne pas exploser.

Et soudain, il en eut assez. Assez de faire semblant, assez de s'excuser de ses sentiments et de se demander sans cesse quelles seraient les conséquences de ses actes. Il avait embrassé Charlotte spontanément, parce qu'il brûlait de désir et de tendresse pour elle, et il n'avait aucune envie de se justifier! Et tant pis, si cela déplaisait à Wade!

— Vous avez tout à fait raison, convint-il avec froideur. Et croyez-moi, j'ai été à rude école avant d'en arriver là. Quand j'étais gamin, quoi que je dise ou fasse, cela me retombait toujours sur le dos — au propre comme au figuré. Et ce n'était pourtant pas faute d'essayer d'être un bon garçon ou de faire plaisir à cette espèce de sadique qui me servait de père. Dissimulant mes bleus et mes bosses, j'allais à l'école coûte que coûte. Jamais je ne me plaignais, même pas quand il n'y avait rien à manger à la maison ou quand on nous avait coupé l'électricité parce que mon vieux avait bu sa semaine au lieu de payer les factures. Quand le sang dégoulinait sur mon visage, je m'efforçais de lui faire croire que je n'avais pas mal. Et quand il ne rentrait pas pendant plusieurs jours, je me disais que je m'en moquais... Pourtant, quoi que je fasse ou dise — ou même sans rien faire ni rien dire —, cela n'était jamais assez pour m'éviter ses passages à tabac. Jusqu'à ce que je réalise un jour que, si je voulais vivre, il me fallait arrêter d'essayer de lui faire plaisir, pour ne plus penser qu'à moi-même.

Cette longue confession, comme surgie de nulle part, avait jailli d'un trait. Le cœur serré, les larmes aux yeux,

Charlie se demanda depuis combien de temps Jim la contenait en lui. Par réflexe, sans même réfléchir à son geste, elle s'approcha de lui et posa une main sur son bras. D'un geste vif, il se dégagea et la dévisagea avec un sourire amer.

— Désolé, Charlotte. Mais j'attends des femmes autre chose que de la compassion.

Charlie tressaillit, mais ne s'éloigna pas.

— Vos œufs ? demanda-t-elle d'une voix posée. Vous les voulez sur le plat ou brouillés ?

Jim sursauta à son tour, comme ramené à la réalité par le brusque changement de conversation. Il cligna plusieurs fois des paupières, poussa un grand soupir, et tout son corps sembla se vider d'un coup de la tension qui l'avait envahi.

— Désolé, murmura-t-il, tête basse. Je ne sais pas ce qui m'a pris.

Wade secoua la tête.

— Ce n'est rien...

— Non, ce n'est pas rien, coupa Jim. Cela s'appelle abuser de votre hospitalité, et je vous promets que cela ne se reproduira plus.

D'un pas décidé, il se dirigea vers le couloir.

— Jim ! appela alors Charlie.

S'arrêtant net sur le seuil, Jim hésita une seconde avant de se retourner vers elle.

— Oui ?

— Votre père... A-t-il fini un jour par changer ?

— Je n'en sais rien, avoua Jim. Je ne l'ai plus revu depuis la nuit où j'ai menacé de le tuer.

A ces mots, le sang reflua du visage de Charlie. Wade le fixa d'un regard incrédule.

— Bon Dieu, Hanna ! Vous aviez quel âge ?

— Dix ans.

Avec un sourire douloureux, Jim ajouta à l'adresse de Charlotte :

— Pas d'œufs pour moi, je vous remercie. J'ai déjà mangé trop de 'mallows...

Charlie dut se mordre les lèvres pour ne pas se mettre à pleurer tandis qu'il quittait la pièce.

— Oh, Wade..., gémit-elle.

Poussant un profond soupir, Wade se leva pour lui entourer les épaules d'un bras réconfortant.

— Nous ne connaissons pas notre bonheur d'avoir eu les parents que nous avons eus, pas vrai sœurette ?

Leurs regards se portèrent sur Rachel, qui jouait avec un puzzle en mousse, dans la flaque de lumière que répandait sur le sol de la cuisine le soleil matinal. Soudain, des larmes trop longtemps retenues jaillirent des yeux de Charlie, et elle se précipita vers sa fille pour la prendre dans ses bras.

— Maman t'aime tellement, ma chérie ! sanglota-t-elle en déposant dans le cou de Rachel une pluie de petits baisers.

Sans comprendre ce qui se passait, Rachel se tortilla dans ses bras et se mit à rire aux éclats. Après l'horreur de ce que Jim venait de leur confier, ce gazouillement de bonheur semblait une délivrance...

11.

Sur le chemin qui les menait à Call City pour une nouvelle journée de travail, Wade ne souffla pas un mot de la scène qui venait de se dérouler. Ce fut Jim qui finalement se décida à rompre le silence, lorsqu'ils abordèrent les faubourgs de la petite cité.

— Pouvez-vous me déposer au garage que je récupère ma jeep? demanda-t-il. Dès que j'en ai terminé avec Harold, je vous rejoins au bureau.

Sans quitter la route des yeux, Wade hocha la tête.

— J'apprécie le fait que vous ayez décidé de rester malgré la réapparition de Schuler.

Jim haussa les épaules.

— Il n'y a pas de quoi. Je n'avais en tête aucune destination précise en arrivant ici et je n'en ai toujours aucune. De plus, vous ne savez toujours pas qui a kidnappé le banquier. Et rien ne dit que ses ravisseurs ne vont pas remettre ça.

— Ne parlez pas de malheur... Mais au fait, pourquoi dites-vous n'avoir aucun endroit où aller? Vous n'avez pas l'intention de rentrer à Tulsa?

Un mince sourire se dessina sur les lèvres de Jim.

— J'en doute fort. Je déteste faire machine arrière.

Les doigts de Wade se crispèrent sur le volant en pensant à Charlie.

— Tout ce que je vous demande, c'est de ne pas faire de

mal à ma sœur..., dit-il en garant le véhicule devant le garage.

Jim ouvrit sa portière et marqua un temps d'arrêt avant de descendre. D'un œil distrait, il nota la présence de quelques brins d'herbe à ses pieds, qui avaient profité d'une mince fissure dans le macadam pour prospérer. Pour toute réponse, il se contenta de hocher la tête, avant de claquer la portière derrière lui.

Wade le regarda pensivement disparaître dans le bureau d'Harold, puis il relança la voiture de patrouille en direction du poste de police.

De retour chez lui, Victor Schuler se remettait peu à peu. L'infection qui avait gagné sa blessure était à présent presque guérie et son moral — du moins en apparence — paraissait bon. Les amis, les collègues, les voisins se succédaient à son chevet, curieux d'apprendre de sa bouche les détails de son aventure. Victor goûtait cette nouvelle popularité sans bouder son plaisir, même s'il devait composer avec la honte d'avoir été retrouvé nu et inconscient sur le perron de la bibliothèque.

Au cours de son existence, il avait éprouvé une seule fois auparavant un trouble comparable. Il était alors en dernière année au collège de Call City, à deux doigts d'obtenir son diplôme. De ce jour néfaste dont il ne pouvait être fier, il ne gardait que des bribes de souvenirs. Il se rappelait avoir copieusement arrosé jusque tard dans la nuit une victoire de son équipe de football, et de s'être réveillé le lendemain matin face contre terre, près d'un petit lac. La bouche pâteuse, la gorge en feu, il souffrait de terribles maux de crâne et s'était traîné sur les genoux jusqu'à la rive, pour se tremper la tête dans l'eau. Cela n'avait en rien atténué sa gueule de bois, mais lorsqu'il avait relevé la tête, il avait aperçu quelque chose qui flottait à la surface. Ce n'était rien qu'un soulier de femme, mais cette vision avait suffi à le bouleverser.

142

Dès qu'il l'avait vu, un souvenir vague s'était imposé à sa mémoire : l'image d'une fille terrorisée s'enfuyant en hurlant dans la nuit. Puis il avait été pris de nausées, et lorsqu'il avait eu fini de rendre le contenu de son estomac, la fugitive image s'était évanouie sans laisser de traces. Il était rentré chez lui sans trop savoir comment, s'attendant presque à trouver sur le porche de la maison de ses parents le père d'une jeune fille outragée, réclamant justice l'arme au poing.

Mais seule sa mère l'attendait devant la maison, folle d'inquiétude. Dès qu'elle l'avait aperçu, elle avait fondu en larmes et s'était précipitée vers lui. Ensuite, il avait été bouclé à la maison jusqu'à la fin du mois. Quand il avait été autorisé par ses parents à reprendre l'école, il s'était attendu à ce qu'à tout moment la proverbiale épée de Damoclès vienne lui fracasser le crâne. Puis, après plusieurs semaines sans incident notable, il avait fini par se convaincre lui-même que, après tout, il ne s'était peut-être rien passé.

Et voilà qu'à vingt ans de distance, la même détresse, le même sentiment de mystère et de honte pesante revenait lui empoisonner l'existence... Cette fois pourtant, le calvaire qu'il avait subi l'empêchait de laisser retomber le voile de l'oubli. Chaque fois qu'il se risquait à fermer les paupières, il sentait les ténèbres froides se refermer sur lui. De nouveau, il revivait l'atroce douleur de cette brûlure qui lui dévorait la fesse et se retrouvait, nu et terrifié, sur un matelas pourri empestant la poussière et les plumes de poulet.

Même la sécurité douillette de sa grande et confortable demeure ne parvenait pas à le rassurer tout à fait. Il restait convaincu que quelque part, au-delà de ces murs derrière lesquels il se cachait, le danger rôdait. *Ils* attendraient qu'il baisse sa garde, qu'il se laisse aller à quelque signe de faiblesse, et alors... S'*ils* parvenaient à le reprendre, Victor avait la certitude que cette fois il n'y survivrait pas.

C'est pourquoi il sentit une bouffée d'angoisse le submerger lorsque sa femme vint lui annoncer qu'un policier désirait lui parler. Certes, il tenait à ce que ses ravisseurs fussent punis. Cependant, ne risquait-il pas de rouvrir, en aidant la police à les attraper, quelque boîte de Pandore qui finirait par lui exploser au visage ?

— Victor, mon chéri, susurra Betty, tu te rappelles de M. Hanna, bien sûr. Il est venu à l'hôpital te rendre visite en compagnie de Wade. C'est lui qui remplace Hershel Brown pendant qu'il est avec Mindy en voyage de noces.

Hochant la tête d'un air las, Victor désigna un siège au nouveau venu.

— Asseyez-vous, monsieur Hanna. Avez-vous du neuf à m'apprendre ?

— J'ai bien peur que non, répondit Jim en sortant de sa poche un calepin. Et c'est pourquoi je suis là. Pour le moment, nous n'avons pas grand-chose pour démarrer notre enquête, à part peut-être cette marque que vous ont infligée vos ravisseurs.

A ces mots, le visage de Schuler devint rouge brique.

— Si ça ne vous fait rien, dit-il, je préférerais que vous en parliez comme d'une blessure...

Jim se pencha sur sa chaise et fourragea dans sa poche intérieure de veste, à la recherche d'un stylo.

— Très bien, reprit-il. Cette blessure, donc, est en forme de V, c'est bien cela ?

De nouveau, le visage du banquier s'assombrit, et avant qu'il ait pu protester, Jim prit les devants :

— Ecoutez, monsieur Schuler. Je sais combien tout ceci vous est pénible. Mais il n'y a qu'un moyen de servir la vérité, qui est de la dire telle qu'elle est. Les faits sont têtus, et d'après le rapport médical, vos ravisseurs ont marqué votre fesse droite de la lettre V, pour Victor peut-être. En raison de la netteté de votre blessure, le médecin pense qu'elle a été faite au moyen d'un fer à marquer électrique. Vous rappelez-vous avoir entendu quelque chose à ce sujet ?

— Absolument rien, répondit Schuler sans même prendre le temps de réfléchir.

Sans se laisser démonter, Jim essaya un autre angle d'attaque.

— Vous dites avoir eu les yeux bandés tout le temps de votre détention, c'est exact ?

Le banquier hocha la tête d'un air buté.

— Il paraît que la cécité développe chez les aveugles tous les autres sens. Y a-t-il une odeur particulière, un son peut-être, dont vous vous rappelez ?

— Non. Vous pensez bien que, si c'était le cas, je vous en aurais parlé.

Se tournant vers sa femme, il ajouta :

— Chérie, voudrais-tu aller me chercher un verre de limonade. Je meurs de soif.

Ce souhait à peine exprimé, Betty Schuler avait déjà quitté la pièce pour l'exaucer.

Pendant quelques secondes, Jim regarda l'homme en silence, convaincu qu'il lui cachait quelque chose — peut-être quelque chose qu'il ne voulait pas que sa femme entende.

— Monsieur Schuler, reprit-il d'une voix glaciale, vous m'excuserez de me montrer aussi direct, mais j'ai besoin de savoir s'il y a dans les environs un mari trompé et en colère susceptible de vouloir vous donner une bonne leçon.

— Bien sûr que non ! s'indigna Schuler. Je n'ai jamais trompé ma femme en quinze années de mariage, et ce n'est pas à présent que je vais commencer. Je n'ai rien à lui reprocher. Jamais je ne la trahirais ainsi !

— Désolé, mais vous comprendrez que je me devais de vous poser cette question.

Ces regrets semblèrent convenir au banquier, qui se calma aussitôt.

— Je sais, concéda-t-il avec un pâle sourire. J'ai juste un peu de mal à vous entendre dire tout haut ce que sans doute, à l'heure qu'il est, on se répète à voix basse dans toute la ville.

— Si vous me parliez un peu des ennemis que vous vous connaissez ?

Schuler haussa les épaules.

— Dans toute ma carrière, je n'ai pas dû m'en faire plus de quatre ou cinq. Et je n'en vois aucun susceptible de m'en vouloir à ce point. Quoi qu'il en soit, je demanderai à ma secrétaire de vous préparer une liste.

Jim approuva d'un hochement de tête et prit note de penser à récupérer cette liste à la banque. Lorsqu'il releva le menton, Schuler dardait sur lui un regard soupçonneux.

— En fait, dit-il d'une voix rêveuse, le seul étranger à être passé en ville ces derniers temps sans en repartir aussitôt, c'est vous...

Jim, qui saisit l'allusion, préféra en sourire plutôt que de s'en offusquer.

— Désolé, monsieur Schuler, mais j'ai un alibi. A l'heure où vous avez été enlevé, je dormais sur mes deux oreilles dans la maison du chef de la police, qui pourra vous le confirmer. De plus, les bâillons et les fers à marquer, ce n'est pas mon style.

Schuler baissa les yeux et rougit jusqu'à la racine des cheveux.

— C'était juste une idée, rien de plus, murmura-t-il.

— Et elle n'était pas mauvaise, approuva Jim. Excepté pour une chose.

— Laquelle?

— Ce qui vous est arrivé ressemble à un cas de vengeance pure et simple. Ne vous connaissant pas avant cette enquête, je n'avais quant à moi aucune raison de vous haïr à ce point.

Schuler en resta bouche bée. Jim vit son sang refluer de son visage et son menton se mettre à trembler.

— De me... haïr? articula-t-il.

— Vous m'avez bien entendu, conclut Jim en refermant son calepin et en se levant pour prendre congé. Aussi, si quelque souvenir vous revenait au cours des jours à venir pour étayer cette hypothèse, il y va de votre intérêt de nous en prévenir aussitôt.

Sur le pas de la porte, il s'arrêta pour ajouter :

— Comme le dit la sagesse populaire, la vengeance est un plat qui se mange froid, monsieur Schuler. Parfois, il peut s'écouler des années avant qu'une personne qui désire se venger se décide à la consommer. Pensez-y.

Après avoir garé sa voiture sur le parking du poste de police, Charlie fit le tour du véhicule pour aller chercher Rachel sur le siège arrière. Sa fille dans les bras, elle était en train de verrouiller les portières lorsqu'elle entendit quelqu'un appeler son nom. En se retournant, elle reconnut Davie qui remontait la rue à vive allure dans sa direction, tirant derrière lui sa petite carriole, un large sourire sur le visage.

Autant qu'elle pouvait s'en rappeler, Charlotte avait toujours connu Davie Dandridge. Ils étaient à peu près du même âge, et quoique ce garçon l'ait dans leur enfance rapidement dépassé par la taille, son âge mental n'avait jamais été que celui d'un enfant de six ans.

Arpentant tous les jours et par tous les temps les artères de la ville à la recherche de petits trésors d'aluminium à recycler, Davie était devenu l'une des figures de Call City. Ce qui n'empêchait pas certaines personnes mal intentionnées de lui lancer à l'occasion quelques insultes, ou quelques commères de maudire sa tante pour ne l'avoir pas placé dans une institution spécialisée.

Et puis il y avait ceux — heureusement, les plus nombreux — qui comme Charlotte et Wade Franklin se satisfaisaient de côtoyer Davie pour ce qu'il était. Un jeune homme de vingt et quelques années, doté de la conscience et des capacités mentales d'un enfant.

— Charlie ! s'écria-t-il dès qu'il l'eut rejointe. Regarde ma montre !

Pour mieux observer ce qu'il lui désignait avec animation, Charlie se pencha au-dessus du chargement de canettes en aluminium. Davie farfouilla quelques instants à l'arrière du véhicule et finit par en sortir, tout sourires, une montre d'homme rutilante.

Les yeux de Charlie s'agrandirent de surprise.

— Eh bien, Davie ! s'écria-t-elle. Pour une belle montre, c'est une belle montre. Je peux la voir ?

Davie hésita un court instant, puis demanda :

147

— Tu me la rends, d'accord ?

— Promis juré !

Rassuré, il la lui tendit. Rachel, dans les bras de sa mère, voyant passer près d'elle ce bel objet brillant, tenta de s'en saisir.

— Juste une minute, protesta Charlie. Laisse maman regarder la belle montre de Davie.

Bien avant de lire Rolex sur le cadran, Charlie avait déjà deviné qu'il s'agissait d'un objet de valeur et non d'une de ces montres de pacotille que l'on peut perdre sans trop s'en inquiéter. Comme par réflexe elle la retourna, et l'inscription gravée dans le métal précieux qu'elle y découvrit lui arracha un petit cri de surprise. « *Pour Victor, avec tout mon amour. Betty.* »

— Davie, murmura-t-elle d'une voix blanche. Où as-tu trouvé cela ? C'est la montre de M. Schuler.

La mine soudain renfrognée, Davie s'empressa d'un geste vif de récupérer son bien.

— Non ! C'est la montre de Davie maintenant !

Le voyant jeter la montre dans la carriole avant de s'éloigner d'un pas rapide, Charlie hésita une seconde puis se décida à pénétrer dans le poste de police. Le mieux qu'elle avait à faire était de prévenir Wade... Pourtant, ce ne fut pas sur son frère qu'elle tomba dès qu'elle eut franchi le seuil, mais sur Jim, qui la retint par les épaules pour amortir leur collision.

— Holà, jeunes dames ! s'écria-t-il en riant. Vous paraissez bien pressées...

D'une main, il ébouriffa quelques mèches sur le front de Rachel, qui se tordit dans les bras de sa mère en riant.

— Désolée, dit Charlie sur un ton précipité. Je ne regardais pas où j'allais. Où est Wade ? Je dois lui parler tout de suite. C'est urgent.

Jim fronça les sourcils.

— Il me semble que Martha lui a passé un appel du patron du drugstore concernant Harold, tout à l'heure. Ensuite, il s'est précipité dans sa voiture en pestant, sans dire où il allait.

Charlie fit la grimace.

— Cela signifie qu'il en a pour un moment. Harold doit être encore soûl et en train de chercher noise aux clients du bar.

— Que se passe-t-il ? Je peux peut-être vous aider ?

— Bien sûr ! s'exclama Charlotte. Où avais-je la tête ? J'ai tellement l'habitude de faire appel à Wade que... Peu importe !

Saisissant Jim par le coude, elle l'entraîna à l'extérieur.

— Vous voyez, c'est ici, sur le parking, commença-t-elle. C'est Davie Dandridge qui l'a sortie de sa carriole pleine de canettes vides...

D'un geste de la main, Jim s'efforça d'interrompre ce flot de paroles incohérentes.

— Calmez-vous, l'exhorta-t-il. Je n'y comprends rien. Reprenez votre souffle et recommençons depuis le début. Qu'y avait-il dans la charrette de Davie ?

— La montre de Victor Schuler. Une Rolex en or.

Le sourire sur le visage de Jim s'évanouit.

— Vous en êtes sûre ?

— C'est lui qui me l'a montrée, précisa Charlotte en hochant la tête. Il y avait une inscription, derrière, une dédicace de Betty pour Victor...

Jim s'engagea sur la chaussée, Charlie sur ses talons, et tenta d'apercevoir Davie. Mais la rue était déserte.

— Par où est-il parti ? s'enquit-il.

Du doigt, Charlie désigna le centre-ville.

— Allez dire à Martha de prévenir Wade par radio.

Charlie acquiesça d'un hochement de tête et suivit Jim des yeux. Avant même d'avoir atteint le coin de la rue, il s'était déjà mis à courir.

Davie avait peur. Charlie avait dit que la montre n'était pas à lui, mais il le savait bien, lui, que ce n'était pas vrai. C'était comme dans ce jeu, à la télé : chose trouvée, chose gardée... Et puisqu'il l'avait trouvée, la montre était à lui maintenant.

En courant, il descendit la petite rue entre la boutique de la fleuriste et celle du coiffeur. Les canettes dans sa carriole rebondissaient comme du pop-corn dans une poêle. Malgré sa frayeur, Davie trouvait cela très amusant. Au bout du chemin, il s'engagea à droite dans l'allée de service du salon de beauté, et contourna le camion qui y effectuait une livraison. Il aurait voulu se retourner pour voir s'il n'était pas suivi mais n'osait pas le faire.

Soudain, quelqu'un l'appela. Paniqué, il trébucha sur ses lacets défaits et s'écroula sur le sol, s'écorchant les coudes et les genoux sur les pavés en tentant d'amortir sa chute.

— Davie, Davie mon chéri, reprit la voix derrière lui. Tu vas bien? Pourquoi courais-tu ainsi?

Davie releva la tête, des larmes plein les yeux.

— Tante Judy... Je suis tombé!

Puis, voyant de fines gouttelettes écarlates sourdre de ses égratignures, il ferma les yeux et se mit à pleurer. Judith Dandridge s'accroupit pour serrer dans ses bras le corps secoué de sanglots de son neveu — ce jeune homme si fragile qui la dépassait d'une tête.

— Voilà, c'est tout, dit-elle d'une voix douce en lui caressant les cheveux. Suis-moi. Nous allons nettoyer tes blessures.

— Mais..., bredouilla Davie, le visage défait. Et ma voiture?

Judith poussa un profond soupir.

— Prends-la. Nous essaierons de la caser dans l'arrière-boutique.

Rassuré, Davie hocha la tête et la suivit, la démarche entravée par la carriole qui venait buter contre ses talons.

Quelques minutes plus tard, assis sur le comptoir de la pharmacie, léchant avec application une sucette à la fraise, Davie s'était consolé de ses malheurs. Judith avait relevé le bord de ses pantalons jusqu'à ses genoux, qu'elle badigeonnait de mercurochrome. Une fois les pansements collés, elle s'autorisa enfin à poser la question qui lui brûlait les lèvres.

— Davie, mon chéri, pourquoi courais-tu ainsi? Est-ce que quelqu'un t'a fait peur?

Les yeux du garçon s'emplirent de nouveau de larmes et sa lèvre supérieure se mit à trembler.

— Oui.

Dans l'esprit de Judith Dandridge, une vieille rancœur se réveilla aussitôt. Elle n'avait cessé, au cours de ces dernières années, de s'interposer entre lui et le monde. Et plus il vieillissait, plus elle devait le protéger de la méchanceté des adultes.

— Qui t'a fait peur ? demanda-t-elle d'une voix sourde.

— Charlie. C'est Charlie qui m'a fait peur, répondit-il avant de se remettre à lécher sa sucette.

Pivotant sur ses talons, Judith se redressa et fronça les sourcils. Il lui était difficile d'imaginer quelqu'un d'aussi gentil que Charlotte Franklin en train d'importuner son neveu.

— Tu en es sûr ? insista-t-elle.

Davie hocha gravement la tête.

— Oui, tante Judy. Je suis sûr.

— Qu'a-t-elle dit exactement pour te faire peur ?

Les yeux de Davie s'égarèrent dans la pièce, fuyant ceux de sa tante.

— Davie, prévint celle-ci d'une voix sévère.

Davie soupira. Lorsque tante Judy prenait ce ton-là, il savait qu'il valait mieux pour lui ne pas se risquer à mentir.

— Oui ?

— Tu dois me dire ce que Charlie a fait ou dit pour t'effrayer ainsi.

— Elle a essayé de prendre ma montre, répondit-il en relevant le menton en une attitude de défi.

Les yeux ronds, Judith lui lança un regard interrogateur.

— Quelle montre ?

— Ma montre ! reprit-il d'un air buté.

Puis, relevant le bras pour lui montrer une goutte de sang séchée sur son coude, il ajouta :

— Tu vois, ça saigne encore, là...

Insensible à la manœuvre de diversion, sa tante le saisit doucement par le bras.

— Davie, tu sais que tu ne dois rien me cacher, n'est-ce pas ?

Vaincu, Davie laissa son menton retomber contre sa poitrine et ses épaules s'affaissèrent.

— Oui.

— Je veux voir cette montre.

En soupirant, Davie se laissa glisser sur le sol et alla fourrager dans sa carriole. Lorsqu'il tendit la montre à sa tante, quelques instants plus tard, celle-ci la contempla un long moment, dubitative. Puis elle la retourna, et sentit le sang refluer de son visage en lisant l'inscription qui y était gravée.

— Où as-tu trouvé ça ? demanda-t-elle d'une voix tranchante.

Effrayé par son brusque changement de ton, Davie sursauta.

— Je ne sais plus, avoua-t-il, les yeux fixés au sol.

— Tu dois la rendre, conclut Judith sur un ton sans réplique. Elle ne t'appartient pas.

A cette perspective, Davie retrouva toute sa combativité.

— Non, tante Judy ! Elle est à moi : *chose trouvée, chose gardée...*

— Davie, reprit Judith Dandridge sur un ton patient mais ferme. Le nom de quelqu'un d'autre est inscrit au dos de cet objet. Cela signifie donc qu'il n'est pas à toi. A présent tu vas me suivre sans faire d'histoire, et nous allons aller trouver Wade Franklin pour qu'il la rende à son propriétaire.

Effondré, Davie se remit à sangloter.

— Mais tante Judy... Tu disais que...

— Il n'y a rien de plus à ajouter ! le coupa-t-elle sèchement. Tu sais fort bien qu'il n'y a que les voleurs pour garder un objet qui ne leur appartient pas. Et tu ne veux pas être un voleur, n'est-ce pas ?

Sans attendre de réponse, Judith Dandridge saisit la main de son neveu et l'entraîna hors de la pharmacie.

12.

Charlie remontait à pied la rue principale, s'arrêtant devant chaque allée de maison, chaque boutique, dans l'espoir d'y découvrir Jim. Après s'être acquittée de la tâche qu'il lui avait confiée, elle avait laissé Rachel au poste de police, aux bons soins de Martha, trop heureuse de s'en occuper quelques instants.

Elle commençait à désespérer de le retrouver lorsqu'elle le vit enfin sortir de l'échoppe du barbier. Elle s'élança vers lui.

— Jim !

Dès qu'il l'entendit, il s'arrêta.

— Que se passe-t-il ? demanda-t-il lorsqu'elle fut à portée de voix.

A bout de souffle, Charlie s'immobilisa face à lui.

— Avez-vous retrouvé Davie ?

— Hélas, non...

Une main sur la poitrine, elle attendit de retrouver son souffle avant de déclarer :

— Je crois savoir où il se trouve...

— Où cela ?

— A la pharmacie, avec sa tante...

Jim se frappa le front du plat de la main.

— Quel idiot ! Pourquoi n'y ai-je pas pensé plus tôt ?

Sur ces paroles, il fit demi-tour pour repartir en direction de la pharmacie, avant de s'arrêter net en découvrant Judith

Dandridge qui avançait justement vers eux d'un pas décidé, son neveu à la main.

— Charlie, dit-elle lorsqu'elle les eut rejoints, je suis contente de vous rencontrer. Davie m'a tout raconté et je lui ai fait comprendre que vous n'aviez jamais eu l'intention de lui faire de la peine.

Le jeune homme, qui avait gardé la tête baissée depuis le début de leur rencontre, leva la tête vers eux et leur adressa un sourire timide. On pouvait lire dans son regard toute la tristesse du monde.

— Nous nous rendons au poste de police, reprit-elle. Davie a trouvé quelque chose qui ne lui appartient pas et voudrait le rendre. Pas vrai, Davie ?

Davie hocha la tête à contrecœur.

— C'est bien, mon garçon, approuva Jim en posant une main amicale sur son épaule. Ça ne te fait rien si je marche à ton côté ?

Davie lui adressa un regard effrayé, mais lorsqu'il vit que Jim lui souriait, il parut soulagé. Et quand Charlie lui sourit à son tour, toute frayeur le quitta. Comme un ciel s'éclaircissant après l'orage, son visage s'illumina.

— Je suis désolée de t'avoir effrayé, dit-elle. Ce n'était vraiment pas mon intention.

— C'est pas grave, Charlie, répondit-il comme si c'était à lui de la consoler. Tu peux toujours être mon amie, tu sais...

— Cela me fait vraiment plaisir, lui assura Charlie avec émotion. J'aurais été désolée de ne plus l'être.

Ravi de ce retour inespéré aux conditions normales de son existence, Davie referma impulsivement ses bras autour du cou de Charlotte et déposa un gros baiser sur sa joue.

— Charlie est mon amie ! s'exclama-t-il. Charlie est mon amie !

— Tu as raison, Davie, conclut Jim, ému. Tu as raison de vouloir garder une aussi bonne amie.

**

Lorsqu'ils pénétrèrent tous ensemble dans le poste de police, quelques minutes plus tard, Wade venait à peine d'y arriver.

— Je ferais bien d'aller récupérer ma fille, déclara Charlie en se hâtant vers le bureau de la standardiste d'où provenait, mêlé aux rires et aux cris de Rachel, un remue-ménage inhabituel.

Dès qu'elle fut sortie de la pièce, Judith Dandridge prit les devants en annonçant à Wade :

— Mon neveu a trouvé quelque chose qu'il a tenu à vous rapporter.

Wade, que Martha avait informé par radio des derniers événements, acquiesça avec calme, bien qu'il fût sur des charbons ardents. Cette montre était sans conteste le premier élément probant qui s'offrait à eux dans l'enquête concernant la disparition de Schuler. Si Davie parvenait à se rappeler où il l'avait trouvée, ils tiendraient enfin une piste sérieuse.

— Bonjour, Davie ! dit-il d'une voix aimable en se tournant vers le jeune homme. Voyons voir ce que tu nous apportes...

Judith sortit la montre de sa poche et la tendit à son neveu. Avec un soupçon de réticence, Davie tendit le bras pour la remettre à Wade, dont les yeux se mirent à briller d'excitation. Pour lui, aucun doute n'était possible : le banquier était probablement le seul à Call City et dans les environs à posséder une Rolex en or. De plus, Wade avait fait partie des invités qui avaient vu Betty Schuler la lui remettre lors de la petite fête qu'elle avait organisée pour son anniversaire. Il s'agissait bien de la montre de Victor Schuler. Un bref regard à la dédicace gravée dans le métal suffit à lui confirmer ses présomptions.

— Bravo et merci, dit Wade à l'adresse de Davie. Mon garçon, tu viens de faire une excellente chose en aidant la police ainsi.

A ces paroles, les yeux de Davie s'agrandirent de bonheur. Quelques minutes auparavant, il se trouvait encore dans les pires ennuis, et voilà qu'à présent le chef de la police en personne le remerciait d'avoir fait une bonne action !

L'entraînant jusqu'à une chaise, Wade l'incita à s'asseoir et se pencha vers lui.

— Où l'as-tu trouvée ? demanda-t-il de but en blanc.

Soudain, agité, Davie jeta à la dérobée un coup d'œil à sa tante. Elle était en train de froncer les sourcils, ce qui signifiait qu'il avait encore fait une bêtise. Si seulement il avait pu comprendre de quoi il s'agissait...

— Je ne me rappelle plus, répondit-il, mal à l'aise.

Wade soupira, et tenta de son mieux de masquer sa déception. Il devait garder tout son sang-froid s'il ne voulait pas effrayer Davie.

— Peut-être que si nous sortions nous promener ensemble, tu pourrais retrouver l'endroit ? suggéra-t-il.

La lèvre inférieure de Davie se mit à trembler. Il se mit à triturer un bouton de sa chemise.

— Il vient de vous dire qu'il ne se souvient plus de l'endroit, intervint Judith. Comment voulez-vous qu'il le retrouve ?

Wade lui lança un regard agacé. C'était elle qui rendait nerveux son neveu, cela crevait les yeux.

— Schuler portait-il cette montre sur lui lorsqu'il a été enlevé ? demanda soudain Jim pour débloquer la situation.

Wade leva les yeux vers lui, déçu de ne pas s'être posé cette question plus tôt. Effectivement, si Schuler ne portait pas la montre à ce moment-là, peu importait l'endroit où Davie avait trouvé l'objet.

— Depuis que sa femme la lui avait offerte, il me semble qu'il la portait en permanence, répondit-il en se frottant le menton. Mais je peux le vérifier.

En quelques enjambées, il rejoignit la porte de son bureau.

— Bien sûr, reprit-il avant de refermer la porte derrière lui, personne ne bouge d'ici avant mon retour.

— Tante Judy, s'inquiéta alors Davie. Est-ce que j'ai de nouveaux ennuis ?

156

Sa tante le rassura d'un sourire.

— Non, mon chéri.

Puis, se tournant vers Jim, elle ajouta sur un ton vindicatif :

— De toute façon, je ne vois pas à quoi rime tout ce tapage. Il n'a fait que ramener un objet trouvé, pourquoi doit-il en plus subir cet interrogatoire ?

Les bras croisés, adossé à la fenêtre, Jim s'appliqua à lui répondre avec calme. Dès qu'il s'agissait de protéger son neveu, Judith Dandridge pouvait se montrer aussi redoutable qu'une tigresse défendant sa portée.

— Tout ce tapage, comme vous dites, vise à élucider un crime...

— Quel crime ? s'emporta-t-elle. J'ai cru comprendre qu'aucune rançon n'avait été demandée et que Schuler avait été rendu sain et sauf à sa femme.

Jim lui lança un regard surpris.

— Vous oubliez cette marque au fer rouge qui lui a été infligée.

Judith eut une mimique de dégoût et rejeta l'objection d'un geste éloquent de la main.

— Et alors ? Il ne la porte pas au milieu du visage, que je sache. Ce n'est pas comme s'il avait été défiguré. S'il arrive à ne pas baisser son pantalon à tout bout de champ, personne ne verra la cicatrice !

Jim fronça les sourcils tout en se promettant de garder à la mémoire cette dernière remarque. Par insinuations subtiles, les propos de Judith semblaient mettre en doute la moralité du banquier. Lorsque celui-ci avait juré ses grands dieux de sa loyauté envers sa femme, Jim l'avait cru d'emblée. Mais s'il lui avait menti ? Et si d'autres personnes dans cette ville connaissaient Victor Schuler sous un jour que sa femme elle-même ignorait ?

Le retour de Wade dans la pièce l'empêcha d'y penser plus avant.

— Schuler portait bien sa montre lorsqu'il a été enlevé, annonça-t-il. Il m'a dit qu'il l'avait glissée dans la poche de son pantalon pour se laver les mains juste avant de quitter l'hôtel de ville. Il est en route pour venir l'identifier.

Aussitôt, Judith se dirigea vers son neveu.

— A présent que nous avons fait notre devoir, et puisque vous n'avez plus besoin de nous, nous allons rentrer, annonça-t-elle.

— Je préférerais que vous attendiez encore un peu, intervint Wade d'une voix conciliante. S'il vous plaît...

Judith se renfrogna, prête à argumenter, mais l'entrée en trombe de Rachel dans la pièce, sa mère sur les talons, ne lui en laissa pas le loisir. Dès qu'il aperçut la petite fille, Davie sembla oublier toutes ses craintes et se précipita vers elle.

— Rachel ! s'exclama-t-il, ravi. Regarde, tante Judy, c'est Rachel !

A genoux devant la fillette, Davie la prit dans ses bras et la serra contre lui. Jim le regarda faire, la gorge serrée d'émotion. La complicité qui unissait la fille de Charlie et le simple d'esprit sautait aux yeux. Rachel agita devant son compagnon l'album d'images à colorier qu'elle tenait à la main.

— Colorier ?

Aussitôt, Davie et elle s'aplatirent côte à côte sur le parquet, le livre de coloriages devant eux, et il fut évident pour tous les adultes présents dans la pièce qu'ils n'avaient aucune envie d'être dérangés.

— Désolée, s'excusa Charlie avec un regard circonspect en direction de son frère. Je peux la ramener à la maison si...

— Pas du tout ! répondit Wade. En fait, cette petite diversion nous arrange.

La colère de Judith Dandridge sembla s'apaiser dès qu'elle vit à ses pieds les deux têtes rassemblées autour de la même passion. Les vingt années qui séparaient ces deux êtres semblaient abolies par leur fraîcheur et leur innocence partagées. Les yeux un peu humides, elle les regarda faire quelques instants, puis s'efforça de détourner le regard vers la fenêtre pour patienter jusqu'à l'arrivée du banquier.

Jim, sans en avoir l'air, ne la quittait pas du regard. En

essayant d'imaginer la force de caractère qu'il lui fallait pour élever un enfant qui le resterait à jamais — et qui de surcroît n'était pas le sien — il sentit son estime pour cette femme se renforcer. Mais plus encore que le sens du devoir qui l'avait poussée à prendre en charge le fils adoptif de ses parents, c'était l'amour en elle qu'il admirait. Cet amour maternel, bien dissimulé sous des dehors revêches, qu'elle donnait à Davie sans compter.

Victor Schuler pénétra dans le poste de police en s'aidant d'une canne. Sa claudication était aussi visible que le masque de mauvaise humeur qui déformait ses traits. A son arrivée, chacun crut bon de s'écarter de son passage. Charlie se précipita pour récupérer Rachel sur le plancher, et Davie alla peureusement se cacher derrière sa tante.

— Qu'est-ce que c'est que cette histoire d'identification de ma montre ? s'écria-t-il.

— Juste une formalité, répondit Wade en la lui tendant. Reconnaissez-vous cette montre comme la vôtre ?

Schuler s'en empara d'un geste brusque, la retourna, et s'empourpra.

— C'est la mienne, bien sûr ! répondit-il sur un ton accusateur. Où l'avez-vous trouvée ?

Wade désigna Davie.

— C'est Davie qui l'a trouvée. Lui et sa tante viennent à l'instant de nous la rapporter.

A regret, Schuler se tourna vers Judith Dandridge, ignorant délibérément son neveu.

— Où l'avez-vous trouvée ? répéta-t-il.

Déjà méfiante, la pharmacienne se renfrogna aussitôt.

— Je n'ai rien trouvé du tout, gronda-t-elle. C'est Davie que vous devez remercier.

A contrecœur, Victor Schuler se décida à poser les yeux sur le neveu de Judith, auquel il adressa un mince sourire qui dissimulait mal les sentiments réels qu'il lui portait.

— Ah. Eh bien... merci d'avoir retrouvé ma montre, murmura-t-il du bout des lèvres.

Davie, effrayé ou peu désireux de faire face à cet homme qui de toute évidence le détestait, lui tourna le dos. Alors, le visage couleur de brique, Schuler se détourna et se dirigea vers la sortie, en marmonnant que l'on ne devrait jamais tolérer de tels débiles mentaux auprès des gens normaux.

Hélas pour lui, le banquier n'avait pas été assez discret pour ne pas être entendu de Jim, dont le sang ne fit qu'un tour.

— Vous pourriez répéter ce que vous venez de dire? demanda-t-il sur un ton menaçant. Il me semble pourtant que si Davie n'avait pas été là, vous auriez pu dire adieu à votre montre...

Schuler lança à Jim, qui s'était interposé entre lui et la porte, un regard glacial. Mais conscient que ce dernier ne le laisserait pas passer tant qu'il ne se serait pas excusé, il répondit d'une voix à peine audible :

— Euh... Oui, je suppose que je me suis laissé emporter. Mais cette semaine a été assez pénible pour moi, vous savez.

Judith se redressa de toute la hauteur de son mètre quatre-vingt et prit Davie par la main.

— Vous pensez que vous avez la vie dure? lança-t-elle. Dans ce cas, essayez de vous mettre ne serait-ce que cinq minutes dans la peau de Davie, et vous m'en reparlerez...

Puis, la tête haute, elle se dirigea vers la porte, et passa devant Victor Schuler sans un regard. Davie, tête basse, s'était mis à pleurer en silence.

— Attendez une minute! s'écria Jim en les rejoignant sur le pas de la porte.

Gentiment, il posa une main sur l'épaule du garçon et de l'autre lui releva le menton pour l'obliger à le regarder.

— Tu n'allais tout de même pas partir sans ta récompense, n'est-ce pas?

Les joues ruisselantes, Davie battit des paupières. Il n'était pas sûr de ce que tout cela signifiait, mais la voix de Jim était agréable, et lui faisait du bien. Puis il vit le policier défaire sa montre-bracelet de son poignet pour la passer autour du sien, et soudain il se sentit plus heureux qu'il ne l'avait été depuis longtemps.

— Qu'en dis-tu ? demanda Jim. Elle te plaît ?

Trop bouleversé pour parler, Davie se contenta de sourire aux anges, et porta la montre à son oreille pour en écouter le tic-tac réconfortant.

Judith Dandridge soupira.

— C'est très gentil, monsieur Hanna. Mais ce n'était pas nécessaire.

Jim lança un regard noir à Schuler.

— Au contraire, répliqua-t-il. Je crois qu'il était très important de récompenser Davie pour son honnêteté.

Le banquier grimaça, comprenant un peu tard que c'eût été à lui plutôt qu'à Jim d'offrir cette récompense. Nerveusement, il sortit de la poche intérieure de sa veste son portefeuille, dont il tira en hâte deux billets de vingt dollars, qu'il agita sous le nez de Judith Dandridge.

— Tenez, dit-il d'une voix glaciale. Achetez au garçon ce qui lui plaira.

Avec une moue méprisante, Judith repoussa les billets.

— Voilà ce qui cloche avec vous, Schuler, déclara-t-elle d'une voix chargée de colère. Vous pensez qu'avec votre fric vous pouvez tout acheter. Y compris une bonne réputation...

Aussitôt après, Judith se retourna pour quitter le poste de police, entraînant Davie par la main.

— Foutue bonne femme ! gronda Schuler en rempochant ses quarante dollars. Avec un caractère pareil, pas étonnant qu'elle n'ait jamais trouvé de mari !

— Vous la connaissez depuis longtemps ? demanda Jim, essayant de faire abstraction de la révolte que lui inspirait l'attitude du banquier.

Schuler émit un petit sifflement, puis répondit avec hauteur :

— Vous pensez ! Nous étions au collège ensemble. Toujours à s'imaginer qu'elle valait mieux que les autres...

Puis, se retournant vers Wade, il demanda :

— Je suppose que le témoignage de cet attardé ne vous aidera en rien à retrouver mes ravisseurs ?

Wade, qui s'efforçait de ne rien montrer de la fureur qui bouillonnait en lui, répondit d'une voix neutre :

— Davie ne se rappelle pas de l'endroit où il a trouvé la montre, si c'est ce que vous voulez dire.

Schuler poussa un soupir résigné.

— Aucune importance, conclut-il, puisque de toute façon vous ne retrouverez jamais qui a fait ça.

Avant qu'il ait eu le temps de s'éclipser, Jim s'empressa de relever ces dernières paroles.

— Qu'est-ce qui vous fait dire cela, monsieur Schuler ? Connaîtriez-vous un fait que nous ignorons ?

Schuler, pointant sa canne en direction de Jim, l'agita sous son nez.

— Monsieur, s'écria-t-il, rouge de colère, je n'aime pas du tout vos insinuations...

D'une main, Jim écarta la canne et le fixa sans répondre. De toute façon, quoi qu'en dise Victor Schuler, il resterait toujours à ses yeux ce qu'il était : une victime bien suspecte...

Dès que la porte se fut refermée derrière le banquier, Wade ramassa sur le comptoir son trousseau de clés et le jeta avec rage à l'autre bout de la pièce.

— Parfois, hurla-t-il, je déteste ce métier !

Puis, dans l'espoir de se calmer, il croisa les deux bras dans son dos et se mit à marcher de long en large.

— Ce n'est pas un V pour Victor que ses ravisseurs auraient dû lui tatouer sur la peau, mais un S pour salaud !

Debout devant la fenêtre, Charlie observait Schuler qui regagnait son véhicule en boitant.

— De toute façon, dit-elle d'une voix rêveuse, V ou S, c'est du pareil au même. Dans un cas comme dans l'autre, ces deux initiales désignent un bien triste sire...

Jim pivota sur les talons pour se tourner vers elle.

— Vous y êtes ! s'exclama-t-il, très excité, avant de sortir de sa poche son calepin, qu'il feuilleta frénétiquement.

Une idée à peu près semblable à celle que venait d'énoncer Charlotte lui était déjà passée par la tête, au début de l'enquête. Il avait bien dû la noter quelque part...

— Ecoutez ça! dit-il avant de lire : « Pourquoi pas V comme voleur, ou V comme vantard, ou V comme vérité ? »

— Je ne vous suis pas, bougonna Wade.

— Je crois que je comprends, intervint Charlie. Jim veut dire que ce V sur la fesse de Victor pourrait signifier tout autre chose que l'initiale de son prénom.

Jim lui adressa un large sourire, ravi qu'elle ait si rapidement saisi sa pensée.

— Vous êtes douée, dit-il. Ce n'est pas moi que Wade aurait dû embaucher, mais vous...

— Arrêtez vos bêtises, protesta Charlotte en haussant les épaules. A présent, il est grand temps que Rachel et moi rentrions à la maison pour vous laisser travailler.

— A ce soir, sœurette! dit Wade en donnant au passage à Rachel un rapide baiser. Jim, attendez-moi ici, s'il vous plaît. Je vais prendre les messages et prévenir Martha que nous partons.

Quand Wade fut sorti, Jim reporta son attention sur Charlie qui, sa fille presque endormie sur l'épaule, était en train de ramasser les crayons de couleur éparpillés sur le sol. Quand elle se releva, un rayon de soleil l'inonda de lumière dorée.

— Seigneur! murmura Jim, subjugué par cette image d'une émouvante beauté.

Surprise, Charlie se retourna vers lui.

— Que se passe-t-il? demanda-t-elle.

Toujours sous le coup de l'émotion, Jim se contenta de secouer la tête. En silence, il s'approcha d'elle. Lentement, tendrement, il caressa les longues mèches brunes de Rachel, avant de laisser sa main s'attarder dans l'épaisseur des cheveux de Charlotte.

Le cœur de Charlie s'emballa aussitôt. Eût-elle été seule avec lui qu'elle se serait précipitée dans les bras d'un homme capable d'une telle tendresse, sans même penser une seconde aux conséquences de son geste.

— Pourquoi avez-vous fait cela? demanda-t-elle, plus émue qu'ennuyée.

— Je ne sais pas, avoua Jim d'une voix troublée. Juste à l'instant, ce rayon de soleil... Vous ressembliez toutes deux à un tableau doré, comme ces icônes russes de la Madone à l'enfant Jésus.

Le souffle de Charlie s'accéléra. Gênée, elle baissa les yeux.

— Oh, Jim... Je...

Pour la faire taire, il posa son index contre ses lèvres.

— Ne dites rien.

Charlie ferma les yeux, essayant de s'imprégner de la douceur de cet instant, de la troublante intimité de ce doigt contre sa bouche.

Ce fut le bruit des pas de Wade sur le plancher qui les ramena à la réalité. Faisant mine de s'absorber dans la consultation des notes qu'il avait gardées à la main, Jim s'éloigna de quelques pas. Charlie, après avoir remonté Rachel sur son épaule, s'empressa de gagner la sortie.

— Me voilà, dit Wade sur un ton guilleret. Je suis prêt.

Charlie avait presque atteint la porte lorsque Jim l'arrêta.

— Charlie ?

Elle se retourna.

— On dirait que vous boitez de nouveau...

— Ce n'est rien, dit-elle avec un haussement d'épaules. J'ai peut-être un peu trop couru tout à l'heure.

— Dans ce cas, dit-il en la rejoignant, laissez-moi au moins porter Rachel jusqu'à la voiture.

Alors que la fillette passait des bras de Charlotte dans ceux de Jim, leurs regards se croisèrent, et il comprit qu'à compter de cet instant plus rien ne serait pareil entre eux.

— Allons-y, murmura-t-il en ouvrant le chemin. Il est temps de ramener ce petit ange à la maison.

Bien longtemps après être rentrée chez elle, Charlie gardait encore le souvenir de la caresse de Jim dans ses cheveux et de la douce pression de son index contre ses lèvres. Elle eut beau s'atteler à diverses tâches ménagères, rien ne

164

parvint à lui faire oublier ce troublant moment d'intimité qu'ils avaient partagé dans le poste de police.

Lorsque Rachel s'éveilla de sa sieste, Charlie avait fini de lutter contre les évidences. Qu'elle le veuille ou non, elle était tombée amoureuse de Jim Hanna. Et cela la remplissait d'un troublant mélange de bonheur et d'appréhension...

13.

Victor Schuler regarda sa femme sortir de la maison pour la réunion hebdomadaire de son club, puis trottina jusqu'à la porte pour voir si elle l'avait bien verrouillée en sortant. Il était rompu de fatigue, mais en aucun cas il n'aurait pu s'allonger sur le divan du salon sans avoir pris la précaution de vérifier qu'il était tranquillement bouclé chez lui.

Quelques minutes plus tard, après avoir constaté une dernière fois que toutes les fenêtres étaient bien fermées, il reposait sur le flanc, attentif à ne pas se laisser aller sur le dos. Soulagé, il put enfin fermer les paupières, mais les événements qui s'étaient bousculés durant l'après-midi l'assaillirent aussitôt.

Victor émit un claquement de langue agacé. A l'extérieur, une faible brise agitait les branches d'un buisson contre les bardeaux de la façade. Ce bruit infime mais récurrent suffisait à lui mettre les nerfs en pelote. Avec épouvante, il réalisa soudain que ce grattement obstiné lui en rappelait un autre, celui de ses ongles griffant le sol de béton alors qu'il se contorsionnait pour tenter de se libérer de ses liens...

Frissonnant de la tête aux pieds, il roula précautionneusement sur le ventre et enfouit son visage dans l'oreiller pour ne plus y penser. A cet instant, dans une autre pièce, l'horloge ancienne que Betty avait héritée de son grand-père se mit à sonner et Victor s'étonna qu'il ne fût pas plus tard que 15 h 30.

Ses pensées dérivèrent, comme des graines portées par le vent, quand soudain une sorte de déclic se fit dans son subconscient. Les yeux ronds, il se redressa sur sa couche, insensible à la douleur qui irradiait de son séant, et se hâta du mieux qu'il put vers le téléphone. En composant le numéro de la police, ses mains tremblaient d'excitation.

— Poste de police de Call City, je vous écoute...

— Martha, c'est Victor... Victor Schuler... J'ai besoin de parler immédiatement à Wade Franklin.

— Désolée, mais il n'est pas au bureau pour le moment.

Exaspéré, Victor grinça des dents.

— Je m'en fiche ! cria-t-il dans le combiné. Faites le nécessaire pour le joindre au plus vite et lui dire de venir séance tenante à mon domicile. C'est urgent ! Je viens juste de me rappeler quelque chose qui concerne mes ravisseurs...

A l'autre bout du fil, Martha faillit en avaler son chewing-gum.

— Bien monsieur..., répondit-elle sur un ton glacial. Je vais faire mon possible pour le contacter.

Après avoir raccroché, Victor clopina jusqu'au divan, sur lequel il se laissa aller en gémissant. Depuis sa libération, il avait été tellement convaincu qu'il ne se rappellerait jamais de rien que la révélation qui venait de lui apparaître le secouait violemment. A présent que des lambeaux de mémoire commençaient à lui revenir, à quelles surprises devrait-il encore s'attendre ?

Il ruminait ces sombres appréhensions lorsque cinq minutes plus tard un bruit de voiture se garant devant chez lui le fit sursauter. Avec un grognement de douleur, il se mit sur ses jambes et se rendit aussi vite qu'il le put à la porte d'entrée. Il était en train de tourner le dernier verrou quand des coups précipités furent frappés contre le panneau de chêne.

— Schuler! appela une voix étouffée, de l'autre côté. Ouvrez-moi, c'est Wade Franklin!

Tout à fait rassuré, Victor ouvrit le vantail en grand.

— Entrez, entrez! dit-il d'une voix aiguë, accompagnant ses paroles de gestes fébriles.

Jim entra dans les pas de Wade, surpris par le changement d'attitude stupéfiant qui s'était opéré en moins d'une heure chez cet homme. Monstre d'arrogance haineuse lorsqu'il les avait quittés au poste de police, il les accueillait à présent chez lui avec une reconnaissance presque obséquieuse...

— Que se passe-t-il? demanda Wade. Martha parlait d'une urgence...

Ménageant ses effets, Victor les conduisit jusqu'au salon, où il les invita à s'asseoir. Enfin, les regardant l'un après l'autre bien droit dans les yeux, d'une voix solennelle il annonça :

— J'ai du nouveau à propos de mes ravisseurs...

— Vous ont-ils contacté? demanda Jim.

Victor haussa les sourcils.

— Bien sûr que non! Pourquoi voulez-vous qu'ils le fassent?

— Moi je n'en sais rien, rétorqua Jim. Mais vous pouvez peut-être nous le dire...

Agacé, Victor le foudroya du regard. Encore une fois, cet homme semblait insinuer à son propos des choses qui ne lui plaisaient guère.

— Ce que j'ai à vous dire, reprit-il sur un ton boudeur, c'est que je me suis rappelé quelque chose qui s'est passé alors que j'étais retenu prisonnier.

— Quelle chose? s'enquit Wade, soudain intéressé.

— Un portable! Juste avant ma libération, alors qu'ils venaient me faire une piqûre, j'ai entendu la sonnerie d'un téléphone portable près de moi, et j'ai senti comme une odeur d'orange.

Le visage de Wade trahit avec éloquence sa déception.

— C'est tout? demanda-t-il.

169

Schuler lui lança un regard étonné.

— Comment cela « c'est tout » ? N'est-ce pas assez pour relancer votre enquête ?

Wade soupira.

— Ecoutez, Victor..., dit-il doucement. Savez-vous combien de personnes dans cette ville se promènent avec un portable ? A peu près la moitié des élèves du collège en possèdent un. Le vétérinaire et le docteur en ont un, sans compter les deux pharmaciens, le maire, et la plupart des personnes qui travaillent en ville. Moi aussi j'en ai un. Ce qui ne signifie pas pour autant que je vous ai kidnappé...

Schuler se laissa retomber sur le sofa, qui grinça sous son poids, et se rappela juste une seconde trop tard qu'il valait mieux pour lui éviter de s'asseoir. Avec une grimace de douleur, il s'allongea sur le côté et lança à Wade un regard abattu.

— Je n'y avais pas pensé..., reconnut-il. Et pour ce qui concerne les oranges ?

— Je ne vois pas quelles conclusions en tirer, à part peut-être que vos ravisseurs aiment les fruits...

— Très drôle..., commenta Schuler avec une grimace de dégoût.

Une moue ennuyée déforma les lèvres de Wade.

— Pardonnez-moi, dit-il. Mais pourtant que dire d'autre ? Manger des oranges n'a rien d'illégal, et je me vois mal convoquer pour interrogatoire toutes les personnes qui en ont acheté au supermarché ces dernières semaines...

— Des oranges ou autre chose..., intervint Jim. Peut-être n'est-ce pas le fruit lui-même que vous avez senti, mais un produit quelconque parfumé à l'orange...

— Allez-vous-en,.., murmura Schuler, vert de rage, en se remettant sur ses pieds.

Faisant un pas dans sa direction, Wade tenta de le raisonner.

— Allons, Victor... Ce n'est pas la peine de vous énerver. Voyons plutôt le bon côté des choses : si vous êtes

170

déjà parvenu à vous rappeler ce détail, peut-être vous en rappellerez-vous d'autres d'ici peu, qui eux pourront nous aider.

— Foutez le camp ! s'écria Victor en désignant la porte. Personne ne prend cette histoire au sérieux. La moitié de la ville rit de moi et de cette marque qu'ils m'ont faite sur la fesse. Si vous aviez vécu ce que j'ai vécu...

Sa voix s'étrangla sur un sanglot vite refoulé. Les yeux humides, détournant le regard, il poursuivit :

— Nu, ficelé, bâillonné, sans savoir où j'étais ni ce qu'ils allaient me faire, à moitié fou de terreur, pensant mourir à tout instant sans avoir revu ma femme...

Oubliant le dégoût qu'il lui avait inspiré peu de temps auparavant, Jim sentit un élan de sympathie grandir en lui pour le banquier. Sous ses dehors arrogants et manipulateurs, Victor Schuler était un homme brisé.

— Nous savons ce que vous avez enduré, monsieur Schuler... dit-il, venant lui poser sur l'épaule une main amicale. Vous devriez peut-être consulter un spécialiste pour vous aider à surmonter cette épreuve.

D'un haussement d'épaules, Victor se dégagea et se mit à arpenter la pièce d'un pas nerveux.

— Bien sûr ! s'exclama-t-il. C'est exactement ce dont j'ai besoin... Savez-vous combien de personnes retireraient leurs économies de la banque que je dirige s'ils savaient que je consulte un psy ?

— Je pense que vous exagérez, répondit Jim. Et il me semble que vous ne faites pas assez confiance à vos amis.

Schuler eut un rire grinçant.

— Mes amis ? Vous voulez rire ? Je n'ai pas d'amis !

— Ce n'est pas vrai..., protesta Wade. Et vous le savez... Si c'était le cas, pourquoi tous ces gens seraient-ils venus vous voir après votre sortie de l'hôpital ?

— Cancan et commérage ! Voilà ce qui les intéressait. S'ils étaient réellement mes amis, ils ne se répandraient pas en plaisanteries sur mon dos, comme ils le font à l'heure qu'il est.

171

Pour lui demander la permission d'intervenir, Jim lança à Wade un regard interrogateur, auquel celui-ci répondit d'un bref hochement du tête.

— Si ce que vous dites est vrai, demanda Jim, ne vous êtes-vous jamais demandé pourquoi ?

Schuler lui lança un regard incrédule.

— Pourquoi quoi ?

— Pourquoi vous n'avez pas d'amis. Avez-vous jamais traité tous ces gens de manière injuste ? Vous serait-il arrivé de nuire aux intérêts de quelqu'un — volontairement ou non — suffisamment pour qu'il cherche à vous rendre la monnaie de votre pièce ?

Toute colère oubliée, Schuler s'allongea sur le divan d'un air las.

— Je ne sais pas..., répondit-il en se passant une main tremblante sur les yeux. Honnêtement, je ne sais pas. Pendant toute ma détention, je n'ai pensé qu'à ça. Mais plus j'y réfléchissais, moins je voyais qui pouvait me haïr au point de m'infliger de telles souffrances. Bien sûr, il m'est arrivé d'être intraitable avec certains débiteurs. Mais je n'ai fait que mon métier. En veillant scrupuleusement au remboursement des emprunts, je ne fais que protéger les intérêts de mes clients...

Silencieusement, Jim s'assit sur le divan à côté de lui et attendit qu'il se fût suffisamment calmé pour lui prêter attention.

— Monsieur Schuler, dit-il enfin, je vais vous poser une question personnelle à laquelle je vous demande de répondre très franchement, quoi qu'il vous en coûte.

Sans le regarder, le banquier poussa un long soupir et hocha la tête avec réticence.

— Voulez-vous réellement que nous attrapions vos kidnappeurs ?

Visiblement mal à l'aise, Victor Schuler s'agita quelques instants. Sans répondre, il détourna le regard et s'absorba dans la contemplation des motifs du tapis. A la recherche d'une réponse qui pourrait lui éviter de paraître coupable ou menteur, il n'en trouva aucune et se résolut à dire la vérité.

— Honnêtement, répondit-il enfin, essayant de soutenir le regard clair de son vis-à-vis, je n'en sais rien...

Puis, comme s'il craignait de s'être mal fait comprendre, il ajouta :

— Ce n'est pas que j'accepte ce qu'ils m'ont fait, bien sûr. Mais ils ont fini par me relâcher...

Il hésita quelques secondes avant de poursuivre :

— Je ne sais pas si vous pourrez me comprendre, mais j'ai parfois le sentiment que la résolution de toute cette affaire pourrait bouleverser mon existence.

Jim se releva en souriant et Schuler, levant vers lui des yeux craintifs, fut impressionné par la prestance de cet homme qui le toisait de haut et paraissait en savoir sur son compte bien plus qu'il n'en savait lui-même.

— C'est déjà le cas, monsieur Schuler... Peut-être ne vous en êtes-vous pas rendu compte, mais votre vie a *déjà* changé.

Schuler haussa les épaules avec agacement.

— Que voulez-vous donc que je fasse ? demanda-t-il en croisant les bras.

— Dites-nous la vérité.

— Mais je vous ai dit la vérité ! protesta-t-il avec véhémence.

— Je ne le crois pas..., répondit Jim, inflexible. Je continue à penser qu'il y a dans votre passé un élément, connu de vous seul et de vos ravisseurs, qui explique ce qu'ils vous ont fait.

Schuler ne put empêcher ses mains de se mettre à trembler. Après l'avoir agacé, cet homme commençait à lui faire peur. Sous son regard, il se sentait aussi faible et sans défense qu'il l'avait été aux mains de ses ravisseurs.

— Je ne vois pas ce que vous voulez dire..., murmura-t-il en baissant les yeux.

— Comme vous voudrez..., répondit Jim en se dirigeant vers la porte. Wade, à moins que vous n'ayez autre chose à demander à M. Schuler, je crois que nous n'avons plus rien à faire ici.

Pour toute réponse, Wade se contenta d'un hochement de tête et lui emboîta le pas.

— Ne vous dérangez pas..., dit-il à Schuler en ouvrant la porte.

— Faites attention de bien claquer la porte derrière vous ! recommanda aussitôt celui-ci, une nuance de panique dans la voix.

Sur le seuil, Jim se retourna et lui demanda :

— Puis-je vous poser une dernière question ?

Couché sur son divan, Schuler tressaillit.

— Oui ?

— Call City est une petite ville. Vous y avez vécu toute votre vie. Avant votre enlèvement, vous est-il déjà arrivé de vous barricader ainsi chez vous ?

Les lèvres du banquier se pincèrent tandis que ses traits se décomposaient. Silencieusement, de la tête, il répondit par la négative.

— Comme je vous le disais, reprit Jim, votre vie a déjà changé. Et que se passerait-il si la prochaine fois ils enlevaient votre femme à votre place ? Vous résoudriez-vous aussi facilement à essayer d'oublier ?

Lorsque le bruit de la porte claquée retentit sèchement dans la maison déserte, Victor Schuler enfouit son visage dans ses mains et se laissa enfin aller à pleurer.

Le repas était achevé depuis deux bonnes heures déjà, mais il flottait encore dans la maison des Franklin l'odeur délicieuse du poulet rôti qu'ils avaient dégusté pour le dîner. Wade était occupé à la grange avec une vache sur le point de vêler, et Charlie récupérait un lot de serviettes-éponges dans le sèche-linge. Jim, pendant ce temps, étendu à plat ventre sur le tapis du salon, jetait un œil distrait à une revue posée devant lui. Rachel, très affairée, en profitait pour s'amuser à monter et descendre de son dos complaisamment offert.

A peine sortie du bain, sa couverture favorite sous le

174

bras, elle sentait bon le savon et le dentifrice. Lorsqu'elle vint une nouvelle fois s'installer sur lui, se servant de ses fesses comme d'une selle et éperonnant ses flancs de ses talons nus, il se mit à hennir et à faire mine de ruer. Aussitôt, le rire de Rachel s'éleva comme un chant d'oiseau facétieux, suivi bientôt par un grand silence songeur.

Jim allait se retourner vers elle pour connaître les raisons de cette soudaine tranquillité lorsqu'il la sentit s'allonger de tout son long sur son dos. Calant sa tête confortablement contre ses fesses, elle les recouvrit tous deux de sa couverture et demeura absolument immobile.

Un peu interdit, ne sachant que faire, Jim cessa de bouger et même de respirer, dans l'attente de l'éclat de rire qui mettrait fin à ce petit jeu. Mais nul rire ne vint... Et lorsqu'il se rendit compte qu'elle s'était endormie sur lui, une armée en mouvement n'aurait pas suffi à le faire bouger.

Jim sourit. Il était fatigué et sentait que son dos commençait à s'engourdir, mais c'était une bonne fatigue et pour rien au monde il n'aurait bougé le moindre muscle. Charlie viendrait sans doute bientôt le délivrer. Tout ce qu'il avait à faire, c'était d'attendre qu'elle se mette en quête de sa fille.

Le bourdonnement de l'air conditionné formait un ronron hypnotique. Jim prit une lente inspiration, attentif à ne pas déranger le sommeil de Rachel, et se laissa aller à fermer les yeux.

Charlie rangea soigneusement la dernière serviette sur la pile et referma la porte de l'armoire. Ensuite, soucieuse de vérifier que sa fille s'était bien endormie, elle se rendit dans sa chambre pour constater que la coquine s'était une fois de plus glissée hors de son lit.

Dans le couloir, elle s'apprêtait à l'appeler à voix haute lorsque le profond silence dans lequel était plongée la maison l'en dissuada. Une brusque appréhension se fit jour en elle. Il faisait nuit noire depuis longtemps et Rachel avait peur du noir, aussi ne pouvait-elle s'être glissée au-dehors. Encore qu'avec elle il ne fallait rien exclure. Pour toute chose, il suffisait d'une première fois...

Pièce après pièce, Rachel passa la maison au crible, essayant de se convaincre qu'elle faisait une affaire de pas grand-chose. Sans doute devait-elle s'attendre à la retrouver une fois encore dans la réserve, occupée à se gaver consciencieusement de « 'mallows »... Mais alors qu'elle pénétrait dans le salon, Charlie se figea sur le seuil. Jim était là, endormi, couché sur le ventre, la joue posée sur ses mains jointes. Sur son dos, recouverte de sa couverture fétiche, Rachel dormait elle aussi à poings fermés.

— Doux Jésus..., murmura Charlotte en se laissant tomber dans un fauteuil, incapable de détourner les yeux de leurs visages.

Dans son sommeil, Jim paraissait plus vulnérable, presque plus jeune aussi... Il y avait un petit pli soucieux entre ses deux sourcils et Charlie se serait volontiers agenouillée près de lui pour tenter de l'effacer du bout des doigts.

Une moue boudeuse sur les lèvres, Rachel émit soudain quelques bruits de bouche, puis se mit à sucer son pouce avec application. Charlie soupira. Assez vite, elle avait renoncé à tenter de dissuader sa fille de cette habitude. Si sucer son pouce pouvait lui rendre la vie plus douce, au nom de quoi se serait-elle permis de l'en priver ?

Sans faire le moindre bruit, Charlotte s'adossa doucement au fauteuil et resta là immobile, à contempler dans leur sommeil l'homme et la petite fille qu'elle aimait.

Son travail achevé, rassuré sur le sort de la vache qui ne mettrait bas, selon toute vraisemblance, que le lendemain, Wade rentra dans la cuisine par la porte de service et se dirigea droit vers l'évier pour se laver les mains. Ce n'est qu'en remarquant l'absence d'essuie-mains près de l'évier qu'il prit conscience du curieux silence dans lequel baignait la maison.

Sourcils froncés, il se dirigea vers la buanderie pour y prendre une serviette et commença à déambuler à travers toutes les pièces. Lorsqu'il parvint dans le salon, il ne sut pas ce qui le frappa le plus au premier abord. Etait-ce le curieux tableau que formaient Jim Hanna et Rachel, endormis sur le tapis, ou l'expression rêveuse du visage de Charlotte, tandis qu'elle les observait ?

Ce qui ne faisait en revanche pas l'ombre d'un doute, c'était que sa sœur était désormais amoureuse. Et ce qui ne manquait pas d'être inquiétant, c'était qu'ils étaient loin d'être certains de la stabilité et de la fiabilité de l'homme qui avait su conquérir son cœur...

Dans un demi-sommeil, Jim sentit son dos s'alléger et la douce chaleur qui le réchauffait s'évanouir. Clignant des yeux, il redressa la tête juste à temps pour voir Wade sortir du salon, portant Rachel endormie dans ses bras. Il grogna indistinctement, se retourna sur le dos, puis s'assit sur le sol et s'étira longuement. Alors seulement il réalisa qu'il n'était pas seul et que Charlotte l'observait depuis le fauteuil disposé près de la fenêtre.

— Ch... Charlie ? bredouilla-t-il d'une voix pâteuse. Pourquoi ne m'avez-vous pas réveillé ? Depuis combien de temps êtes-vous là ?

— Savez-vous, répondit-elle, que vous êtes un homme dangereux ?

Jim fronça les sourcils.

— Je ne vous suis pas...

Le menton de Charlotte frémissait, et il y avait dans ses yeux un éclat qui ressemblait fort à des larmes contenues.

— Je crois que ma fille vous a adopté, reprit-elle. Ce qui me fait craindre sa réaction lorsque vous nous quitterez.

Peut-être à cause de son air d'animal traqué, Jim craignit de l'effrayer et de la faire fuir en se levant pour aller vers elle. Prudemment, il se contenta de la dévisager.

— Et qu'en est-il de sa mère? s'enquit-il d'une voix douce. Sera-t-elle désolée, ravie ou soulagée de voir ma voiture tourner au bout du chemin?

Choquée, Charlie se redressa brusquement.

— Vous n'avez pas le droit! protesta-t-elle d'une voix vibrant de colère. Jouer avec les sentiments des autres n'a rien de drôle, Jim Hanna...

Jim se leva à son tour et la rejoignit au milieu de la pièce, s'arrêtant à portée de souffle de son visage.

— Je ne me fais pas l'impression de rire beaucoup..., chuchota-t-il. Est-ce ce que vous voyez?

Charlie pencha la tête, plongeant résolument ses yeux dans ceux de Jim. Que pouvait bien cacher ce regard énigmatique, sans cesse sur la réserve, et quelles intentions pouvait-elle y lire? Finalement, elle détourna le regard et soupira longuement.

— Je ne sais pas ce que je vois, avoua-t-elle. Mais ce que je sais, c'est que vous allez sans doute nous faire pleurer.

Jim se crispa. Cette seule perspective lui paraissait insupportable. Désolé, il secoua la tête et vint enserrer ses joues entre ses deux mains.

— Jamais je ne ferai une chose pareille, dit-il sur un ton convaincu. A aucune de vous deux.

— Bien sûr que si vous le ferez. Le jour où vous ferez vos bagages et où vous nous quitterez...

Charlie se mordit la lèvre inférieure. Elle en avait trop dit, alors que lui ne s'était pas livré plus qu'à son habitude. Le mieux qu'elle avait à faire, à présent, était d'en rester là.

— Attendez! supplia Jim en la retenant par le bras, alors qu'elle tentait de s'éclipser.

Incapable de lui résister, Charlotte se figea sur place.

— Je sais que je devrais vous parler, dit-il au terme

d'un bref silence embarrassé. Mais je ne sais pas quoi vous dire. Vous comprenez, c'est la première fois de ma vie que quelqu'un compte pour moi autant que vous...

A cet instant, Charlie crut voir derrière l'homme que Jim Hanna était devenu le petit garçon qu'il avait été, attendant dans le noir que son père rentre à la maison pour le battre comme plâtre. Alors tout fut clair pour elle. Elle sut précisément ce qu'elle éprouvait pour lui, ce qu'elle pouvait lui apporter, ce qu'il pourrait lui donner dans l'existence, et comment elle pourrait le lui faire comprendre.

Pourtant, elle n'en dit pas un mot. Il était encore trop tôt. Le bout de chemin qu'il avait à faire, elle ne pourrait jamais le faire pour lui.

— Vous n'avez pas besoin de dire quoi que ce soit, conclut-elle en se dirigeant vers la porte. Mais sachez que vous ne pourrez pas nous empêcher de vous regretter quand vous partirez.

Juste après minuit, le téléphone posé sur la table de nuit se mit à sonner. Habitué à ces réveils nocturnes, Wade s'empressa de décrocher pour ne réveiller personne dans la maison.

— Franklin à l'appareil, annonça-t-il d'une voix engourdie de sommeil.

— Wade, répondit une voix féminine à l'autre bout du fil. C'est Della.

Jamais la standardiste de garde au poste de police n'aurait pris l'initiative de le réveiller en pleine nuit s'il ne s'était agi d'une urgence. Déjà résigné à quitter la tiédeur de son lit, Wade se redressa contre ses oreillers en se frottant les yeux.

— Que se passe-t-il ? demanda-t-il, la voix soudain plus claire.

— Désolée de vous tirer du lit, mais je crois que vous devriez venir. Un capitaine de la police fédérale est ici avec un prisonnier. Il voudrait utiliser notre cellule pour la nuit. Avec Hershel en voyage de noces, je ne voyais pas qui d'autre...

— Dites-lui de patienter... Je serai là dans cinq minutes.

Quelques instants plus tard, habillé et ses chaussures à la main, Wade avançait dans le couloir à pas de loup, grimaçant chaque fois que grinçait une lame de parquet. Tandis qu'il s'arrêtait dans le hall pour récupérer son arme sur l'étagère en hauteur où il la rangeait, il prit conscience d'une présence dans son dos et se retourna pour découvrir Jim, les bras croisés, adossé à la porte de la cuisine.

— Un problème ?

— Rien de grave, répondit Wade en ajustant son holster. Je dois jouer le geôlier pour le reste de la nuit. Dites à Charlie que je l'appellerai dans la matinée.

— Laissez-moi m'y rendre à votre place, proposa Jim. Cela n'a rien de très drôle ni de très compliqué.

Wade lui adressa un sourire amusé.

— Vous avez envie d'expliquer à un gradé de la police fédérale les raisons de votre mise à pied de la police de Tulsa ?

Une grimace de dépit apparut sur le visage de Jim.

— Pas vraiment, non...

— C'est bien ce qu'il me semblait, déclara Wade en se dirigeant vers la porte. De toute façon, j'ai l'habitude. Ne vous en faites pas pour moi, il y a un bon lit de camp au bureau.

— D'accord. Mais si vous avez besoin de moi...

— ... je sais où vous trouver, compléta Wade en hochant la tête.

Lorsqu'il eut verrouillé la porte derrière lui, il vint à Jim une idée qui le fit sourire tandis qu'il se rendait dans le salon. Mais après avoir allumé la vieille lampe de famille posée sur un guéridon près de la fenêtre, son sourire se figea en découvrant une silhouette tapie dans un coin sombre de la pièce.

Charlie émergea dans le cône de lumière diffusé par la lampe, et quoique sa nuisette n'eût rien d'indécent, le mince tissu dans lequel elle était taillée dissimulait mal la troublante générosité de ses formes.

— Je n'avais pas remarqué votre présence, murmura Jim.

— Où Wade est-il allé ? demanda-t-elle, ignorant sa remarque.

— Une urgence à Call City. Un officier de la police fédérale avait besoin d'un geôlier pour la nuit.

Charlotte soupira.

182

— Il aurait bien besoin d'être mieux secondé...

Les yeux perdus dans le vague, elle désigna du menton la lampe allumée près de la fenêtre.

— Ainsi, vous savez, dit-elle rêveusement.

— Wade m'a expliqué cette tradition familiale l'autre jour...

Sans répondre, elle hocha la tête et croisa soudain les bras contre sa poitrine, comme prise d'un frisson. Jim fit un pas dans sa direction, puis encore un autre... et s'arrêta net en constatant qu'elle tremblait comme une feuille.

— S'il vous plaît, Charlotte, implora-t-il. Dites-moi que vous n'avez pas peur.

Détournant le regard, elle secoua la tête.

— Je ne peux pas...

— Vous ne craignez tout de même pas que je vous fasse mal? demanda-t-il, effaré.

— Je vous l'ai déjà dit : je sais que vous me ferez mal. Le jour où vous partirez.

— Je ne suis pas encore parti... Alors, pourquoi avoir peur cette nuit?

— Parce que je ne voudrais pas penser un jour à vous et m'apercevoir que je ne me souviens pas de votre visage...

A ces mots, Jim se sentit submergé par un flot d'émotions, qui emporta sur son passage toutes les digues derrière lesquelles il essayait encore de cacher ses sentiments. Incapable de résister plus longtemps, il enfouit sa main dans les cheveux de Charlotte et, avec une extrême lenteur, approcha ses lèvres des siennes pour un rendez-vous trop longtemps différé.

— Dieu nous vienne en aide, murmura-t-il. Si vous avez envie de vous enfuir, c'est maintenant ou jamais.

Mais bien loin de fuir, Charlie s'approcha au contraire un peu plus de lui, jusqu'à ce qu'il puisse sentir contre la peau de son torse la pointe durcie de ses seins sous le fin tissu de sa nuisette.

— Vous allez me faire l'amour? demanda-t-elle, un peu anxieuse.

— Seulement si vous le souhaitez...

Fuyant son regard, elle poussa un profond soupir.

— Je dois avoir perdu la tête...

— Pas encore, répondit Jim en l'enlaçant pour l'embrasser. Mais ça ne saurait tarder...

Cela ne ressembla à rien de ce que Charlotte avait connu. Avoir basé son expérience amoureuse sur les étreintes hâtives et maladroites de Pete Tucker ne l'avait pas préparée à l'océan de douceur dans lequel elle se sentit fondre aussitôt qu'elle se laissa aller entre les bras de Jim. Ses lèvres chaudes, douces et exigeantes contre les siennes, éveillaient ses sens comme jamais encore ils ne l'avaient été. Ses mains, après s'être attardées sur les contours de ses seins, remontèrent jusqu'à son cou, puis descendirent le long de son dos, provoquant sur leur passage d'affolantes vagues de frissons.

Dans un gémissement de plaisir, Jim l'embrassa plus passionnément encore, repoussant doucement son corps contre le mur du salon. Ivre de désir, Charlie sentit qu'il remontait le bord de sa chemise de nuit pour venir placer ses mains autour de sa taille et plaquer son corps contre le sien. A travers la toile rugueuse de son jean, tout contre son ventre offert, Charlotte sentit la dure évidence de sa virilité. Toute retenue oubliée, elle se pendit à son cou et se pressa contre cet axe tendu où leurs corps affamés aspiraient à se fondre.

Mais avant que la passion ne lui ait fait perdre l'esprit, Jim ne put éluder une réalité qu'il n'avait pas le droit d'ignorer. Certes, il avait envie de faire l'amour à Charlotte comme jamais encore il n'avait eu envie de le faire à aucune autre femme. Il y avait dans cette étreinte une évidence, une nécessité presque vitale à laquelle il était douloureux de résister. Pourtant, il ne pouvait ignorer le fait qu'il restait encore dans son existence bien trop de zones d'ombre et de blessures ouvertes pour lui permettre de s'engager sereinement auprès d'elle.

Les dents serrées, il ferma les yeux et tenta de bloquer cette lente progression du plaisir qu'il sentait monter en lui. Lorsqu'elle accentua l'exigeante pression de son bassin contre le sien et qu'elle vint refermer ses jambes autour de ses hanches, il enfouit son visage dans la douce tiédeur de ses cheveux. Le souffle précipité, les yeux clos et la tête rejetée en arrière, Charlotte offrait à ses baisers l'émouvante blancheur de sa gorge.

Le fait de la savoir engagée si loin sur le chemin qu'il se refusait à suivre pour le moment troubla Jim un instant. Puis, comprenant qu'il n'avait pas le droit de la priver du plaisir d'une étreinte à laquelle elle s'adonnait avec tant de confiance, il glissa une main vers son ventre, qu'il commença à caresser sur un rythme lent et hypnotique. Un peu surprise par son initiative, Charlie poussa un petit gémissement, bien vite étouffé par les ondes de volupté que Jim faisait naître en elle. Bientôt, des vagues de plaisir montèrent, affolant tous ses sens et la laissant haletante et frissonnante de bonheur.

Quand, après un long moment, il sentit son corps s'apaiser contre le sien, Jim la reposa à terre. Aussitôt, Charlie se précipita contre lui pour éviter son regard. Sans un mot, il glissa un bras sous ses genoux, l'autre sous les épaules, et la souleva pour la reconduire dans sa chambre. Dès qu'il l'eut déposée sur son lit, Charlie couvrit son visage de ses mains.

Ils demeurèrent quelques instants l'un et l'autre indécis, ne sachant comme faire face à ce qui venait de se passer. Jim avait encore les muscles du dos tendus par l'effort qu'il avait fourni pour garder le contrôle de lui-même. Charlie, quant à elle, était encore tout étourdie du plaisir que lui avait procuré cet homme sans même chercher à prendre le sien. Un peu honteuse, elle était surprise d'avoir surmonté ses inhibitions pour se laisser aller sans pudeur au plaisir entre ses bras.

— Pourquoi ? demanda-t-elle, le souffle court. Pourquoi n'êtes-vous pas allé jusqu'au bout ?

Jim se pencha sur elle et écarta doucement les mains de son visage.

— Je ne suis pas prêt, Charlotte. Ma vie, pour le moment, est trop instable pour que je vous promette quoi que ce soit. Dieu sait pourtant combien j'ai envie de vous! De toute façon, il aurait été irresponsable de vous faire l'amour sans protection et sans être sûr de pouvoir en assumer les conséquences éventuelles. Je ne suis pas Pete Tucker...

Incapable de supporter plus longtemps son regard, Charlie se recouvrit le visage de ses mains. Comment avait-elle pu se comporter ainsi? Qu'est-ce que Jim pouvait bien penser d'elle à présent? Roulant sur le côté, elle se redressa et s'assit sur le matelas. Le dos tourné, elle lissa la toile froissée de sa nuisette et ses cheveux défaits, dévorée de honte.

Jim, derrière elle, poussa un long soupir.

— Charlotte? Regardez-moi, s'il vous plaît...

Charlie fit à regret ce qu'il lui demandait. Les yeux brillants, les joues empourprées, elle était plus belle que jamais.

— Mon Dieu, Charlotte, vous êtes si belle! Pourquoi cherchez-vous à vous cacher? Vous n'avez pas à vous sentir coupable pour ce qui s'est passé.

— Vous avez sans doute raison, concéda-t-elle en baissant la tête. Mais ce n'est pas facile.

Puis elle redressa le menton et Jim put voir quelques instants une lueur danser dans ses yeux.

— Vous m'avez apporté bien plus qu'un simple plaisir physique, Jim Hanna. Vous m'avez rappelé que je ne suis pas seulement la sœur de Wade, ou la mère de Rachel. Vous m'avez rendu la conscience d'être une femme, et pour cela je ne vous serai jamais assez reconnaissante...

Emu au plus profond de lui, Jim s'assit sur le lit auprès d'elle. Avec une extrême délicatesse, il prit sa main dans la sienne et la retourna pour déposer au creux de sa paume un baiser encore plus tendre que tous ceux qu'il lui avait déjà donnés. Puis, se levant, il poussa un long soupir et s'éloigna vers la porte. A mi-chemin pourtant, il se retourna pour déclarer:

— Il y a une chose que vous devez savoir...

Charlie retint son souffle.

— La prochaine fois que nous nous aimerons, je vous promets que nous serons si profondément unis l'un à l'autre que vous ne saurez plus où s'arrête votre corps et où commence le mien !

Bien longtemps après que Jim eut refermé la porte derrière lui, Charlie se rendit compte qu'elle retenait toujours sa respiration. Exhalant un long soupir, elle se laissa retomber sur son lit et remonta le drap sous son menton. A sa grande surprise, ses paupières ne tardèrent pas à s'alourdir et le sommeil à la gagner.

Elle dormait à poings fermés depuis de longues minutes déjà que Jim était encore sous la douche, tentant d'éteindre sous le jet d'eau glacée les flammes de l'incendie qu'elle avait allumé en lui...

Ce fut une délicieuse odeur de café frais qui réveilla Jim. Encore à moitié endormi, il s'étira sous ses draps froissés, goûtant avec délices la volupté de n'avoir pas à se lever à toute allure à la première sonnerie d'un réveille-matin.

Quelques minutes plus tard, alors qu'il avait l'impression d'avoir replongé dans le sommeil depuis des heures, Jim eut un sursaut de conscience et tâtonna à l'aveuglette sur sa table de nuit à la recherche de sa montre. Ne la trouvant pas, il se rappela qu'il l'avait offerte la veille à Davie Dandridge et nota mentalement qu'il lui faudrait en acheter une autre dès que possible.

Il était en train de s'habiller lorsque la sonnerie du téléphone retentit quelque part dans la maison. Sans doute Wade, songea-t-il, avant de se rendre à la salle de bains pour se raser. Il essuyait quelques restes de mousse sur son visage quand il s'aperçut qu'il n'était plus seul dans la pièce.

— Bonjour jeune fille ! s'exclama-t-il gaiement. Dis-moi : tu t'es encore débrouillée pour sortir toute seule de ton lit ?

Rachel hocha la tête sans cesser de frotter ses yeux ensommeillés. Puis, jetant sa couverture sur son épaule, elle leva vers lui deux bras implorants. Incapable de résister à un tel appel, Jim se pencha vers elle et la souleva dans ses bras. Dès qu'elle y fut installée, la petite fille se blottit contre sa poitrine, dans ce qui semblait être depuis peu sa position favorite.

— Tu es un drôle de petit lutin, tu sais, lui murmura Jim à l'oreille.

Les mèches brunes de Rachel lui chatouillaient les narines, mais pour rien au monde Jim n'aurait mis fin à ce tendre moment. Comment avait-il pu vivre si longtemps en ignorant le bonheur de serrer un enfant dans ses bras? Et lorsqu'il serait parti, auprès de qui Rachel pourrait-elle trouver ce contact ferme et rassurant qui semblait lui manquer? La réponse à cette question lui vint aussitôt et lui tira un soupir. Wade, bien sûr. Et Charlie. Quoi de mieux qu'une mère aimante et qu'un oncle gâteau pour chérir et câliner un bébé?

Rachel toujours installée contre lui, Jim se résolut à gagner la cuisine. Mais plus il se rapprochait de la pièce, plus l'anxiété grandissait en lui. Et si Rachel avait besoin de la présence d'un homme auprès d'elle sans que Wade, trop absorbé par son travail, puisse y suffire? Et si elle échappait à la surveillance de sa mère, comme elle l'avait déjà fait de nombreuses fois? Qui pourrait bien venir à son secours en cas de danger?

Lorsque Jim franchit le seuil de la cuisine, il avait le ventre noué par l'angoisse. Mais aussitôt que Charlie les eut aperçus et leur eut souri, ce sourire agit sur lui comme un baume bienfaisant qui apaisa ses craintes.

— Bonjour, dit-elle. Est-ce encore Rachel qui vous a réveillé?

— Pas du tout. Elle est juste apparue alors que je me rasais.

Les lèvres de Charlie esquissèrent un sourire nostalgique.

— Quand j'étais petite, j'adorais moi aussi aller voir mon père se raser...

Puis, semblant se ressaisir, elle retourna une tasse sur la table et se dirigea vers la cafetière.

188

— Prêt pour un bon café? demanda-t-elle sur un ton un peu trop enjoué.

Jim la rejoignit et lui releva gentiment le menton pour l'obliger à le regarder.

— A propos de ce qui s'est passé cette nuit...

Sans même savoir ce qu'il avait à dire, Charlotte s'empressa de l'interrompre :

— Je vous en prie, ne vous excusez pas. Cela gâcherait ce moment que je garde en moi comme un souvenir très cher...

Jim ne sut que lui répondre, mais Rachel, qui commençait à s'agiter dans ses bras, l'en dispensa.

— 'Mallows? lui demanda-t-elle avec un sourire ingénu.

Voyant Charlie secouer la tête avec force dans le dos de la petite fille, Jim tenta une manœuvre de diversion.

— J'ai une meilleure idée, dit-il. Que dirais-tu de partager des œufs au jambon et des toasts avec moi ?

Surprise tout d'abord par cette proposition incongrue, Rachel y réfléchit quelques instants avant de décider que la perspective de partager de la nourriture avec lui était intéressante. Après tout, ils avaient déjà partagé des 'mallows... Partager des œufs pouvait être bien aussi.

— Zœufs..., répondit-elle finalement, marquant son assentiment de graves hochements de tête. Toss...

Charlie se mit à rire.

— Dans ce cas, conclut-elle, zœufs et toss pour tout le monde. Jim va t'installer dans ta chaise haute pendant que maman prépare le petit déjeuner. D'accord ?

— Avant cela, intervint Jim, je voudrais l'emmener à la grange quelques instants. Cette vieille maman chat a dû faire ses petits à présent. Tu ne crois pas, mon cœur ?

— Dans ce cas, répondit Charlie en lui prenant sa fille des bras, laissez-moi d'abord lui faire faire un tour par la salle de bains...

En attendant leur retour, Jim se versa une tasse de café et s'assit à la table. Tout en laissant son regard s'égarer par la fenêtre, il se demanda comment ce pourrait être d'endosser le rôle du mari et du père pour les quelque cinquante années à venir... Etonné, il constata que cette perspective ne provoquait plus en lui de sentiment de panique, mais bien plutôt une grande curiosité. A quoi ressemblerait sa vie s'il allait au lit tous les soirs, et s'il se réveillait chaque matin, auprès de Charlotte ? S'il riait avec elle, jour après jour ? S'il partageait ses joies, ses colères et ses peines ? S'ils vieillissaient côte à côte et passaient ensemble le reste de leur vie ?

Le retour de Charlie, Rachel sur ses talons, mit un terme à ses songeries.

— Et voilà ! déclara-t-elle. Une petite fille toute belle et toute fraîche, prête à commencer sa journée !

Dès qu'ils furent à l'extérieur, Jim souleva Rachel pour la déposer sur ses épaules, et lui montra comment elle pouvait nouer ses mains sous son cou.

— Surtout, recommanda-t-il, tiens-toi bien...

Pour plus de sécurité, il leva les bras pour la retenir par la taille. Pensant qu'il voulait la chatouiller, Rachel partit d'un grand rire joyeux et lâcha sa prise sous son cou afin de s'agripper à ses cheveux.

— Aïe, aïe, aïe ! gémit-il. Un peu de pitié pour ton papa, mon cœur !

Il tressaillit en s'apercevant de son lapsus. Les mots s'étaient échappés de ses lèvres sans même qu'il s'en rende compte. Une chance qu'aucun adulte n'ait été là pour les entendre ! Quant à Rachel, le mot *papa* était sans doute étranger à son vocabulaire. De toute façon, elle était bien trop excitée par le fait qu'il la porte ainsi sur les épaules pour se soucier de quoi que ce soit d'autre.

Quelques instants plus tard, la fillette se précipitait en courant dans la cuisine pour expliquer à sa mère avec force cris et exclamations que quatre chatons étaient nés durant la nuit. Après s'être tous trois extasiés sur cette magnifique et époustouflante nouvelle, ils prirent place à table et Rachel commença à piocher de bon appétit dans l'assiette de Jim.

— Un véritable délice, commenta celui-ci après avoir

subtilisé à son tour à sa petite voisine de table quelques four-chettées. Dommage que Wade ne puisse pas y goûter.

Visiblement préoccupée, Charlie haussa les épaules et chipota dans son assiette du bout de sa fourchette.

— Ma cuisine n'a plus rien d'exceptionnel pour lui, dit-elle. Il y a longtemps qu'il y est habitué.

— Cet homme ne connaît pas son bonheur! se moqua Jim. A propos, j'ai entendu le téléphone sonner tout à l'heure. Etait-ce lui qui vous donnait de ses nouvelles?

— Oui. Il devrait faire un saut ici vers 9 heures pour se doucher et se changer.

Repoussant son assiette, à laquelle elle n'avait pratiquement pas touché, Charlotte s'accouda sur la table et se pencha vers lui.

— Hier, dit-elle, je vous ai entendu discuter avec Wade à propos de Victor Schuler. Vous disiez que la clé de l'énigme reposait sans doute dans son passé...

— Ce n'est qu'une théorie, répondit Jim en riant tandis que Rachel, qui venait de s'installer sur ses genoux, entre-prenait de lui déboutonner sa chemise.

— Peut-être, mais elle m'a inspiré une idée. Comment pensez-vous la vérifier, cette théorie? En rencontrant des gens qui ont connu Schuler autrefois? En cherchant à en apprendre plus de sa bouche à lui?

— Sans doute un peu des deux, admit Jim, dubitatif. Quoique je ne me fasse guère d'illusions sur ce que Schuler pourrait encore nous apprendre. Cet homme me semble avoir décidé de nous cacher une partie — sans doute gênante pour lui — de la vérité. Mais dites-moi plutôt quelle est cette idée qui vous est venue... Qu'avez-vous en tête depuis tout à l'heure?

— La bibliothèque.

— Je vous demande pardon?

— La bibliothèque, répéta Charlie en croisant les bras. On peut y trouver plus de cinquante années du *Call City Clarion* sur microfiches et toutes les éditions du *Call City Cougar*, le journal du collège, depuis 1907...

191

Impressionné, Jim la gratifia d'un sourire admiratif.

— C'est une sacrée bonne idée! Bien meilleure en fait que celle d'interviewer les connaissances passées de Victor. Comme on dit : « Les mots s'envolent, les écrit restent... »

Un peu gênée et presque rougissante, Charlie baissa les yeux sur son assiette, dans laquelle elle se remit à piocher pour se donner une contenance.

— Que diriez-vous de me guider dans mes recherches? proposa-t-il.

Rachel, qui avait fini de lui déboutonner sa chemise, se rappela à lui en posant la joue contre sa poitrine.

— Mais j'oubliais notre petit troll, reprit Jim en lui caressant les cheveux. Je suppose que l'on ne peut attendre de sa part le silence et la retenue qui sont de mise dans une bibliothèque...

Charlie se leva pour commencer à débarrasser la table.

— Ne vous inquiétez pas pour elle. En fait, j'ai déjà appelé Mme Miller, une de nos voisines qui garde parfois Rachel pour moi. Elle serait ravie de l'accueillir aujourd'hui.

— Dans ce cas, conclut Jim en se levant, puisque tout est prévu, qu'attendons-nous pour nous y mettre?

15.

— Incroyable ! murmura Charlie entre ses dents, en pénétrant dans la bibliothèque de Call City à la suite de Jim. Vous avez vu Wilma ?

Comme elle le lui demandait, Jim jeta un rapide coup d'œil à la femme qui se tenait debout derrière le comptoir d'accueil.

— Je la vois, répondit-il à mi-voix. Mais que suis-je censé remarquer ?

— Ses cheveux roux flamboyants. Ils étaient encore châtains et presque gris par endroits, il y a peu. Et j'ai beau chercher, je ne l'ai jamais vue habillée ainsi.

Ne voyant pas non plus ce qu'il y avait à redire de ce côté, Jim demanda :

— Vous parlez de cette chose pourpre à motifs fleuris ?

— C'est tellement court ! s'étonna Charlie. On en verrait presque ses genoux.

Jim sourit.

— Vous faites partie d'une ligue de vertu, à présent ?

Sous le coup de l'indignation, les pommettes de Charlie rosirent légèrement.

— Ce n'était pas une critique, protesta-t-elle. De sa part, cela m'étonne beaucoup, c'est tout.

Alors qu'ils abordaient son comptoir, Wilma Self, qui avait toujours été un peu myope, remarqua enfin leur présence, et leur sourit.

— Charlie! s'exclama-t-elle d'une voix de crécelle. Qu'est-ce qui me vaut le plaisir de ta visite?

— Wilma, répondit Charlie en désignant Jim d'une main ouverte, je vous présente Jim Hanna, qui remplace Hershel Brown au poste de police pendant son voyage de noces.

Les petits yeux de Wilma s'arrondirent de surprise autant que de ravissement.

— Pas possible! s'écria-t-elle. Alors vous êtes celui qui a sauvé Rachel des pattes de cet horrible taureau.

— C'est un plaisir de faire votre connaissance, Wilma, dit-il galamment en s'inclinant vers elle. Nous aimerions consulter tout ce qui dans vos collections se rapporte à l'histoire de cette ville et de ses citoyens depuis vingt-cinq ans.

Très professionnelle, Wilma Self pivota sur ses talons et les guida vers le lecteur de microfilms. Son pas était aussi léger qu'il l'avait toujours été, mais sa démarche était plus assurée. Il y avait dans le roulis de ses hanches un balancement beaucoup plus féminin. Il lui avait suffi de quelques jours pour envoyer par-dessus les moulins vingt années de respectabilité compassée. N'était-elle pas, à présent qu'elle avait été confrontée sans faiblir à la nudité masculine, une femme accomplie? Le rouge éclatant dont se parait dorénavant sa chevelure était pour elle un brevet de courage autant que le signe le plus visible de son émancipation.

Après avoir mis en route l'écran de l'appareil, elle se tourna vers Jim.

— Vous cherchez quelque chose en particulier?

— Tout ce qui peut concerner, d'une manière ou d'une autre, Victor Schuler et sa famille.

Wilma faillit s'étrangler et porta une main à sa poitrine en un geste théâtral.

— Pas possible!

Puis, prenant des mines de conspiratrice, elle se rapprocha de Jim pour demander:

— Cela a-t-il quelque chose à voir avec l'enquête concernant son enlèvement?

Jim hésita une demi-seconde, avant de décider que cela n'avait rien d'un secret.

194

— Tout à fait entre nous, chuchota-t-il sur le même ton, oui !

Wilma lança un regard gêné en direction de Charlie, comme si celle-ci était soudain devenue une étrangère.

— Pouvons-nous parler librement en sa présence ?

Comédien accompli, Jim adressa un sourire ravageur à la bibliothécaire.

— Sans problème... C'est Charlie qui est à l'origine de ce volet de l'enquête !

— Eh bien, murmura Wilma en adressant à Charlotte un regard plein de respect.

Bien qu'ils fussent tout à fait seuls à cette heure matinale dans le bâtiment, elle regarda avec inquiétude par-dessus son épaule avant de poursuivre :

— Si vous avez besoin de quoi que ce soit — je dis bien : quoi que ce soit ! —, n'hésitez pas à faire appel à moi. Je vais faire le guet à mon bureau près de l'entrée. Si quelqu'un arrive, je vous préviendrai en tapant trois fois dans mes mains.

Cette fois, Jim eut bien du mal à conserver son sérieux pour acquiescer :

— C'est une bonne idée Wilma, et je vous en remercie. Mais j'en ai une meilleure : vous pourriez peut-être faire comme si de rien n'était et ne pas vous soucier de notre présence. Ainsi, nous passerons tout à fait inaperçus !

— Vous avez raison, convint la bibliothécaire après un instant de réflexion. Pour chasser les criminels, on ne saurait être trop prudent.

— Je vois que nous nous comprenons, conclut Jim avec un clin d'œil. A présent, si cela ne vous dérange pas, nous allons nous mettre au travail.

— Wilma, intervint Charlie. Vous gardez bien à jour une collection complète du *Cougar*, n'est-ce pas ?

— Bien sûr ! Suivez-moi !

Sans l'attendre, elle se fraya un passage entre les tables de consultation alignées. Avant de la rejoindre, Charlie se retourna vers Jim.

— Au fait, que cherchons-nous exactement?

— Faites remonter vos recherches aux années où Schuler était au collège, expliqua Jim en s'installant devant le lecteur de microfilms. Mettez un repère chaque fois qu'il sera fait mention de son nom. Nous jetterons un œil ensemble sur tout ce que vous aurez trouvé.

Charlie approuva d'un signe de tête. Elle s'éloignait lorsque Jim l'interpella.

— Charlie?

— Oui? répondit-elle en se retournant vers lui.

— J'apprécie de travailler avec Wade, mais faire équipe avec vous me fait plus plaisir encore...

Elle sourit, puis releva le menton avec fierté.

— Je serais bien incapable de manier une arme, dit-elle, mais pour ce qui est du courage, j'en vaux bien d'autres...

Rêveur, Jim hocha la tête en songeant au courage intrépide qu'il lui avait fallu pour se lancer seule à l'assaut d'un taureau furieux.

Ils se regardèrent en silence quelques secondes, absorbés l'un et l'autre par le souvenir du moment tragique qui avait scellé leur rencontre. Ce fut la voix aiguë de Wilma Self qui vint briser l'enchantement.

— Chaaarlie! hurla-t-elle à travers la pièce. Je t'ai préparé tout ce dont tu as besoin!

Désarçonnée, Charlie se tourna vers l'endroit où Wilma l'attendait.

— Je crois qu'il faut que j'y aille, soupira-t-elle.

Sans grand enthousiasme, Jim se retourna vers l'écran verdâtre.

— Oui, moi aussi, je dois...

Il n'acheva pas sa phrase, comme s'il trouvait dans cette phrase restée en suspens un moyen de ne pas rompre le contact. De fait, tandis que les heures s'écoulaient et que les microfilms défilaient sous ses yeux, Jim ne perdit jamais tout à fait conscience de la présence de Charlotte à quelques pas de lui. Il n'en fallait pas plus pour lui rappeler qu'il n'était plus seul à présent.

⁂

Il était près de midi lorsque Jim leva les yeux de son écran. La nuque douloureuse, il bougea la tête de gauche à droite pour se détendre. Puis, après s'être levé et longuement étiré, il rejoignit Charlotte et s'assit auprès d'elle.

— Qu'est-ce que ça donne ?

Elle haussa les épaules et referma d'un geste sec le lourd volume relié qu'elle était en train de consulter.

— Beaucoup de photos, répondit-elle. Mais je ne pense pas que nous pourrons en tirer quoi que ce soit. Et vous ?

Jim secoua la tête, découragé.

— Rien de très intéressant. Une tripotée d'articles sur le père de Schuler. Le notable de province dans toute sa splendeur. Est-ce le souvenir que vous en avez gardé ?

Le front plissé, Charlie fit un effort de concentration.

— Je suppose, marmonna-t-elle, indécise. Lorsqu'il est mort, j'étais encore une petite fille, vous savez...

— Aucune importance, conclut Jim. Voyons plutôt ce que vous avez déniché.

Au fil des pages jaunies par le temps, Charlie fit défiler sous ses yeux des dizaines de clichés qui racontaient, au travers de l'image figée d'une génération de ses habitants, l'histoire récente de toute une ville. Sur nombre d'entre eux, on découvrait le jeune Schuler en héros sportif de Call City. Victor assis à un stand de la Fédération américaine de football, à la foire-exposition annuelle ; Victor la batte à la main, sur le terrain de l'équipe de base-ball du Collège ; Victor en avant-centre victorieux de l'équipe de football, levant vers le ciel une coupe dorée sous les applaudissements...

Sans relâcher son attention, Jim essaya de trouver dans tous ces clichés d'une jeunesse enfuie un fil conducteur susceptible de les aider. Mais mis à part le fait que Victor Schuler semblait avoir été en son temps l'une des figures marquantes de la jeunesse locale, il n'en trouva aucun.

— Notre homme semble avoir été le chouchou de ces dames, fit soudain remarquer Charlie.

Piqué par la curiosité, Jim fronça les sourcils.

— Qu'est-ce qui vous fait dire cela?

— Regardez...

Elle feuilleta rapidement plusieurs pages.

— ... On le retrouve sur un nombre impressionnant de photos, le plus souvent accompagné de jolies filles, mais jamais la même deux fois de suite.

Jim se pencha sur les clichés qu'elle lui indiquait, les comparant les unes aux autres, puis il se tourna vers elle, un large sourire aux lèvres.

— Belle déduction, mon cher Watson!

Pour la plus grande joie de Jim, Charlie rosit sous le compliment et baissa les yeux en riant.

— A votre avis, s'enquit-elle, quelle conclusion pouvons-nous en tirer?

— Je ne sais pas trop... En tout cas, notre homme semble avoir mis un terme définitif à ce donjuanisme forcené. Ou alors, il cache bien son jeu...

Comme frappée par une soudaine évidence, Charlie se pencha au-dessus d'un des volumes.

— Regardez! s'exclama-t-elle. Ne dirait-on pas Wilma?

A son tour, Jim approcha les yeux du cliché. Sans succès, il tenta de déchiffrer les minuscules caractères empâtés de la légende qui l'accompagnait.

— Si ce n'est pas elle, dit-il, elle lui ressemble beaucoup.

Tournant ses regards vers le bureau où la bibliothécaire avait passé la matinée, Jim la considéra avec un nouvel intérêt.

— Wilma? appela-t-il à voix haute. Vous pourriez venir une seconde, je vous prie?

Wilma virevolta aussitôt vers lui, un doigt pressé sur les lèvres pour l'inciter à plus de modération. Jim sourit. Etant donné qu'ils avaient été toute la matinée les seuls hôtes de la bibliothèque, ce luxe de précautions semblait bien superflu.

— Désolé, s'excusa-t-il cependant.

Les lèvres de Wilma Self s'ourlèrent d'une grimace satisfaite. D'un geste machinal, elle remit en place le volume de sa permanente, qui n'en avait pourtant nul besoin, et lissa les plis de sa robe chamarrée.

— Vous avez trouvé quelque chose?

— Peut-être, répondit Jim en désignant la photo qui avait retenu l'attention de Charlie. C'est vous, n'est-ce pas?

Elle se pencha par-dessus son épaule et écarquilla les yeux.

— Mon Dieu! s'exclama-t-elle, portant de nouveau la main à sa poitrine, en tragédienne accomplie. Vous avez raison, c'est bien moi, même si j'ai changé depuis. Attendez voir... Si je me rappelle bien, c'était l'année où l'on m'avait élue présidente du club de débats.

— Et cet homme, qui vous passe le bras autour des épaules, n'est-ce pas Victor Schuler?

Après un petit sursaut, elle se pencha un peu plus pour détailler la photo et s'empourpra violemment.

— Eh bien, marmonna-t-elle. Ce doit être lui, en effet...

Jim ne la quittait pas des yeux. Sous son regard insistant, la bibliothécaire commença à s'agiter, comme une gamine prise en faute, et à se mordiller la lèvre inférieure.

— Etes-vous sortis ensemble?

Presque aussi rouge que sa robe, Wilma se mit à bégayer.

— Pas... pas... pas vraiment. Je veux dire... euh... c'était juste un petit flirt... Nous nous sommes embrassés une fois ou deux, c'est tout.

Puis, se rappelant qu'elle était à présent une femme accomplie, elle se redressa et retrouva son aplomb. Après tout, quel mal y avait-il à avoir un passé? Toutes les femmes en avaient un, pourquoi n'en aurait-elle pas eu un elle aussi?

— Victor était un homme à femmes, reprit-elle, sur le ton de la confidence. Il est passé brièvement dans ma vie, mais cela s'arrête là.

Pour dissimuler le sourire qu'elle ne parvenait pas à retenir, Charlie s'empressa d'en revenir à la consultation des vieux journaux du collège. Jim, lui, ne semblait pas disposé à lâcher prise.

— Et toutes celles-ci? demanda-t-il en désignant les différentes jeunes filles qui apparaissaient sur les clichés aux côtés de Victor Schuler. Que sont-elles devenues ?

Soulagée de n'être plus l'unique centre d'attention, Wilma tira une chaise pour s'installer près de Jim et consulter à son aise les différents documents étalés sur la table.

— Voyons voir, dit-elle d'un air ravi. Ici nous avons Anna Mankin — Anna Stewart depuis son mariage. Elle vit à Dallas à présent. Et celle-ci... Quel était son nom, déjà ? Mary Lee, c'est ça ! Mary Lee Howards. Elle est morte dans un accident de la route, il y a dix ans.

Jim prenait quelques notes, mais préférait se concentrer sur les souvenirs que Wilma égrenait pour eux. La solution de l'énigme — il en avait l'intime conviction — se cachait quelque part entre ces pages jaunies par le temps.

Il en était à ce point de ses réflexions lorsque Wilma mentionna un nom qui attira son attention.

— Qui avez-vous dit ?

— Judy, répéta la bibliothécaire, un peu interloquée. Je disais : là, c'est Judy. Vous la connaissez, non ?

Jim examina avec attention la photo qu'elle lui désignait. La jeune fille était grande, élégante, avec de longs cheveux châtain clair. Ses traits lui rappelaient vaguement quelqu'un. Pourtant, il ne parvint pas à mettre un nom sur ce visage souriant qui respirait l'intelligence

— Je ne crois pas, répondit-il. Qui est-ce ?

Volant à son secours, Charlie jeta un œil intrigué au vieux cliché.

— Judith Dandridge, précisa-t-elle en lui posant une main sur l'avant-bras. Vous savez bien : la tante de Davie.

— Pas possible ! s'étonna Jim.

Il souleva le volume relié, afin de mieux l'observer.

— Si c'est vraiment elle, reprit-il, on peut dire qu'elle n'a pas seulement changé en vieillissant : elle s'est métamorphosée...

Wilma fronça les sourcils.

— Vous oubliez qu'elle a entretemps hérité de la pharmacie de son père... Une lourde charge, pour une femme. Et puis, comme les médecins, les pharmaciens ont tout intérêt à paraître sévères et sérieux pour rassurer leurs clients.

Jim hocha la tête d'un air sceptique.

— Peut-être... Je suppose que vous avez raison.

— Dites-moi, Wilma, demanda Charlie, Judith n'était-elle pas dans la même classe que vous et Victor en dernière année ?

Après un court instant de réflexion, la bibliothécaire acquiesça.

— Dans ce cas, pourquoi ne figure-t-elle pas sur la photo de groupe de remise des diplômes, cette année-là ?

— Vous en êtes sûre ?

Wilma feuilleta rapidement le volume que Charlie lui tendait. Et soudain, elle claqua des doigts.

— Vous avez raison ! Elle n'était pas là le jour de la cérémonie. Je me rappelle à présent qu'un accident de voiture l'avait obligée à garder le lit plusieurs semaines.

— Vous voulez dire qu'elle n'a pas terminé son année scolaire ?

— Si, mais en étant scolarisée à domicile, ce que le règlement du collège prévoit dans ce genre de cas.

Pensif, Jim laissa son regard s'attarder sur le beau visage de Judith Dandridge jeune fille. Peut-être ne fallait-il pas chercher plus loin l'événement qui avait depuis chassé tout sourire du visage de la pharmacienne...

— Pour l'immobiliser aussi longtemps, dit-il, cet accident a dû être assez grave. Heureusement, elle ne semble pas en avoir gardé de séquelles. Ses parents ont-ils été blessés aussi ?

Wilma se pinça le menton entre le pouce et l'index pour réfléchir.

— Pas que je me souvienne. Judith semble avoir été la seule blessée. En tout cas, je me rappelle très bien que peu de temps après, Henry Dandridge roulait dans une belle Buick toute neuve...

Jim hocha de nouveau la tête. Tout cela paraissait s'emboîter parfaitement. Ce qui était en revanche plus difficile à accepter, même en tenant compte du traumatisme subi, c'était le gouffre qui séparait la jeune fille d'hier de la femme d'aujourd'hui. D'un côté, une jolie collégienne au sourire pétillant, aux longs cheveux ondulés et à la mise élégante. De l'autre, une femme dure et aigrie, les cheveux gris coupés court, habillée sans fantaisie.

Emporté par ses pensées, Jim reporta son attention sur le jeune homme au sourire facétieux qui posait, sur la photo, un bras possessif glissé autour des épaules de Judith.

— Judith Dandridge est-elle sortie avec Victor Schuler, elle aussi ?

Wilma eut un petit sourire caustique.

— Si cela n'avait tenu qu'à lui, elle y serait passée également... Vous comprenez, le père de Victor le gâtait trop. Ce garçon avait tout ce qu'il voulait. Filles comprises... Mais Judy avait à cette époque un amoureux dans une ville voisine, et Victor n'a jamais pu parvenir à ses fins avec elle.

— Je me demande pourquoi elle ne s'est jamais mariée, insista Jim. Elle ne manquait pourtant pas de charme. Et puis, avoir un homme auprès d'elle aurait pu soulager la charge que représente l'éducation de son neveu...

— Le célibat n'a rien d'une tare, vous savez, rétorqua la bibliothécaire, piquée au vif. J'ai eu moi-même bien des propositions. C'est par choix personnel que j'ai préféré les décliner et rester seule.

Charlie se leva et vint lui poser une main sur l'épaule, en signe d'apaisement.

— Vous avez raison, Wilma. Je suis bien placée pour savoir ce qu'il en coûte de s'engager auprès d'un homme sans être tout à fait sûre de lui...

Intrigué par ces quelques mots autant que par le ton amer sur lequel ils avaient été prononcés, Jim leva vers elle un œil inquiet. A qui Charlotte faisait-elle allusion ? A Pete Tucker, ou à lui ?

— J'ai besoin de me dégourdir les jambes, lança-t-elle par-dessus son épaule avant de se diriger d'un pas rapide vers la sortie. Vous n'avez qu'à continuer sans moi.

Perplexe, Jim la suivit du regard jusqu'à ce qu'elle disparaisse. Soudain, une vive douleur lui transperça le crâne, et il s'accouda sur la table pour presser ses deux paumes contre ses yeux.

— Vous avez mal à la tête ? s'enquit Wilma, pleine de sollicitude. Ce doit être à cause de l'écran. Cela m'arrive à moi aussi... Attendez, j'ai ce qu'il vous faut.

La bibliothécaire se hâta en direction des réserves. Jim entendit un bruit d'eau qui coule, puis celui d'un remue-ménage dans une armoire. Aussitôt après, Wilma réapparut, souriante et chargée d'un gobelet dans lequel fondait un comprimé effervescent. Lorsqu'elle approcha la main près de son visage pour le lui tendre, Jim fut assailli par une agréable odeur d'orange.

— Je vous remercie, dit-il. Dites-moi, c'est votre parfum qui sent si bon ?

Wilma se rengorgea et remit une fois encore en place sa chevelure.

— Flatteur ! protesta-t-elle. Vous êtes gentil, mais je ne porte rien aujourd'hui...

Jim avala une gorgée du gobelet qu'elle lui avait apporté et ne put retenir une grimace de dégoût.

— Vraiment ? insista-t-il. Il m'avait pourtant semblé deviner un léger parfum d'orange pelée.

Prenant son courage à deux mains, il s'obligea à vider d'un trait le reste du gobelet.

— Ce doit être le savon que j'ai utilisé pour me laver les mains avant de vous préparer l'aspirine. Les germes sont partout, vous savez. On n'est jamais assez prudent.

Une fulgurante association d'idées lui traversa l'esprit, et Jim faillit s'étrangler de surprise. Toussant abondamment, il reposa le gobelet sur la table et essaya de reprendre son souffle.

Tandis que Wilma lui tapotait le dos avec inquiétude, les morceaux d'un puzzle s'emboîtaient dans l'esprit de Jim. Schuler s'était rappelé avoir senti un parfum d'orange lorsque ses ravisseurs étaient venus lui faire une piqûre, juste avant sa libération. Peut-être avaient-ils, comme Wilma, pris auparavant la précaution de se laver les mains ?

— Cela va mieux ? s'enquit la bibliothécaire, qui continuait à lui prodiguer de vigoureuses tapes dans le dos.

— Bien mieux, murmura Jim dès qu'il fut en état de répondre. J'ai juste avalé de travers.

Wilma sourit et songea à quel point sa vie avait changé depuis qu'elle avait découvert Victor Schuler nu sur les marches du perron. Ce soir, elle en aurait des événements à consigner dans son journal...

— Dites moi Wilma..., reprit Jim.

— Oui ?

— Ce savon que vous utilisez, où vous l'êtes-vous procuré ?

Sur le visage de la bibliothécaire, le sourire se figea. Décidément, les hommes étaient bien tous les mêmes ! Alors qu'elle venait presque de lui sauver la vie et qu'elle aurait pu légitimement s'attendre à quelques remerciements, il ne trouvait rien de mieux à faire que de la questionner sur son savon !

— Je n'en sais rien, répondit-elle avec un haussement d'épaules. J'ai dû l'acheter récemment, dans une des deux pharmacies. Chez Judy, je pense.

Déçu, Jim sentit retomber l'espoir qu'avait suscité en lui cette découverte. Ce savon que Wilma avait acheté à la pharmacie, des dizaines d'autres avaient dû se le procurer, eux aussi. Sans trop y croire, il se promit cependant de poser à l'occasion la question à Judith Dandridge.

Après avoir refermé les différents volumes de l'édition complète du *Call City Cougar*, Jim s'approcha de Wilma Self la main tendue, décidé à prendre congé.

— Je crois que nous en avons terminé ici, dit-il en lui serrant la main avec effusion. Et votre aide nous a été précieuse.

Toute rancune oubliée, Wilma baissa les yeux et rosit de plaisir.

— Ce n'est rien, dit-elle, modeste. Je n'ai fait que mon

devoir, et cela m'a fait plaisir de bavarder avec vous. Si vous avez besoin de quoi que ce soit d'autre, n'hésitez pas à revenir.

— Je n'y manquerai pas, répondit Jim en se dirigeant vers la sortie.

— Monsieur Hanna..., s'écria-t-elle alors qu'il poussait déjà le lourd vantail en chêne.

— Oui?

Reprenant ses mines de conspiratrice, la bibliothécaire fit mine de se sceller les lèvres avec une fermeture Eclair. Avec un grand sourire, Jim lui adressa un clin d'œil complice.

Une fois sur le perron, il s'aperçut qu'il n'avait plus mal à la tête. Mais il n'aurait su dire qui, de la bibliothécaire ou de l'aspirine, lui avait fait le plus d'effet...

16.

Dès que ses yeux se furent accoutumés à l'aveuglante lumière du soleil de midi, Jim chercha Charlie du regard. Il la découvrit accroupie sur la pelouse ombragée d'arbres qui s'étendait devant la bibliothèque. Attendrie par un minuscule chien à poils longs qui sautait en jappant autour d'elle, elle ne le vit pas la rejoindre et s'accroupir à côté d'elle.

— Vous vous êtes fait un nouvel ami ?

Surprise, elle tourna les yeux vers lui et sourit.

— Il est adorable, répondit-elle, amusée. Et si gentil !

Jim jeta au chien un regard sceptique, puis ses yeux revinrent se fixer sur Charlie.

— Si vous voulez mon avis, je préfère cent fois votre beauté à la sienne.

Désarçonnée par le compliment, Charlie sembla hésiter quelques instants à répondre, avant d'y renoncer. Ils demeurèrent ainsi quelques minutes l'un à côté de l'autre, Charlie continuant à jouer avec le petit chien, Jim tentant de ne pas la contempler trop ostensiblement...

— Jim ? finit-elle par demander. Puis-je vous poser une question ?

— Bien sûr.

— Etes-vous juste maladroit ou faites-vous exprès de jouer avec mes sentiments ?

Il s'était attendu à tout sauf à cela. Mais depuis qu'il

connaissait Charlotte Franklin, il savait que l'on pouvait s'attendre à tout de sa part, surtout à l'inattendu...

Pour échapper au regard curieux qu'elle dardait sur lui, il tourna légèrement la tête.

— Par pitié, Charlotte... J'ose imaginer que ce qui s'est passé entre nous la nuit dernière était bien plus qu'un jeu.

Charlie se sentit rougir et s'en voulut. Même si elle avait fini par assumer la part active qu'elle avait prise dans leurs caresses nocturnes, il lui était toujours difficile d'y repenser. Heureusement, le propriétaire du chien siffla à cet instant de l'autre côté de la rue, ce qui lui permit de ne pas répondre. Riant de voir le chien détaler à toute allure vers son maître, elle se redressa et brossa du plat de la main les genoux maculés d'herbe de son jean.

— En avons-nous terminé ? demanda-t-elle.

D'un bond, Jim se releva à son tour.

— Si vous parlez de nos investigations à la bibliothèque, répondit-il avec froideur, la réponse est oui. Pour le reste, je ne m'avoue pas vaincu...

Sans l'attendre, les mains enfoncées dans les poches de son pantalon, il se dirigea d'un bon pas vers la jeep, stationnée non loin de là.

— Y a-t-il quelque chose que vous souhaitiez faire en ville avant que je vous raccompagne chez vous ? demanda-t-il lorsqu'ils furent installés.

— Si ça ne vous dérange pas, j'aimerais aller à la pharmacie. J'ai un petit cadeau à y acheter.

Ils n'avaient pas échangé un mot de plus lorsqu'ils se garèrent quelques minutes plus tard devant la boutique de Judith Dandridge.

Après avoir passé la matinée à fouiller dans le passé de Victor Schuler, c'est à peine s'ils furent surpris de voir le banquier sortir en trombe de sa voiture garée devant la leur. Betty, au volant, paraissait ennuyée. Alors que son mari, visiblement très en colère, claudiquait jusqu'à la pharmacie, elle demeura dans le véhicule.

— Regardez, dit Charlotte, c'est Victor. Je me demande ce qui l'a mis dans un tel état...

— Vous avez raison, approuva Jim. On dirait que quelque chose ne tourne pas rond.

Chaque fois qu'il avait eu l'occasion d'observer un tel comportement chez un homme, il en avait résulté des ennuis ou de la bagarre.

— Si cela ne vous ennuie pas, reprit-il, je vous accompagne. Juste au cas où...

— Au cas où quoi ? protesta Charlie, qui n'avait nulle envie qu'il vienne avec elle.

Mais il avait déjà fait le tour de la jeep pour lui ouvrir la portière, et elle n'eut d'autre solution que de le suivre. Avant même de pénétrer dans le magasin, ils entendirent les hurlements du banquier. Et ni leur arrivée, ni le bruit du carillon de la porte d'entrée ne parvinrent à l'interrompre dans sa diatribe.

— Je vous préviens, criait-il en agitant un index menaçant sous le nez de la pharmacienne, c'est la dernière fois que je vous somme de garder cet attardé loin de chez moi ! Le voir fouiller dans mes poubelles comme un chien me rend malade...

Statufiée derrière son comptoir, Judith Dandridge avait le visage livide et les yeux fixes. Sous l'effet d'une colère froide, de protubérantes veines bleues saillaient sur son front et dans son cou. Lorsqu'elle se mit en mouvement, tel un automate aux poings serrés, vers un présentoir de cannes orthopédiques, Jim préféra s'interposer.

— Allons, allons..., dit-il d'une voix apaisante. Que se passe-t-il ici ?

Il avait posé sa question au banquier, devant qui il se dressait de toute sa hauteur, mais celui-ci tenta aussitôt de le contourner.

— Laissez-nous ! Cette histoire ne vous concerne pas.

— C'est là où vous vous trompez, monsieur Schuler. Je vous entendais déjà hurler de l'autre côté de la rue, ce qui au regard de la loi constitue un trouble manifeste à l'ordre public...

Le visage du banquier prit une teinte rouge brique.

— Et ce débile qui viole sans arrêt les limites de ma propriété, ce n'est pas un trouble à l'ordre public, peut-être ?

Jim poussa un profond soupir et ferma les yeux le temps de juguler la colère qui montait en lui. S'il s'était écouté, il aurait envoyé son poing dans le visage grimaçant de Schuler.

— Davie fait juste son travail, répliqua Judith d'une voix blanche. Tout ce qui l'intéresse, c'est de récupérer les canettes en aluminium que vous jetez. Et s'il le fait, c'est en accord avec votre femme.

Loin de calmer Schuler, ces paroles ne firent qu'exacerber sa fureur. Même s'il ignorait tout de cet arrangement, pour rien au monde il n'aurait accepté de le reconnaître.

— Je ne veux rien entendre d'un prétendu accord entre vous et ma femme ! hurla-t-il en battant l'air de sa canne. C'est *ma* maison, et pour la dernière fois je vous demande de garder votre débile loin de chez moi. Sinon, vous le regretterez...

Jim saisit la canne au vol et la lui arracha des mains sans ménagement.

— Maintenant vous allez m'écouter ! ordonna-t-il d'un ton menaçant. Sans quoi je vous garantis que c'est vous qui n'allez pas tarder à le regretter... Il me semble que vous devriez vous informer de ce qui se passe chez vous avant de porter des accusations injustifiées. Si votre femme l'a autorisé à recycler l'aluminium dans vos poubelles, alors Davie avait parfaitement le droit de pénétrer sur votre propriété. Quant à votre conduite, elle est inqualifiable. Il est facile d'agresser ainsi une femme sans défense ! Essayez un peu de vous en prendre à moi...

Interloqué, Victor Schuler pâlit et détourna le regard.

— Ne dites pas de bêtises, se défendit-il. Je n'ai aucune raison de vous en vouloir.

— Vous n'en avez pas non plus de lui en vouloir à elle, répondit Jim en désignant Judith du pouce. Alors je vous suggère de vous excuser et de rentrer chez vous.

Outragé, Schuler frissonna de colère et serra les poings. Il

210

détestait être sermonné et encore plus recevoir des ordres. Et qui plus est d'un étranger !

— Ma canne, dit-il entre ses dents, une main tendue pour récupérer son bien.

Estimant le départ du banquier bien plus nécessaire et plus urgent que ses excuses, Jim s'exécuta et s'écarta de son chemin. En boitant, la tête haute et le maintien très digne, Schuler gagna la porte du magasin, qui claqua avec violence derrière lui.

Aussitôt qu'il se fut éclipsé, une sonnerie musicale se fit entendre. Judith décrocha son téléphone portable de sa ceinture pour enclencher la messagerie.

Puis, comme si rien de notable ne s'était produit, elle se tourna vers Charlie.

— Vous désiriez quelque chose ? demanda-t-elle, aussi froide et professionnelle qu'à l'accoutumée.

— Je..., bredouilla Charlie, prise de court. Je voulais juste regarder quelques cartes d'anniversaire.

— Prenez votre temps... Il me faut de toute façon consulter ma messagerie. Cet appel était peut-être une urgence. Dès que je vous aurai servie, je partirai à la recherche de Davie.

— Si vous le voulez bien, proposa Jim, je serais heureux de m'en charger pour vous.

Judith hésita un bref instant, tiraillée entre ses devoirs professionnels et familiaux.

— Je vous en serais reconnaissante, finit-elle par consentir en se hâtant vers l'arrière-boutique. Merci pour lui.

La main déjà posée sur la poignée de la porte, Jim se tourna vers Charlotte.

— Quand vous en aurez terminé ici, cela vous ennuierait-il de m'attendre au poste de police ? Je vais prévenir Wade de ce qui s'est passé avant de me mettre à la recherche de Davie. Le pauvre doit être mort de peur !

— Ne vous inquiétez pas pour moi, répondit Charlie. Si je ne suis pas au bureau de Wade à votre retour, vous me trouverez à la brasserie de l'autre côté de la rue. Midi est passé depuis longtemps, et je commence à mourir de faim.

Du coin de l'œil, Charlotte surveilla le départ de Jim. Lorsqu'elle fut certaine que la jeep avait démarré, elle délaissa le présentoir des cartes postales pour le comptoir de verre où était exposé tout un choix de montres.

— Vous n'avez pas de montres pour homme ? demanda-t-elle à la pharmacienne, lorsque celle-ci fut de retour dans la boutique.

— Si, bien sûr ! répondit Judith Dandridge. Si vous voulez bien me suivre...

Elle ouvrit le tiroir-caisse pour y prendre un petit trousseau de clés et l'accompagna au fond du magasin où se trouvait une vitrine remplie de montres de différents modèles.

— Je vous laisse regarder...

Charlotte laissa son regard vagabonder sur les étagères de verre, émerveillée de la diversité des couleurs et des formes. C'est sur la dernière d'entre elles qu'elle trouva ce qu'elle cherchait. Sur son visage, un sourire amusé s'épanouit aussitôt.

— Je pourrai voir celle-ci, s'il vous plaît ?

Judith s'empara de la montre que Charlotte lui désignait, un peu surprise par son choix, et la lui tendit.

— Combien coûte-t-elle ?

— Quarante dollars, répondit la pharmacienne en retournant la boîte. Elle est en soldes.

Charlie ne put réprimer une petite grimace de surprise. La somme excédait largement le budget auquel elle avait songé.

— Je la prends, dit-elle cependant sur un ton décidé. Vous pourriez me faire un paquet-cadeau ?

Rapide et efficace, Judith referma la vitrine et regagna son comptoir.

— Bien sûr. C'est pour un anniversaire ?

— Non. Celui à qui je la destine s'est séparé de la sienne récemment...

Judith secoua la tête.

— Désolée, dit-elle, je n'avais pas fait le rapprochement. Dans ce cas, je peux vous consentir une remise plus importante.

— Inutile, répondit Charlie en ouvrant son sac pour y prendre son chéquier. Elle est déjà soldée. De toute façon, comparé à la valeur de l'homme qui la portera bientôt, quarante dollars ce n'est pas grand-chose.

Pendant un instant, les deux femmes se regardèrent en silence. Il y avait dans leurs regards une estime et une compréhension mutuelles qui se passaient de mots.

Call City n'avait rien d'une grande cité, mais sa méconnaissance du terrain ne facilitait pas les recherches de Jim. Après être passé au poste de police, il avait décidé de partir de la maison des Schuler, en remontant vers la ville et la pharmacie, où il suspectait que Davie finirait par chercher refuge. Il lui avait semblé tout d'abord qu'en procédant ainsi il lui serait facile de dénicher le neveu de Judith. Mais après un quart d'heure de recherches infructueuses, il n'en était plus aussi sûr.

Roulant au pas le long d'une avenue sur laquelle débouchait une multitude d'allées particulières, il baissa les vitres et tendit l'oreille dans l'espoir de percevoir un grincement de roues caractéristique. Mais même au ralenti, son moteur faisait encore trop de bruit. S'il voulait avoir des chances d'aboutir, il ferait mieux de continuer à pied.

Après avoir garé la jeep sur un petit parking, il se dirigea vers une vieille femme qui jardinait à quelques mètres de là, à genoux dans une plate-bande.

— Madame, la salua-t-il en touchant le bord de son Stetson, Vous n'auriez pas vu passer Davie Dandridge, par hasard ?

La femme se redressa et repoussa son chapeau de paille sur son front.

— Qui cela ?

— Davie Dandridge, répéta Jim. Vous savez, ce jeune homme qui collecte dans un petit chariot les boîtes d'aluminium à recycler.

Le visage de la femme s'éclaira.

— Ah oui ! Le simplet... Non, je ne l'ai pas vu aujourd'hui.

Jim la salua sèchement et remonta la rue, les deux poings serrés au fond de ses poches. *Simplet.* Le mot avait jailli comme une évidence dans la bouche de cette femme, pour qualifier un être humain dont le seul tort était de ne pas être armé pour résister à la violence de ce monde. Le cœur serré, Jim se demanda si la mère de Davie avait eu le temps de comprendre que son fils ne deviendrait jamais adulte avant de le confier à l'Assistance publique. Etait-ce pour cette raison qu'elle s'était résolue à l'abandonner ?

Dès que Jim rencontrait quelqu'un sur son chemin, il le questionnait, mais personne ne semblait avoir aperçu ce jour-là le neveu de Judith ni sa carriole rouge. Il commençait à désespérer de retrouver sa trace lorsqu'aux abords d'une casse automobile, non loin des faubourgs de la ville, deux sillons parallèles creusés dans l'herbe haute du bas-côté attirèrent son attention.

Suivant la piste, il longea la palissade à claire-voie qui protégeait l'enclos, jusqu'à un endroit où quelques planches déclouées avaient formé une brèche. Un bref coup d'œil à l'intérieur lui permit de distinguer un peu plus loin, entre deux tas de vieux pneus, la carriole rouge, abandonnée dans une allée. Jim enleva son Stetson et se glissa avec prudence de l'autre côté.

La décharge n'avait rien d'un terrain de jeu, même pour un enfant d'un mètre quatre-vingt... Les épaves de voitures étaient amoncelées sur deux et parfois trois étages, en équilibre précaire. Gardant un œil prudent sur ces échafaudages branlants, Jim se fraya un chemin dans les allées étroites.

Lorsqu'il eut fini par rejoindre la carriole rouge, après bien des détours, Jim se figea sur place, tous les sens aux aguets. Il ne lui fallut pas longtemps pour entendre, quelque part sur sa droite, un bruit de pleurs étouffés. Doucement, Jim s'approcha de l'endroit d'où provenaient les sanglots. Dans une vieille Chevrolet, le visage enfoui dans ses deux bras posés sur le volant, Davie pleurait toutes les larmes de son corps.

— Hé, monsieur ! s'écria Jim après avoir pris une profonde inspiration. Je peux monter dans votre voiture ?

Effrayé par cette voix surgie de nulle part, Davie sortit en trombe de la carcasse de la Chevy, prêt à détaler. Puis il reconnut Jim et consulta d'un geste machinal son poignet. Cet homme lui avait donné sa montre... Il ne pouvait donc lui vouloir de mal. C'est alors qu'il posa les yeux sur le poing que Jim tendait devant lui, pouce en l'air. Entre ses larmes Davie eut un sourire ravi. Ce geste, il savait bien ce qu'il signifiait.

— D'accord, répondit-il, se prenant au jeu. Montez, je vous emmène.

Jim enjamba du mieux qu'il put les herbes folles qui prospéraient devant la voiture et s'installa sur le siège passager, ignorant les traces de boue et de rouille qui le maculaient.

— Belle journée pour voyager ! s'exclama-t-il lorsqu'il fut assis. N'est-ce pas, monsieur ?

Davie hocha la tête.

— Je m'en vais loin, dit-il en passant une vitesse imaginaire, le levier ayant disparu depuis longtemps.

— Pourquoi ? demanda Jim innocemment. Votre tante Judy va s'inquiéter...

Aussitôt, le sourire se fana sur les lèvres de Davie.

— Je l'aime, tante Judy..., gémit-il avant de s'effondrer de nouveau en pleurs sur le volant.

D'un bras amical glissé autour de ses épaules, Jim tenta de le réconforter.

— Dans ce cas, pourquoi vous enfuir si loin d'elle ?

— Pas si loin d'elle ! protesta Davie en relevant la tête, les yeux hagards. Loin de cet homme méchant ! Il m'a crié dessus et ce n'était pas juste, pas juste ! J'ai essayé de lui dire, mais il n'a pas écouté...

A cet instant, si Schuler avait été dans les parages, Jim n'aurait peut-être pas pu empêcher son poing de s'écraser sur le nez du banquier.

— Tu n'as plus à avoir peur maintenant, déclara-t-il. Ta tante Judy et moi avons eu une longue conversation avec

M. Schuler. Nous lui avons dit qu'il avait crié injustement sur toi, et je te promets qu'il ne recommencera plus.

Les sanglots de Davie cessèrent peu à peu.

— Il n'est plus fâché contre moi?

Jim sentit sa gorge se serrer et n'hésita qu'un bref instant. Toute vérité n'était pas bonne à dire...

— Non mon garçon, répondit-il en lui ébouriffant les cheveux. Il n'est plus fâché contre toi. Je te le promets.

Puis il sortit un mouchoir propre de sa poche et le tendit à Davie.

— A présent, essuie tes larmes et mouche-toi. Je te ramène à la maison. Tu ne voudrais pas que ta tante te voie dans cet état, n'est-ce pas?

Davie secoua la tête avec vigueur et obéit. Puis il se glissa hors de la voiture et attendit que Jim l'eut rejoint pour lui tendre la main. Jim la prit dans la sienne, profondément ému. Jamais une marque de confiance ne l'avait autant touché qu'en cet instant.

Son thé glacé à peine terminé, Charlie regarda sa montre avec anxiété. Puis, pour la millième fois depuis son arrivée dans la brasserie, elle jeta un œil par la vitrine devant laquelle elle était installée et poussa un soupir de soulagement.

Jim et Davie, main dans la main sur le trottoir d'en face, remontaient tranquillement la rue en direction de la pharmacie. Ramassant en hâte ses emplettes et son sac, elle jeta quelques pièces de monnaie sur la table et se dirigea vers la porte. Au moment où elle traversait la rue pour les rejoindre, Judith, qui avait sans doute guetté leur arrivée depuis le pas de sa porte, venait également vers eux en courant.

— Davie! s'écria-t-elle. Où étais-tu passé? Tu m'as fait tellement peur...

Sans se soucier des passants qui leur jetaient des regards curieux, elle prit son neveu dans ses bras et le serra très fort contre elle. Puis elle glissa son bras sous le sien, et tous quatre se remirent en route vers la pharmacie. Derrière eux, le grincement des roues de la petite carriole rouge formait une musique aussi familière que rassurante.

— Jim ? demanda Charlie. Où l'avez-vous retrouvé ?

Il hésita quelques secondes. Devait-il trahir ce qui était sans doute l'un des secrets les mieux gardés de Davie ? Cependant, pour sa propre sécurité, il pouvait difficilement passer ce détail sous silence.

— Dans le cimetière de voitures, à la sortie de la ville..., finit-il par avouer. Il pilotait une Chevy 1957. Il lui manquait les roues, entre autres pièces essentielles, mais je peux vous assurer que ce bolide roulait encore à vive allure...

— Davie, le gronda Judith. Tu sais que tu ne dois pas jouer dans cet endroit. C'est dangereux. Tu pourrais te blesser et personne ne t'entendrait appeler.

Les lèvres de Jim se retroussèrent en un sourire complice.

— Ne le disputez pas, protesta-t-il. Je peux vous assurer qu'il conduit prudemment et ne quitte jamais la route des yeux...

Davie hocha la tête et sourit à Jim.

— Je l'ai laissé monter dans ma voiture, tante Judy. En échange, il a bien voulu me ramener à la maison..

Charlie ravala les larmes qui lui nouaient la gorge. Imaginer Jim et Davie côte à côte dans une épave rouillée, embarqués pour un voyage imaginaire, suscitait en elle le rire autant que l'émotion. A croire que Jim possédait toutes les qualités ! Fort et courageux, il n'avait pas hésité une seconde à mettre sa vie en péril pour sauver celle de Rachel. Sensible et drôle, il savait prendre part sans mièvrerie aux jeux de sa fille et éclater de rire avec elle. Droit et honnête, il se dressait contre l'injustice et protégeait les faibles sans se soucier des hiérarchies et du respect des conventions... Et comme si tout cela ne suffisait pas déjà à faire de lui l'homme le plus formidable qu'elle eût jamais rencontré, voilà qu'elle découvrait aussi en lui une bonté naturelle et généreuse...

— Eh bien, commenta Judith, radoucie. C'est très gentil à vous de vous être occupé de lui ainsi. Je vous en suis infiniment reconnaissante.

Jim eut un sourire gêné.

— Ce n'est rien, vous savez. Cela fait partie du métier. Et puis, ce fut un plaisir pour moi aussi... Davie est un garçon formidable.

Les yeux de la pharmacienne se mirent à briller. Un muscle se contracta sur sa mâchoire.

— C'est vrai, murmura-t-elle. Mais quel dommage que tous ne partagent pas votre avis. Cela lui simplifierait tellement l'existence !

Ils étaient arrivés devant la pharmacie et Judith entraîna son neveu par le coude.

— Viens te laver les mains, Davie. Il est grand temps d'aller déjeuner à présent. Dis merci à M. Hanna de t'avoir raccompagné.

— Merci, répéta Davie, docile.

— C'est moi qui te remercie, mon garçon. Et rappelle-toi ce que nous avons dit : quand tu as un problème, plutôt que de t'enfuir au loin, parles-en aux gens qui t'aiment. D'accord ?

Davie hocha vaguement la tête, bien plus concerné par la perspective du repas à venir que par le souvenir des bonnes résolutions passées.

Jim les regarda pénétrer dans le magasin et se découvrit curieusement désemparé. Après avoir tant donné, il se sentait presque inutile, à présent que les choses rentraient dans l'ordre.

— Jim ?

Il se retourna vers Charlie qui l'appelait. Lorsqu'il découvrit ses yeux humides, il ne put résister à l'impulsion de la prendre dans ses bras pour la serrer contre lui.

— Aujourd'hui, dit-elle en se pelotonnant contre sa poitrine, vous avez rendu à Davie quelque chose de précieux.

— Que voulez-vous dire ?

— Vous lui avez rendu sa dignité. Lorsqu'on vous l'a prise, c'est un bienfait inappréciable que de la récupérer.

Conscient que ce commentaire ne concernait pas que le neveu de Judith, Jim resserra l'emprise de ses bras autour

218

d'elle. Enceinte et abandonnée, livrée au jugement des autres et à leurs sarcasmes, Charlotte avait dû, autrefois, supporter assez d'affronts pour savoir de quoi elle parlait.

Après avoir déposé un baiser dans ses cheveux, il relâcha son étreinte et la regarda dans les yeux.

— Vous êtes une femme dangereuse, Charlotte...

Frissonnante en dépit de la chaleur accablante de ce début d'après-midi, elle croisa les bras contre sa poitrine et baissa les yeux.

— Le soleil du Wyoming a dû vous taper sur le crâne, dit-elle. Je suis tout sauf dangereuse...

Jim secoua la tête.

— Vous vous trompez. Lorsqu'une femme pleure *à cause* d'un homme, c'est elle qui est en danger. Mais lorsqu'elle pleure *pour* lui, parce qu'elle a découvert à quel point il est vulnérable, il n'a plus de défenses pour se protéger.

— Ai-je percé toutes vos défenses, Jim Hanna ?

La mine de Jim s'assombrit.

— Vous en avez déjà percé beaucoup...

— Je n'en suis pas si sûre, répondit-elle. Mais à présent, vous allez me faire confiance et me suivre.

Un peu réticent, Jim lui emboîta le pas.

— Où allons-nous ?

— Manger. Après toutes ces émotions, vous devez être affamé. En tout cas, moi je le suis.

Dès qu'elle eut parlé de manger, Jim réalisa à quel point il avait faim lui aussi.

— D'accord, dit-il. Mais ensuite, il faudra que nous allions à pied récupérer ma jeep.

— Où est-elle ? demanda Charlie, surprise.

— Devant la clinique vétérinaire, sur Henson Street. Davie voulait que je lui tienne la main. Alors, nous avons marché...

Elle s'immobilisa sur le trottoir et lui fit face. Pendant quelques instants, elle plongea son regard reconnaissant dans le sien, puis se remit en marche.

— Vous venez ? proposa-t-elle doucement.

Jim fit deux pas pour la rejoindre, et saisit la main qu'elle lui tendait. Un soupir de bien-être s'échappa des lèvres de Charlie. S'il lui était impossible de savoir combien de temps cet homme resterait dans sa vie, elle était dorénavant bien décidée à profiter de sa présence aussi longtemps qu'elle le pourrait...

17.

Attablé dans la cuisine, Wade finissait d'avaler le dernier des sandwichs qu'il s'était préparés lorsqu'il entendit Charlie, Jim et Rachel pénétrer dans le hall. Dès qu'ils l'eurent tous trois salué, Jim se dirigea vers l'évier pour se rincer les mains, et Charlie conduisit sa fille dans sa chambre, afin qu'elle y joue quelques minutes avant son bain.

— Comment s'est passé votre journée ? s'enquit Wade. Avez-vous retrouvé Davie Dandridge ?

— Oui, répondit Jim en s'essuyant les mains. Mais nous n'avons pas eu autant de chance avec nos investigations à la bibliothèque.

Wade haussa les épaules.

— Parfois, dit-il sur un ton bougon, il me prend l'envie de classer bien vite toute cette affaire. Mais le flic en moi s'y refuse. J'avoue que je serais curieux de connaître l'identité de celui qui hait Victor Schuler au point de lui avoir fait subir un tel sort.

Jim opina du chef.

— Il est vrai que le personnage n'inspire pas une franche sympathie. Il a si bien réussi à terroriser Davie que le pauvre se serait enfui à l'autre bout du pays s'il l'avait pu !

— Pauvre gosse ! murmura Wade, compatissant.

Puis il contempla quelques instants son assiette d'un œil absent, avant de se résoudre à aller la rincer dans l'évier.

— Pour parler d'autre chose, reprit-il, je serai encore de

permanence au poste cette nuit. Je crois qu'il vaut mieux que je ne m'éloigne pas trop tant que les esprits ne se seront pas calmés.

— Encore ! protesta Charlie depuis le seuil. Je croyais pourtant qu'avec la réapparition de Schuler les choses étaient rentrées dans l'ordre.

Les deux hommes se retournèrent vers elle, surpris de ne pas l'avoir entendue approcher.

— C'est une longue histoire, répondit Wade.

Il s'appuya contre l'évier, les bras croisés, et poussa un long soupir.

— Vous vous rappelez d'Harold Schultz ? demanda-t-il en se tournant vers Jim. Le garagiste qui a réparé votre voiture, et que j'ai récupéré l'autre jour ivre mort au bar...

Pressentant une tranche de vie locale, Jim hocha la tête et tira une chaise pour s'y asseoir.

— Figurez-vous, reprit Wade, que ce cher homme a de nouveau été porté disparu en fin d'après-midi. J'ai eu beau répéter à sa femme qu'il devait être en train de cuver son vin quelque part, elle préfère croire que son mari a été enlevé, comme Schuler ! Comme si cela ne suffisait pas, une femme en pleurs a téléphoné au poste une demi-heure plus tard pour affirmer qu'elle venait de voir un OVNI survoler à basse altitude son jardin... Vous imaginez la suite. Une chose en amenant une autre, Mme Schultz en a conclu que des extraterrestres étaient responsables de la disparition de son mari, après celle du banquier...

Wade jeta un coup d'œil à sa montre.

— A l'heure qu'il est, reprit-il, tous les membres de la congrégation baptiste de Call City doivent être en prière au temple pour un retour rapide sur terre de notre cher vieil Harold...

— Le Seigneur ait pitié de nous ! ironisa Charlie, les mains jointes.

Jim éclata de rire.

— Vous me faites marcher, n'est-ce pas ?

— Hélas, non ! répondit Wade avec un soupir.

— Si les extraterrestres sont responsables de l'enlèvement de Schuler, reprit Charlie, comment les gens expliquent-ils cette marque au fer rouge sur sa fesse?

Avec un sourire énigmatique, Wade répondit :

— V comme Vénus, bien sûr! C'est le plus beau de l'histoire... Selon la rumeur, nous ne serions pour eux que du bétail, et ils vont tous nous marquer ainsi, avant de nous cuisiner aux petits oignons. J'ai eu beau argumenter que pour une race extraterrestre notre alphabet n'aurait guère de signification, autant essayer d'éteindre un incendie avec un dé à coudre !

— Voulez-vous que je prenne la relève? suggéra Jim. Après tout, vous avez déjà donné la nuit dernière...

— Je vous remercie, mais je pense qu'un visage familier serait préférable. Sait-on jamais? Au train où vont les choses, on pourrait bien finir par vous accuser d'être un alien infiltré.

— Et l'on n'aurait pas tout à fait tort. Je ne suis ici qu'un étranger.

— Plus maintenant! protesta Charlie.

— C'est vrai, renchérit Wade. En ce qui me concerne, si vous parvenez à convaincre ce capitaine de la police de Tulsa de vous laisser partir, je vous embauche sur-le-champ.

Jim eut du mal à dissimuler son étonnement. Certes, même s'il considérait son départ prochain comme inéluctable, il s'était demandé à plusieurs reprises ce que serait sa vie s'il restait à Call City, près de Charlie et de Rachel. Mais de là à s'engager fermement... Peu sûr de ses sentiments, il préféra temporiser.

— Shaw ne me laissera jamais partir, répondit-il sur le ton de la plaisanterie. Je vous l'ai dit : il m'adore.

Impassible, Wade lui adressa un regard grave.

— Je vous demande d'y réfléchir. Je ne plaisantais pas en vous faisant cette proposition...

Mal à l'aise, Jim se dirigea vers un placard pour y prendre un verre, qu'il alla remplir d'eau glacée au distributeur du réfrigérateur.

— Vous avez raison, reconnut-il finalement. C'est une question qui mérite d'être étudiée.

Puis il fit mine de s'absorber dans la dégustation de son verre, essayant d'ignorer le regard perplexe que Charlie posait sur lui.

— A présent, je vous laisse, conclut Wade en se dirigeant vers la porte. Si vous avez besoin de moi, vous savez où me trouver.

L'air mystérieux, il pointa son index dressé vers le ciel et éclata de rire. Jim et Charlie s'esclaffèrent avec lui, mais leur rire sonna faux.

Ils pensaient déjà à ce soir, lorsque Rachel serait couchée, et qu'ils se retrouveraient seuls face à face, en proie au doute... et au désir...

Charlie sortit de la longue douche qu'elle venait de prendre, rafraîchie et détendue. Achevant de démêler ses cheveux, elle marcha à pas de loup jusqu'à la chambre de sa fille. Couchée sur le ventre, Rachel, son pouce dans la bouche, dormait paisiblement. Attendrie, Charlie s'attarda quelques instants sur le seuil, avant de lui lancer du bout des doigts un baiser silencieux et de refermer la porte.

Au bout du couloir, le bruit caractéristique d'un journal que l'on feuillette couvrait de temps à autre le ronron d'un programme de télévision. Un sourire amusé se dessina sur les lèvres de Charlie. Les hommes! songea-t-elle. Toujours à essayer de faire deux choses en même temps...

Sur le point de pénétrer dans le salon, elle se figea et contempla d'un œil perplexe le pyjama de soie qu'elle enfilait chaque soir pour passer la soirée avant d'aller se coucher. Devait-elle, en raison de la présence de Jim, se résoudre à aller s'habiller autrement? Puis, estimant qu'elle ne serait pas vêtue de manière plus décente avec un jean et un T-shirt, elle pénétra dans la pièce, saisissant au passage sur une étagère sa boîte à couture.

Lorsqu'elle se fut assise dans le fauteuil près de la fenêtre, et qu'elle eut allumé la petite lampe, Jim releva les yeux de son journal. Il ne lui fallut pas plus que ce bref regard pour noter l'aspect soyeux de sa tenue, qui soulignait la courbe sensuelle de ses formes, et dégageait sa gorge d'albâtre tandis qu'elle se penchait vers la boîte à ses pieds pour y prendre son ouvrage.

Dieu qu'elle était belle ! Plus que jamais, il se sentit écartelé entre la force de son désir et la crainte de s'engager. Depuis le départ de Wade, il était resté mal à l'aise et tendu, incapable d'envisager sans crainte la petite soirée « en famille » qui les attendait. Juste lui, Charlotte et Rachel. Le papa, la maman et le bébé... C'était presque trop beau. Et il était loin d'être sûr de pouvoir remplir sans faiblir le rôle qui lui était assigné.

Avec un petit soupir, Jim s'efforça de se concentrer sur l'article de journal, dont il relisait le premier paragraphe pour la troisième fois. Mais il eut beau s'appliquer, la présence de Charlie près de lui attirait son regard comme un aimant. Les doux effluves de savon et de lait de toilette qui lui parvenaient étaient si tentants...

Jim était en train de la fixer. Charlie pouvait sentir de manière presque physique la chaleur du regard dont il la couvait. Pour rien au monde, cependant, elle n'aurait relevé les yeux. Sans pouvoir s'en défendre, elle redoutait ce qui pourrait alors advenir. Et avec la même force, elle ne pouvait s'empêcher de l'espérer...

Plusieurs événements les avaient rapprochés l'un de l'autre, au cours de cette journée. Pourtant, il lui en coûtait de faire le premier pas. Pourtant, lorsque l'envie d'entendre le son de sa voix se fit trop pressante, elle reposa son ouvrage sur ses genoux.

— Jim ?

Il leva les yeux de son journal avec une telle rapidité

que Charlie comprit qu'il ne devait pas être plongé très profondément dans sa lecture.

— Oui ?

— Pourquoi à votre avis certaines personnes sont-elles si méchantes ?

A l'évidence, elle pensait à Victor Schuler, mais Jim, lui, ne manqua pas de songer aussitôt au tortionnaire que son père avait été pour lui dans son enfance.

— Je ne sais pas, répondit-il vaguement.

— Je veux dire, insista Charlotte, pensez-vous qu'ils sont nés ainsi ou que c'est la vie qui les a transformés ?

Jim soupira. De toute évidence, elle ne semblait pas décidée à le laisser s'en tirer à si bon compte.

— Peut-être un peu des deux ? hasarda-t-il. Et vous, qu'en pensez-vous ?

Des rides de concentration apparurent sur le front de Charlotte. Après un soupir, elle piqua son aiguille dans le vêtement qu'elle était en train de repriser et étendit les jambes devant elle.

— Je crois que c'est la vie qui est responsable, déclara-t-elle. J'ai du mal à croire que les bébés, qui sont de tels anges tombés du ciel à la naissance, puissent être vicieux ou méchants d'une manière ou d'une autre. C'est ce qui leur arrive *après* qui déforme leurs âmes et leur rogne les ailes...

Sans crier gare, un brouillard de larmes envahit les yeux de Jim et il dut fixer son attention sur un gros titre pour ne pas se mettre à pleurer. Il avait beau faire un effort, il avait du mal à se représenter son propre père dans le rôle d'un ange, même déchu... Au beau milieu de l'enfer dans lequel il avait vécu, il n'avait jamais pu voir en lui qu'un démon.

— Voilà sans doute pourquoi vous êtes si gentille, répondit-il, sur la défensive. En dépit de quelques désagréments, je crois que la vie s'est toujours montrée plutôt clémente à votre égard.

— Dans votre bouche, murmura-t-elle, visiblement blessée, cette remarque sonne presque comme un reproche...

Touché, Jim laissa son journal retomber sur ses genoux.

Alors qu'il était tombé sous le charme à son arrivée, pourquoi fallait-il qu'il se montre tout à coup aussi désagréable avec elle ?

— Vous avez raison, reconnut-il en se levant. C'est vous qui êtes dans le vrai, Charlotte. Et moi je ne suis qu'un idiot.

Furieux contre lui-même, il avait déjà gagné la porte et s'apprêtait à sortir lorsqu'elle le rappela.

— Jim, je vous en prie... Restez.

Il poussa un soupir, enfouit ses mains dans ses poches pour les empêcher de trembler, et se retourna.

— Pour quoi faire ? demanda-t-il sur un ton las. Pour que je continue à me passer les nerfs sur vous ?

A son tour, Charlie se leva et le rejoignit. Tendrement, elle lui prit la main pour l'attirer dans la pièce, jusqu'à ce qu'il capitule et accepte de se rasseoir.

— D'accord, dit-il. Et maintenant, que faisons-nous ?

— Parlez-moi... Parlez-moi de vous.

Les mâchoires de Jim se crispèrent. En temps ordinaire, il n'était déjà pas facile pour lui de se laisser aller à la confidence. Alors ce soir... Mais il y avait sur le visage de Charlotte une telle attention, et dans le ton de sa voix un tel calme et une telle fermeté, qu'il ne se sentait pas le courage de lui faire de nouveau mal.

— Que voulez-vous savoir ?

— Pour commencer, quel âge avez-vous ? Où avez-vous grandi ? Pourquoi ne vous êtes-vous jamais marié ?

Une expression amère assombrit les traits de Jim. Il répondit en rafale, d'une voix sèche :

— Trente-trois ans. Boyington, Kentucky. Jamais trouvé la femme adéquate.

Moqueuse, Charlie joignit ses deux mains contre sa poitrine, comme si elle venait d'assister à un petit miracle.

— Vous voyez, dit-elle avec un sourire. Ce n'était pas si difficile... Si ?

Jim se mit à rire, mais son rire sonnait faux. Quelque chose lui disait que l'interrogatoire ne faisait que commencer. Mais cette fois, les rôles étaient inversés, et c'était de lui que les réponses étaient exigées...

— Avez-vous déjà été fiancé?

— Jamais.

Penchée en avant, les coudes posés sur les genoux, Charlie le considéra de la tête aux pieds.

— Alors, les femmes de Tulsa doivent être aveugles. Ou folles... Quels sont vos passe-temps favoris?

Jim poussa un profond soupir. Même si la vérité n'était guère à son avantage, il la lui devait. Autant qu'elle sache tout de suite à quoi s'en tenir à son sujet.

— Je n'en ai pas.

— Que voulez-vous dire? insista-t-elle. Que vous n'avez guère de temps libre ou que vous ne savez pas comment l'occuper?

Mal à l'aise, Jim s'agita sur son siège.

— Par pitié, Charlotte! s'exclama-t-il, exaspéré. Pourquoi couper ainsi les cheveux en quatre?

— Parce que je n'ai jamais fait l'amour avec un homme sans le connaître, et que je n'ai pas l'intention de commencer aujourd'hui...

Jim tressaillit, trop ébahi pour rétorquer quoi que ce fût. Si les femmes de Tulsa étaient aveugles, songea-t-il cependant, il fallait croire que les hommes du Wyoming l'étaient aussi, pour n'avoir pas su voir la beauté d'une telle femme...

Charlie, quant à elle, était loin de ressentir la tranquille assurance que ses paroles exprimaient. Le silence obstiné de Jim, sa mauvaise volonté évidente à lui répondre, la mettaient sur des charbons ardents. Un peu rougissante, elle choisit néanmoins de poursuivre sur sa lancée. Au point où elle en était, il lui aurait été difficile de reculer!

— Ce que vous êtes en train de me dire, reprit-elle, c'est que vous ne vous accordez jamais aucune détente, jamais aucun plaisir?

Comme un gamin pris en faute, Jim baissa les yeux et bougonna:

— C'est vous qui le dites, Charlotte. Pas moi...

Rêveuse, elle se tapota le menton du bout de l'index avant de se lever, l'air décidé, et de lui prendre la main. Jim posa sur elle un regard étonné.

— Où allons-nous?

— Jouer, répondit-elle sur un ton qui n'admettait aucune réplique. C'est encore le meilleur remède que l'on ait trouvé pour guérir les enfants blessés...

Les cheveux de Charlotte étaient trempés. Un filet de transpiration dévalait le long de sa colonne vertébrale, et la soie de son pyjama lui collait à la peau. Sur son épaule, la grosse main de Jim avait laissé une empreinte. Un souvenir de l'ultime tentative qu'il avait faite pour l'empêcher de se frayer un chemin victorieux jusqu'au panier.

— Cela vous suffit? demanda-t-elle en faisant rebondir devant elle le gros ballon de basket.

Plié en deux, les mains posées sur les genoux, Jim tentait désespérément de recouvrer son souffle. Il avait les jambes en compote, et la sueur lui brûlait les yeux. Charlie, pour sa part, ne paraissait pas aussi éprouvée par le match acharné qui venait de les opposer. Il y avait même dans son regard une lueur vindicative qui prouvait que, pour rien au monde, elle n'aurait capitulé. Soudain, une douleur fulgurante irradia dans le côté droit de Jim. Vaincu, il se laissa tomber dans l'herbe derrière lui.

— Moi, je n'appelle pas ça « jouer »! grommela-t-il.

Sur les lèvres de Charlie, un sourire satisfait apparut. Il était toujours d'humeur massacrante, mais elle avait su au moins capter son attention... Sans bouger de son emplacement, les pieds joints, elle lança une dernière fois avec succès le ballon dans le panier et le laissa rebondir longuement sur le macadam de la cour. Puis, contente d'elle, elle rejoignit Jim et s'assit à côté de lui.

— Vous vous sentez comment?

Jim grimaça.

— Je vous dirai ça demain...

— Cela signifie-t-il que vous déclarez forfait pour la troisième mi-temps?

Surpris, Jim releva les yeux. Il y avait dans le regard de

Charlie une lueur de provocation si évidente qu'il ne put s'empêcher de rire. Alors qu'une minute auparavant il s'était cru à deux doigts de rendre l'âme, il découvrait soudain avec étonnement à quel point il se sentait bien. Pas dans son corps, toujours aussi fourbu, mais quelque part au fond de son cœur, dans cette partie secrète de lui-même qui ne parvenait jamais à se détendre tout à fait.

Comme un chat qui joue, il se jeta sur elle et la saisit aux épaules pour la clouer au sol. Allongé de tout son long sur son corps, son poids reposant sur ses coudes plantés dans l'herbe, il la contempla un moment en silence. Sous l'intensité de ce regard, Charlie sentit ses joues s'empourprer.

— Vous jouez avec le feu, murmura-t-il, la voix rauque. Aucun homme ne se laisserait défier ainsi sans réagir.

Lentement, il se pencha sur elle pour l'embrasser, mais Charlie se pinça aussitôt le nez.

— Pouah! s'exclama-t-elle en détournant la tête. Vous sentez le fauve...

Jim sourit.

— Je ne suis pas le seul dans ce cas, vous savez.

— Puisque je vous ai battu, reprit-elle fièrement, je revendique le droit de passer à la douche la première...

Le sourire de Jim s'élargit et il se laissa rouler sur le côté avant de se relever.

— Vous êtes sûre de vouloir la première douche? demanda-t-il en s'éloignant en direction de la maison.

— Bien sûr! répondit-elle sur un ton de défi. Vous n'êtes pas d'accord?

S'immobilisant à l'angle du bâtiment, Jim se retourna vers elle, un sourire énigmatique au coin des lèvres.

— Vous êtes vraiment sûre de vouloir la première douche?

— Comment faut-il vous le dire? Oui, je veux passer à la douche la première!

Songeant qu'il voulait la prendre de vitesse, Charlie s'empressa de se relever. Mais alors qu'elle achevait de se redresser pour courir vers lui, un puissant jet d'eau glacée vint la percuter de plein fouet.

— Jim ! cria-t-elle en essayant sans succès de protéger de ses mains. Arrêtez, je vous en supplie... C'est trop froid !

Pour tenter de lui échapper, elle se mit à courir, mais déjà il l'avait rejointe et, insensible à ses cris, dirigeait sur son dos le tuyau d'arrosage.

— Par votre faute, cria-t-il, j'en suis réduit aux douches glacées depuis mon arrivée dans cette maison. Vous allez voir : on n'en meurt pas...

En dépit de ses efforts désespérés, Charlie était prise au piège. Elle eut beau essayer de se protéger derrière sa voiture, puis derrière un arbre, Jim parvenait toujours à contourner l'obstacle pour l'asperger. Et quand elle crut trouver une ouverture pour s'enfuir en direction de la maison, elle en fut punie par un jet en pleine figure qui la fit suffoquer. C'en était trop ! Ce qu'elle voulait à présent, ce n'était plus seulement échapper au supplice. Ce qu'elle voulait, c'était se venger... Et elle savait exactement comment s'y prendre pour y parvenir.

Rassemblant tout son courage, elle se retourna pour lui faire face. Alors, avec un sourire vengeur et une lenteur calculée, elle déboutonna sa veste de pyjama trempée. Aussitôt, elle vit le regard de Jim devenir fixe. Et lorsqu'elle jeta son vêtement sur un buisson tout proche, il lâcha la lance d'arrosage. Avec satisfaction, elle regarda le petit ruisseau déversé par le tuyau se perdre sur le bas-côté de l'allée. Il était temps à présent de passer à la deuxième phase de son plan...

Ravie, et sans le moindre sentiment de honte, Charlie comprit que Jim ne pouvait détacher ses yeux mi-clos de ses seins, durcis par le désir et la fraîcheur de la nuit. Sans le quitter des yeux, elle passa ses deux pouces sous la ceinture élastique de son pantalon et se mit en marche vers lui. Ondulant des hanches, elle fit glisser le vêtement un peu plus à chaque pas. Puis, quand elle ne fut plus qu'à quelques mètres, elle laissa faire la courbe naturelle de ses jambes. Enfin, entièrement nue et livrée à lui, elle se trouva assez proche pour sentir sur sa joue son souffle précipité.

Le visage levé vers Jim, elle se colla contre son corps, et le sentit tressaillir. Il émit un petit soupir plaintif, ferma les yeux. Puis, comme s'il se résignait à l'inévitable, il se pencha vers elle et s'empara de sa bouche.

— Vous avez gagné, murmura-t-il contre ses lèvres en refermant les bras autour d'elle.

Alors, avec une rapidité stupéfiante, Charlie se baissa pour se dérober à l'étreinte et ramasser sur le sol la lance d'arrosage. En moins de temps qu'il n'en faut pour le dire, elle la dirigea vers lui avec un rire de triomphe.

— Vous ne croyez pas si bien dire! s'écria-t-elle. Et puisque vous aimez les douches froides, vous allez être servi!

Soufflant et pestant, Jim sentit le jet l'asperger de haut en bas. A son tour, il essaya de se protéger de ses mains tendues devant lui.

— Vous me le paierez! cria-t-il d'une voix rauque en se tournant pour tenter d'échapper à la force du jet.

Mais à ce petit jeu, Charlie était aussi douée que lui, et elle ne lui laissa pas une seconde de répit. Quelques minutes plus tard, il se tourna vers elle, trempé comme une soupe, et leva très haut les mains au-dessus de sa tête.

— Arrêtez! supplia-t-il. Je me rends... Quel est mon gage?

Très sérieuse tout à coup, Charlie revissa l'embout de la lance pour couper l'arrivée d'eau.

— Votre gage? demanda-t-elle. Dites-moi la vérité: pourquoi craindre à ce point de vous laisser aller à jouer?

Le premier instant de surprise passé, Jim laissa un long soupir s'échapper de ses lèvres et secoua la tête d'un air accablé. Elle n'en aurait donc jamais fini de le tourmenter? Apparemment disposée à ne pas bouger d'un pouce tant qu'il ne lui aurait pas répondu, elle se tenait les bras croisés devant lui et lui barrait le passage vers la maison. Alors, la tête basse et la voix presque inaudible, il lui fit un aveu qu'il ne s'était jamais autorisé à formuler, y compris à lui-même.

— J'ai renoncé à jouer parce que le moindre bruit rendait

Joe Hanna fou de colère. Et même quand je n'en étais pas la cause, sa colère retombait toujours sur moi...

Charlie découvrit sur le visage de Jim la même expression d'infinie douleur qu'il avait eue le jour où il leur avait avoué, à elle et à Wade, le calvaire subi durant son enfance. De tout son être, de tout son cœur, elle se sentit fondre d'amour pour lui.

— Jim..., murmura-t-elle en se portant à sa rencontre. Je suis tellement désolée...

— Vous n'y êtes pour rien! répondit-il, un peu gêné.

— Vous avez mille fois raison. Je n'y suis pour rien. Aussi, la prochaine fois que je vous offrirai mon amour, je vous en prie, ne le refusez pas... Je ne veux en aucune façon vous piéger, vous emprisonner, vous faire souffrir. En fait, voilà des jours que j'essaie de vous aimer, mais vous ne me facilitez guère la tâche. C'est vrai, je suis moi-même à demi morte de peur à l'idée d'accorder de nouveau ma confiance à un homme. Pourtant, j'ai un avantage sur vous.

— Lequel?

— Je sais que, lorsque vous refusez l'amour qu'on vous donne parce que l'on a un jour abusé de votre confiance, vous ne faites que renforcer la victoire de celui qui vous a fait du mal...

Jim se figea. Quelque chose en lui, comme un arc depuis trop longtemps comprimé, venait enfin de se détendre. Il avait suffi à Charlotte de quelques mots bien choisis pour le délivrer d'un très ancien maléfice. Un maléfice qui s'était abattu sur lui bien des années auparavant, au fond d'une cave humide, au cours d'une nuit de colère et de terreur. Un maléfice qui depuis cette nuit-là l'empêchait de vivre vraiment.

— Charlotte?

— Oui, Jim...

— Si je vous le demandais, voudriez-vous faire l'amour avec moi?

Charlotte sentit un frisson glisser le long de sa colonne vertébrale, et la fraîcheur nocturne était loin d'en être la seule cause.

— Si vous me le demandiez, répondit-elle en soutenant bravement son regard, je crois que je répondrais oui...

Un sourire rayonnant illumina les traits de Jim.

— Charlotte?

Frémissante, elle se pelotonna contre lui.

— Oui, Jim?

— Voulez-vous faire l'amour avec moi?

Pour toute réponse, elle s'écarta et lui tendit la main en souriant. Main dans la main, ils se hâtèrent en direction de la maison. Entre la porte d'entrée et celle de la chambre de Charlotte, Jim se débarrassa de ses vêtements trempés. Sur le seuil, en un rite nuptial, il la prit dans ses bras pour la porter jusqu'à son lit. Puis, après avoir fermé la porte à clé, il se retourna vers elle et s'adossa, nu, contre le chambranle.

— Nous y voilà, murmura-t-il, les yeux brillants et le souffle court. A présent, mon amour, il n'y a plus que toi et moi!

18.

Jim terminait sa première tasse de café lorsque Charlie pénétra dans la cuisine. Reposant aussitôt sa tasse sur la table, il se tourna vers elle et lui ouvrit les bras. Après avoir pris soin de dissimuler dans son dos le petit paquet qu'elle lui destinait, Charlie s'assit sur ses genoux et se laissa embrasser, goûtant sur ses lèvres l'arôme profond du café.

— C'est moi qui t'ai réveillée? demanda-t-il.

— Le *manque* de toi, rectifia-t-elle... Dormir auprès d'un corps si tendre et si chaud est un plaisir que je ne connaissais pas.

Surpris, Jim haussa les sourcils.

— Vous n'avez jamais dormi ensemble, toi et...

— Non, répondit-elle, sans même lui laisser le temps de terminer sa phrase. Pete n'était pas du genre à rester auprès de ses conquêtes après avoir couché avec elles.

D'un geste tendre, Jim lui caressa les cheveux et baissa la tête pour l'embrasser dans le cou.

— Désolé d'avoir réveillé de mauvais souvenirs...

— Ce n'est rien. Après une telle nuit, il n'y a plus place en moi que pour les bons souvenirs. D'un point de vue strictement féminin, Jim Hanna, vous n'êtes pas loin d'atteindre la perfection dans tous les domaines...

Les paupières baissées, Jim fit mine d'être embarrassé par le compliment.

— Vous êtes trop bonne, madame... Tout le plaisir était pour moi.

— Ce n'est pas le souvenir que j'en garde, dit-elle en souriant. Ce plaisir-là, il me semble en avoir eu plus que ma part...

Après avoir caressé distraitement le ventre nu de Jim, elle glissa deux doigts dans la ceinture de son pantalon et l'attira plus près d'elle.

— J'ai quelque chose pour toi, murmura-t-elle d'une voix pleine de promesses.

Le sourire de Jim s'élargit.

— Encore ?

— Non, idiot, pas ça ! Ouvre la main, ferme les yeux...

— Pardon ?

— Fais-moi confiance...

Jim fit ce qu'elle lui demandait, et lorsqu'il rouvrit les paupières, la vision du petit paquet oblong emballé avec soin lui arracha un sourire ravi.

— Qu'est-ce que c'est ? demanda-t-il en le secouant près de son oreille.

— Ouvre, tu verras...

Aussi excité qu'un enfant au matin de Noël, Jim fit un sort au papier cadeau. Dès qu'il eut ouvert la boîte et que ses yeux se furent posés sur ce qu'elle contenait, son sourire se figea et ses yeux se troublèrent.

— Elle te plaît ? s'enquit Charlotte en lui passant la montre au poignet, un peu inquiète de son manque d'enthousiasme.

— Mickey Mouse..., murmura-t-il, consterné.

A présent convaincue d'avoir fait le mauvais choix, Charlie tenta de se justifier.

— Je sais que pour un homme c'est un peu... Mais je me disais qu'un peu de fantaisie dans ta vie...

— Quand j'étais petit, confia Jim, l'air bouleversé, un concours avait été organisé dans ma classe. Il s'agissait de financer un voyage de fin d'année. Tous les élèves avaient reçu pour mission de vendre un maximum de barres choco-

236

latées dans leur entourage. Celui qui en vendrait le plus recevrait en récompense une montre Mickey Mouse. J'ai tout de suite décidé que cette montre serait à moi. Je crois que de ma courte vie je n'avais encore jamais désiré une chose à ce point...

Pour l'encourager à poursuivre son récit, Charlie lui caressa le dos du bout des doigts. Ce passé douloureux, Jim ne pourrait sans doute jamais l'effacer. Pourtant, il paraissait à présent plus facile pour lui de s'en ouvrir à elle. En soi, ce petit progrès constituait un grand pas sur la voie de la guérison.

— J'ai arpenté sans relâche toutes les rues de la ville, jour après jour après l'école, week-end après week-end. Tant et si bien que, à la veille de la date fatidique, j'avais réussi à vendre dix-sept boîtes de barres chocolatées.

Fasciné, Jim éleva son poignet jusqu'à ses yeux pour mieux observer sa nouvelle montre. Sur le cadran, la petite souris noire aux grandes oreilles riait gaiement dans son pantalon rouge trop large. Chaque fois que la trotteuse passait le cap de la minute, elle lui adressait un clin d'œil complice...

— Je savais que j'avais gagné, reprit-il après s'être éclairci la gorge. Mon concurrent le plus sérieux n'avait vendu que douze boîtes. La nuit précédant la remise de l'argent au professeur, j'ai eu bien du mal à m'endormir. Vingt fois je me suis relevé pour vérifier que les billets étaient toujours à leur place, dans le tiroir de la commode. Et quand j'ai fini par sombrer dans le sommeil, je me voyais déjà en rêve parader fièrement devant tous mes copains, la montre au poignet.

Avec un soupir, Jim écrasa une larme sur sa joue. Devinant déjà l'issue de son récit, Charlie posa sa joue contre son épaule. Aurait-elle un jour assez d'amour et de tendresse pour éteindre cette douleur, cette colère sans fond qui bouillonnaient en lui ?

Ce fut d'une voix atone, dénuée de toute tristesse et de toute passion, que Jim acheva son récit.

— Le lendemain, j'ai tout de suite compris en découvrant le tiroir ouvert de la commode que l'argent n'y était plus. Mon père aussi avait disparu. Je n'ai pas osé me montrer à l'école. Toute la journée, je l'ai attendu. Lorsqu'il est rentré, ivre mort, il ne lui restait plus un dollar de mon petit trésor. J'étais tellement en colère que pour la première fois j'ai osé crier contre lui et le maudire sans me soucier des conséquences. Mais il était si soûl qu'il ne m'a même pas battu. Du moins, pas ce soir-là...

— Que s'est-il passé à l'école?

— J'ai eu de gros ennuis. Bien sûr, il était hors de question pour moi que j'avoue ce qui s'était réellement passé. J'ai préféré me taire, ne donner aucune explication, et tout le monde a cru que j'avais volé l'argent. J'avais neuf ans. J'ai passé tout un semestre à nettoyer les toilettes de l'école. Et j'ai perdu par la même occasion la confiance et l'amitié des rares camarades de classe que j'avais.

Sa confession achevée, Jim fut surpris de constater à quel point il se sentait soulagé. D'habitude, la seule évocation de ce souvenir suffisait à le plonger dans une mélancolie noire durant des jours.

Sans même se soucier de sécher les larmes qui perlaient à ses paupières, il releva la tête et eut le souffle coupé par la beauté de Charlie. A cette heure matinale, décoiffée et dépourvue de tout apprêt, elle était encore plus belle et désirable qu'elle ne l'avait jamais été.

— Je serais bien incapable, dit-il sur un ton bourru, d'exprimer ce que je ressens juste à l'instant. Mais je peux t'assurer que même si tu devais me battre au basket des milliers de fois, cela n'atténuerait en rien mon bonheur...

— Merci Mickey Mouse, répondit-elle avec un petit sourire rêveur.

Jim se leva et prit Charlie par la main. Il était encore très tôt. Rachel ne se réveillerait sans doute pas avant au moins une heure. Pourquoi n'en profiteraient-ils pas pour prolonger leur trop courte nuit d'amour?

— Merci surtout à toi, chuchota-t-il en l'entraînant vers sa chambre.

Puis, comme s'il lui fallait s'habituer à ces mots tout neufs qu'il n'avait encore jamais réussi à prononcer, il balbutia :

— Je... je t'aime, Charlotte. Je t'aime tant que cela m'effraie..

Charlie jeta autour d'elle des regards étonnés, comme pour s'assurer qu'elle ne rêvait pas. Mais non : ils étaient dans sa chambre, allongés sur son lit, et ils allaient faire l'amour, encore une fois.

— Je sais, Jim..., répondit-elle d'une voix voilée par l'émotion. Moi aussi je t'aime. Et moi aussi, j'ai peur...

Le cœur léger, Jim sortit du poste de police pour rejoindre Wade à la brasserie où ils s'étaient donné rendez-vous pour déjeuner. Après deux jours de folie, le chef de la police de Call City et son adjoint goûtaient un repos mérité.

L'affaire Schuler était au point mort. Quant à la rumeur d'une invasion extraterrestre imminente, elle avait fini par s'éteindre d'elle-même. Aussi subitement qu'il s'était volatilisé, Harold Schultz était réapparu chez lui... Tout penaud, il avait marmonné à sa femme de vagues explications. Celle-ci, avisant son habituelle mine de papier mâché des lendemains de cuite, s'était bien gardée de vérifier s'il portait la lettre V des envahisseurs marquée sur la fesse droite...

Pour Jim et Charlie, ces deux jours avaient été ceux du bonheur incertain et d'une crainte vague de l'avenir. Chaque matin, Jim se découvrait un peu plus amoureux que la veille et se maudissait de ne parvenir à se décider. Charlotte, quant à elle, se gardait bien d'intervenir de quelque manière que ce fût, pour ne pas interférer dans ses choix. Pourtant, Jim n'avait nul besoin d'être fin psychologue pour deviner au fond de ses yeux sa crainte qu'ils aient un jour à se dire adieu.

Mais aujourd'hui, il savait que ces doutes et ces peurs appartenaient au passé. Aujourd'hui, Jim avait enfin pris sa décision. La conversation téléphonique qu'il venait d'avoir avec le capitaine Roger Shaw tirait un trait définitif sur tout un pan de son existence. Patiemment, Jim avait attendu que le chef de la police de Tulsa eût épuisé son répertoire d'insultes irlandaises, puis il lui avait répété que, quoi qu'il arrive, il ne changerait jamais d'avis, et lui enverrait bien sa démission écrite avant la fin de la journée.

A présent, tout ce qu'il avait à faire, c'était de rappeler à Wade la promesse qu'il lui avait faite de l'embaucher. Il lui faudrait aussi demander à Charlie si elle était prête à le supporter encore pendant les soixante ans à venir. Mais cela, à la lumière des derniers événements, ne semblait être qu'une formalité...

C'est donc heureux comme il ne l'avait encore jamais été que Jim traversa la rue qui séparait le poste de police de la brasserie. Mais avant qu'il ait pu pousser la porte de l'établissement, il entendit quelqu'un l'appeler, et se retourna pour découvrir Davie qui se hâtait dans sa direction, sa carriole pleine à ras bord grinçant derrière lui.

— Quelles nouvelles, mon garçon ? lui demanda-t-il avec chaleur.

Tout excité, Davie pointa du doigt sa cargaison.

— Canettes ! Beaucoup de canettes !

— Très bien ! approuva Jim avec respect. Que vas-tu faire de tout l'argent que tu vas en tirer ?

Davie regarda le ciel avec une moue pensive, puis répondit, l'air soudain mystérieux :

— Quelque chose...

Jim se mit à rire.

— Tu veux garder ton secret ? Tu as bien raison. Tu es assez grand pour cela, pas vrai ?

Dans les yeux de Davie s'alluma une lueur de fierté.

— Oui, je suis très grand. Tante Judy m'a même laissé me servir de son briquet pour brûler les habits de l'homme nu...

Jim avait entendu les mots, en avait compris le sens, et pourtant il lui fallut un petit moment avant d'en tirer les implications. Pour se donner le temps de la réflexion, il prit

une grande inspiration et fit mine de s'intéresser au chargement de Davie. Mais il eut beau retourner le problème en
tous sens, plus il y pensait, plus il avait la certitude que le
mystère de l'enlèvement de Victor Schuler venait de
s'éclaircir d'une façon très inattendue.

— Ainsi, reprit-il avec circonspection, c'est toi qui as
brûlé les habits de l'homme nu ?

Davie hocha la tête à contrecœur, visiblement conscient
d'avoir révélé sans le vouloir un secret qu'il avait promis de
garder.

— Maintenant je dois aller manger ! dit-il en saisissant le
timon de sa charrette.

Avant qu'il ait pu s'éclipser, Jim le retint par la manche.

— C'est là que tu as trouvé la montre que tu as dû rendre
à Victor Schuler, n'est-ce pas ? Dans les vêtements que ta
tante Judy t'a demandé de brûler ?

— Je ne peux pas vous le dire ! protesta Davie en tentant
de se dégager. C'est un secret !

Jim se sentit soudain à deux doigts de la nausée. S'il lui
était arrivé, au cours de son enquête, de suspecter l'un ou
l'autre des habitants de Call City, jamais il ne se serait
attendu à trouver au bout de l'énigme deux des êtres qu'il
avait appris à admirer et à aimer depuis son arrivée dans la
petite cité.

— Ça va, mon garçon, murmura-t-il en relâchant sa
manche. Rentre chez toi maintenant. Ta tante Judy t'attend
sans doute pour déjeuner.

Davie parut aussi surpris que soulagé.

— Oui, merci, répondit-il en se précipitant vers la chaussée. Manger. Je vais manger maintenant.

— Eh, Davie ! appela Jim dans son dos.

Lorsqu'il se retourna vers lui, son visage irradiait une telle
innocence que Jim sentit sa gorge se serrer.

— Tu oublies de regarder à droite et à gauche avant de
traverser.

— Oh, c'est vrai ! s'exclama Davie. Je vais faire attention, promis !

Tant qu'il n'eut pas gagné sans encombre le trottoir opposé, Jim ne le quitta pas du regard. Alors seulement, il se détourna et poussa la porte de la brasserie en soupirant. Maintenant, il ne lui restait plus qu'à partager la nouvelle avec Wade. Ainsi ne serait-il pas le seul à qui elle aurait coupé l'appétit.

Wade leva les yeux de son assiette où s'étalait une épaisse entrecôte à peine entamée.

— Je n'ai pas pu attendre, dit-il à Jim d'un air coupable.

— Je vois, répondit celui-ci, la mine sombre, en s'asseyant de l'autre côté de la table.

Puis il se pencha au-dessus des assiettes et baissa la voix, de manière à ne pas être entendu des tables voisines.

— Nous avons un problème...

Wade fit descendre la bouchée qu'il mâchait avec une gorgée de bière.

— Ça faisait longtemps, soupira-t-il en essuyant la mousse qui s'était déposée sur sa moustache. Les extraterrestres sont revenus ?

Jim secoua la tête.

— Si ce n'était que ça ! Il s'agit des ravisseurs de Schuler... Ils sont à la pharmacie, de l'autre côté de la rue...

— Bon Dieu ! s'écria Wade en faisant mine de se lever.

Puis, avisant le regard choqué que lui adressaient deux vieilles dames à une table voisine, il s'excusa auprès d'elles de son écart de langage en soulevant le bord de son chapeau.

— Bon Dieu ! répéta-t-il un ton plus bas, en se rasseyant. Qu'est-ce que vous me chantez là ?

Avisant une serveuse qui passait non loin de leur table, Jim la héla.

— Je ne prendrai rien, annonça-t-il lorsqu'elle les eut rejoints. Quant à mon chef, il va avoir besoin de sa note.

Lorsqu'elle se fut éclipsée, l'esprit de Wade avait eu le temps d'analyser les propos sibyllins de Jim.

— S'agit-il d'une prise d'otages ? demanda-t-il d'une

voix pressante. Dois-je demander des renforts à la police d'Etat ?

— Attendons d'être dehors, marmonna Jim entre ses dents. Nous ne pouvons prendre le risque d'une fuite. Cela se saura bien assez tôt en ville. Pas la peine de précipiter le mouvement.

N'y tenant plus, Wade jeta en hâte quelques billets sur la table sans attendre la note, et se dirigea vers la sortie.

— Je viens de parler à Davie, annonça Jim dès qu'ils furent à l'extérieur. Nous parlions de choses et d'autres, de secrets entre autres, quand il a lâché accidentellement une phrase stupéfiante...

— Laquelle ?

— « Tante Judy m'a même laissé me servir de son briquet pour brûler les habits de l'homme nu... »

Sous le choc, Wade demeura bouche bée. Certain qu'il avait, lui aussi, tiré la conclusion qu'impliquaient ces paroles, Jim poursuivit :

— Je lui ai demandé si c'était dans ces vêtements-là qu'il avait trouvé la montre de Schuler.

— Qu'a-t-il répondu ?

— Il a pris peur et a voulu partir. Sans doute a-t-il réalisé qu'il venait de trahir un secret. Je l'ai laissé filer. Qu'ils puissent au moins avoir un dernier repas tranquille tous les deux...

Le visage crispé, Wade se passa une main sur le front, puis se gratta la tête.

— Honnêtement, Jim, je ne sais pas quoi faire... Nous pourrions aller chercher Davie pour l'interroger, mais à quoi cela servirait-il ? Aux yeux de la loi, il est irresponsable et ses aveux n'auraient aucune valeur juridique.

— Vous oubliez sa tante, répondit Jim, maussade. Si nous embarquons son neveu pour interrogatoire, je peux vous garantir qu'elle viendra elle aussi pour le protéger. La connaissant, elle aura même avoué toute la vérité avant que Davie ait pu souffrir d'une manière ou d'une autre de la situation...

Wade hocha la tête.

— Vous avez raison.

— Alors, il ne nous reste plus qu'à faire notre devoir...

En découvrant les deux policiers devant son comptoir, Judith comprit tout de suite que quelque chose n'allait pas. Elle n'avait jamais vu Wade Franklin aussi pâle. Jim Hanna, quant à lui, ne quittait pas des yeux Davie, qui dévorait un sandwich avec gourmandise dans l'arrière-boutique.

Soudain, elle fut certaine qu'ils étaient au courant de ce qui s'était passé. Surprise qu'ils aient pu découvrir la vérité, elle n'en ressentit pas moins un étrange soulagement. Et comme si elle attendait ce moment depuis longtemps, une agréable sensation de calme l'envahit.

— Messieurs, dit-elle d'une voix posée. Que puis-je pour vous ?

— Judy..., commença Wade, embarrassé. Je suis dans l'obligation d'emmener votre neveu au poste pour l'interroger.

Déstabilisée, Judith dut faire un effort pour masquer sa panique. Pourquoi mêlaient-ils Davie à cette affaire ?

— Pourquoi ? Qu'a-t-il fait ? demanda-t-elle d'un ton sec.

— Nous avons de bonnes raisons de penser qu'il est mêlé, d'une manière ou d'une autre, au rapt de Victor Schuler.

A ces mots, l'expression qui durcissait ses traits fit place à une profonde lassitude.

— Non, dit-elle dans un souffle. Vous vous trompez.

Alerté par leur conversation à mi-voix et par le brusque changement de ton de sa tante, Davie se tourna vers eux.

— Tante Judy ? appela-t-il au bord des larmes. J'ai fait une bêtise ?

S'efforçant de se recomposer un visage souriant, elle tourna la tête et lui dit d'une voix rassurante :

— Non, mon chéri. Finis ton déjeuner.

Lorsqu'elle se retourna vers Jim et Wade, son sourire avait disparu.

— Je vous en prie, murmura-t-elle. Il doit y avoir une erreur...

— Hélas, non, répondit Jim en secouant la tête. Tout à l'heure, Davie m'a assuré que vous l'aviez laissé utiliser votre briquet pour « brûler les habits de l'homme nu ». A part l'enlèvement de Victor Schuler, je ne vois guère à quel autre événement récent pourrait s'appliquer une telle phrase. Aussi, à moins que vous soyez en mesure de nous fournir une explication convaincante, je vais devoir vous demander de nous suivre tous les deux au poste...

Avant qu'elle ait pu répondre, le bruit d'un flacon s'écrasant sur le sol dans une allée du magasin retentit. Ils se retournèrent et virent une femme se hâter vers la sortie. Judith poussa un grognement consterné. Elle avait eu le temps de reconnaître Sophie Brunner, la pire commère de la ville. Dans l'heure suivante, tout Call City serait au courant...

Affolée, elle regarda Davie manger avec insouciance. Pour le protéger, il lui fallait absolument se reprendre... Lorsqu'elle se retourna vers Jim et Wade, elle avait retrouvé sa superbe habituelle.

— Si vous me donnez quelques instants, je vais emballer le repas de mon neveu et nous vous suivrons, annonça-t-elle avec morgue.

Jim ne put s'empêcher d'admirer cette femme qui ne montrait ni peur ni remords. Puis le souvenir des altercations dont il avait été témoin entre la pharmacienne et le banquier lui revint à la mémoire, et il se demanda s'il fallait y chercher les motifs de son acte insensé. Même s'il lui était impossible d'excuser des agissements d'une telle gravité, il pouvait en comprendre les motivations, et compatir à la souffrance qui les avait nourries.

Pour l'heure, avec des gestes précis et efficaces, Judith Dandridge était en train de préparer leur départ. Convaincu par sa tante qu'ils partaient faire un pique-nique, Davie était aux anges.

— Messieurs, conclut-elle fièrement, nous sommes prêts à vous suivre...

La tête haute, un sachet de papier kraft dans une main et celle de Davie dans l'autre, elle se dirigea vers la sortie. Après leur avoir ouvert la porte, Wade les précéda dans la rue. Jim, qui fermait la marche, saisit la clé que la pharmacienne lui tendait pour fermer le magasin.

Sans un mot, ils gagnèrent la voiture de patrouille. Durant tout le trajet, Judith Dandridge ne laissa à aucun moment paraître la moindre émotion. A ce petit jeu, songea Jim, assis à côté d'elle, elle semblait avoir des années d'expérience et une bien plus grande habileté que lui...

19.

Debout sur le seuil du bureau de Wade, Jim ne quittait pas des yeux Judith Dandridge, traquant sur son visage le moindre signe de remords. Mais depuis qu'ils étaient arrivés au poste de police, le souci principal de la pharmacienne semblait être d'empêcher son neveu de maculer le plancher avec les miettes de son repas.

— Judith, prévint Wade en posant sur le bureau un petit magnétophone, je vais devoir enregistrer cet interrogatoire.

Elle haussa les épaules.

— Faites ce que vous avez à faire.

Assise sur le bout de sa chaise, elle se pencha pour ramasser un bout de chips et se tourna vers Davie.

— Fais attention, mon chéri. Tu ne voudrais tout de même pas salir le bureau de Wade, n'est-ce pas?

Davie lui adressa un sourire affectueux.

— D'accord, tante Judy. Je vais faire attention.

L'air satisfaite de cette réponse, Judith se redressa et croisa les deux mains dans son giron, dans l'attente des premières questions. Mal à l'aise, Wade adressa à son compagnon un regard de détresse. Il semblait avoir toutes les peines du monde à remplir son rôle — ce qui n'avait rien d'étonnant en fonction de l'identité des suspects, songea Jim.

Puis, semblant se ressaisir, il enfonça résolument deux touches du magnétophone et articula d'une voix claire:

— Wade Franklin, chef de la police de Call City. Nous

allons procéder à l'interrogatoire de Judith Dandridge et de son neveu adoptif, Davie. Judith Dandridge, vous avez le droit de garder le silence. Si vous le souhaitez, vous pouvez faire appel à...

Pleine d'assurance, Judith éleva la main devant elle pour le faire taire.

— Je connais mes droits, dit-elle. Et je ne souhaite pas faire appel à un avocat.

— Judith Dandridge, reprit-il, que faisiez-vous dans la nuit du 5 août de cette année ?

Un sourire ironique au coin des lèvres, Judith secoua la tête.

— Pas besoin de tous ces préliminaires, Wade... Je reconnais avoir donné à Victor Schuler la leçon qu'il méritait.

Comme s'il était inutile d'en dire davantage, elle se détourna pour sortir un mouchoir de sa poche et essuyer une trace de moutarde au coin des lèvres de Davie. Incrédule, Wade mit un moment à digérer cet aveu, qui ne correspondait pas tout à fait à celui auquel il s'attendait.

— Vous avez fait plus que lui donner une leçon, Judith. Vous l'avez enlevé, retenu contre son gré, et vous lui avez infligé des dommages corporels. Légalement, c'est un kidnapping, crime puni par la loi.

— Je ne suis pas d'accord avec votre description des faits. Je ne l'ai pas kidnappé. Aucune rançon n'a été demandée. Dès que j'ai estimé qu'il avait eu sa leçon, je l'ai relâché. De toute façon, il est inutile d'en discuter plus longtemps, j'assume mes actes et je suis prête à en répondre devant n'importe quel tribunal.

Jurant dans sa moustache, Wade appuya rageusement sur les touches du magnétophone pour stopper l'enregistrement.

— Bon sang Judith ! s'exclama-t-il. Vous avez perdu la tête ?

Surprise, elle releva le menton et lui adressa un regard de défi.

— Cela m'est arrivé une seule fois dans ma vie. C'était il y a bien des années. Et je m'en suis remise depuis.

Ils furent interrompus par Davie, qui tirait la manche de sa tante pour attirer son attention.

— Tante Judy... Tante Judy... J'ai besoin d'aller au petit coin...

— Je m'en occupe, si vous voulez, proposa Jim.

— Je vous en remercie, répondit-elle avec un sourire.

Puis, se retournant vers son neveu qui s'apprêtait à sortir du bureau, elle ajouta :

— Surtout, n'oublie pas de te laver les mains...

— D'accord, assura Davie en se laissant entraîner par Jim vers le hall d'accueil.

A l'extérieur des toilettes où il patientait en attendant le retour de Davie, Jim entendait encore la conversation animée qui se déroulait dans le bureau voisin. Exaspéré, Wade ne cessait de mettre en garde Judith contre les dangers de la défense qu'elle s'était choisie. Sans faiblir, celle-ci lui répondait de la même voix calme et monocorde, parfaitement insensible à son argumentation.

— Est-ce que ma tante Judy est fâchée contre moi ? demanda Davie, qui venait de rejoindre Jim dans le hall.

Jim secoua la tête et lui sourit.

— Non Davie. Je crois que c'est contre elle qu'elle est fâchée.

— Ah bon, s'étonna-t-il, soulagé. Je suis prêt.

Alors qu'ils étaient à mi-chemin du bureau de Wade, Victor Schuler fit irruption dans le poste de police, le visage cramoisi de colère. Sur ses talons, son épouse tentait sans succès de le calmer.

— Est-ce vrai ? cria-t-il. C'est Judith Dandridge qui m'a enlevé ?

Jim se précipita, essayant de lui interdire l'accès du bureau où se déroulait l'interrogatoire, mais il était déjà trop tard pour l'arrêter.

— Sortez ! hurla Wade en se redressant. Vous n'avez rien à faire ici, Schuler !

— Laissez-le..., protesta Judith, sans même un regard au banquier. Sa présence ne me gêne pas, au contraire.

— Vous êtes folle ! cria Schuler depuis le seuil de la pièce. Folle à lier !

Marchant sur elle en faisant tournoyer sa canne, il en menaça Davie, qui venait de chercher refuge auprès de sa tante.

— Pas étonnant que ce gosse soit abruti !

Sous l'insulte, Judith pâlit mais demeura stoïque. Ce fut cet instant que choisit Betty Schuler, qui venait à son tour de pénétrer dans la pièce, pour fondre en larmes.

— Judith, je ne comprends pas, se lamenta-t-elle d'une voix haut perchée. Je pensais que... que nous étions amies. Pourquoi avoir fait à mon Victor une chose aussi horrible !

Estimant que cette situation pénible n'avait que trop duré, Jim s'approcha du banquier.

— Ecoutez-moi bien Schuler, vous avez le choix. Soit vous vous calmez sur-le-champ et vous vous asseyez sur ce banc sans un mot, soit je vous coffre pour trouble de l'ordre public.

Effrayée, Betty Schuler battit en retraite vers le banc que désignait Jim, essayant d'entraîner son mari avec elle. De mauvaise grâce, celui-ci finit par la suivre.

Une fois le calme revenu, Wade laissa son regard errer sur la petite assemblée.

— Je dois vous préciser, prévint-il, deux doigts posés sur les touches du magnétophone, que tout ce qui va se dire dans cette pièce sera enregistré.

Ses yeux se posèrent sur Victor Schuler, qu'il fusilla du regard.

— En conséquence, je vous suggère de modérer vos propos et de garder votre calme.

Après avoir actionné les touches du magnétophone, il fit le tour de son bureau, sur le bord duquel il s'appuya pour faire face à Judith.

— Pour la dernière fois, reprit-il, je vous demande de me dire la vérité. Judith Dandridge, pour quelle raison avez-vous kidnappé Victor Schuler ?

Très digne, Judith tourna la tête vers le banquier et lui

lança un regard si empli de haine que Jim en eut froid dans le dos.

— Il martyrisait son propre fils, répondit-elle d'une voix blanche.

Schuler leva les bras au plafond.

— Vous voyez bien qu'elle est folle ! Tout le monde sait que Betty et moi n'avons jamais eu d'enfant...

— Il ne s'agit pas de vous et Betty, précisa-t-elle. Je parlais de l'enfant que j'ai mis au monde après que vous m'avez violée.

Victor émit un hoquet de surprise. Sa femme porta la main à son cœur, la bouche ouverte, et le dévisagea, les yeux écarquillés. Wade et Jim se lancèrent un regard entendu, puis leurs yeux convergèrent vers Davie, qui continuait à sangloter dans le giron de Judith.

Jim se tourna vers le banquier, qui n'avait pas émis la moindre protestation. Une intense culpabilité se lisait à présent sur son visage livide. L'un des derniers éléments, dans le puzzle de cette affaire, venait de se mettre en place. Tout comme ces femmes adultères que l'on stigmatisait autrefois par une marque d'infamie, Schuler portait dans sa chair la dénonciation de son crime : V comme violeur...

Wade se pencha pour poser en douceur une main sur l'épaule de Judith. Il ne la retira que lorsqu'elle consentit à lever les yeux vers lui.

— S'il vous plaît, murmura-t-il. Reprenons tout depuis le début.

Comme délivrée d'un poids, Judith soupira et ses épaules s'affaissèrent.

— Tout cela est tellement vieux...

Ses yeux semblèrent se perdre dans le lointain, et Jim comprit qu'en dépit des apparences elle n'était plus avec eux, mais au côté d'une ravissante jeune fille aux longs cheveux châtains, qui n'avait pas encore perdu l'usage du sourire.

— Tout le monde au collège savait que Vic Ray Schuler obtenait toujours ce qu'il désirait. C'est ainsi qu'on l'appelait à l'époque. Ce n'est qu'en prenant la succession de son père à la banque qu'il est devenu l'honorable Victor Raymond Schuler que vous avez sous les yeux...

Comme si le fait d'entendre prononcer son nom avait suffi à lui faire retrouver ses esprits, Schuler protesta d'une voix faible :

— Je ne me rappelle aucun viol...

Droite comme un i, Judith tourna la tête vers lui, le regard toujours aussi lointain.

— Vu l'état dans lequel vous étiez, cela ne m'étonne guère. Hélas, je ne peux pas en dire autant... Cela s'est passé en pleine nuit, au retour d'un match de football, deux mois à peine avant la remise des diplômes. Vous étiez ivre mort, et furieux parce que j'avais préféré assister au match avec Ted Miles plutôt qu'avec vous.

Soucieuse de bien se faire comprendre, elle marqua une pause dans son récit avant de se tourner vers Wade pour expliquer :

— Ted était un garçon de Cheyenne. Nous nous fréquentions à l'époque, et nous nous apprêtions à aller ensemble à l'université.

De nouveau, son regard sembla s'égarer au travers du mur qui lui faisait face. Son visage demeurait aussi inexpressif qu'au début de sa confession, mais Jim remarqua que ses mains jointes sur ses genoux s'étaient mises à trembler.

— Ce jour-là, Ted était allé se faire soigner une dent. Il ne se sentait pas très en forme, et il a préféré rentrer tout de suite après le match. Quant à moi, je suis rentrée dans la vieille camionnette familiale que mon père m'avait prêtée.

Judith prit une longue inspiration et ferma les paupières. Pendant un moment, elle garda le silence, puis lorsque son souffle se fut apaisé, elle rouvrit les yeux et reprit son récit d'une voix déterminée.

— Sur le chemin du retour, une des roues de la camionnette a crevé. Parfois, il m'arrive de me demander ce que ma vie aurait été si cet incident ne s'était pas produit...

Nerveusement, elle haussa les épaules.

252

— Peu importe... Comme je n'avais rien pour réparer et que je ne me trouvais qu'à un ou deux kilomètres de chez moi, j'ai décidé de continuer à pied. La nuit était douce, je savourais cette balade nocturne impromptue lorsque j'ai entendu une voiture arriver derrière moi.

Sur ses genoux, elle serra les poings.

— C'était Vic. Soûl comme je ne l'avais encore jamais vu, il roulait au beau milieu de la chaussée et me faisait des appels de phare. De peur qu'il ne me renverse, je me suis rangée sur le côté.

Ses lèvres se pincèrent en un rictus amer. Comme un automate, tout le reste de son corps immobile, elle tourna la tête pour poser sur le banquier un regard glacial.

— Rétrospectivement, je crois que c'est encore ce qui aurait pu m'arriver de mieux...

Lorsque Schuler eut baissé les yeux, Judith fixa de nouveau le mur devant elle, aussi obstinément que si elle avait pu y lire les détails oubliés d'un cauchemar très ancien.

— Puis il est arrivé à ma hauteur et a baissé sa vitre pour me proposer de monter avec lui. Je lui ai répondu que, vu l'état dans lequel il se trouvait, c'était hors de question. Alors, il est devenu comme fou. Sans crier gare, il a ouvert la portière et s'est précipité sur moi en hurlant que je n'étais qu'une garce, et que si je me croyais trop bonne pour les garçons de Call City, je n'avais qu'à... Enfin, je vous passe la suite ! Morte de peur, je me suis mise à courir pour lui échapper. Mes talons hauts ne m'ont pas aidée... Vingt mètres plus loin, il m'avait rattrapée.

Arrivée à ce point de son histoire, Judith Dandridge sembla sortir de l'état second dans lequel elle avait commencé à la conter. Ses yeux perdirent leur fixité et elle posa sur Wade un regard hanté, que celui-ci eut du mal à soutenir. Lorsqu'elle reprit la parole, l'absence totale d'émotion de sa voix était bien plus dure à supporter que ne l'aurait été la colère ou l'hystérie.

— Il m'a fracturé la mâchoire et brisé deux côtes. Il m'a violée dans vingt centimètres d'eau et m'a laissée pour morte. Mon père s'est mis à ma recherche vers 3 heures du matin. Il a d'abord trouvé la voiture, puis m'a vue émerger des bois voisins, sanglante et à demi nue, en état de choc. Mais de tout cela, je ne m'en souviens pas ; c'est mon père qui me l'a raconté.

Judith se pencha en avant, coudes posés sur les genoux, et transperça Victor Schuler d'un regard assassin.

— Mon dernier souvenir, c'est son visage de dément penché sur le mien, et cette douleur insupportable entre mes jambes, pendant qu'il se forçait un passage dans mon corps...

Betty Schuler, dont le visage s'était décomposé à mesure que Judith parlait, s'effondra au sol avec une faible plainte. Son mari, trop abasourdi pour réagir, la regarda s'évanouir sans faire un geste pour lui porter secours. Comble d'ironie, ce fut la pharmacienne qui la première lui vint en aide.

— Voulez-vous que j'aille chercher des sels à la pharmacie ? proposa-t-elle.

Wade soupira et tira l'un des tiroirs de son bureau.

— Inutile. Je crois que nous avons ce qu'il faut dans la trousse de secours.

— Pourquoi n'avoir rien dit ? demanda Schuler, comme s'il n'avait pas remarqué l'incident.

— Oh, mais je l'ai fait ! répondit Judith, sans cesser de tapoter les joues de Betty pour la faire revenir à elle. J'ai tout dit à mon père. Je voulais que justice me soit rendue. Mais au lieu d'aller voir la police, mon père est allé trouver le vôtre, et tout s'est réglé entre gens de bonne compagnie...

— Insinueriez-vous que mon père a acheté le silence d'Henry Dandridge ? protesta Schuler, indigné.

— Deux semaines plus tard, reprit Judith, les hypothèques sur notre maison et sur le magasin étaient levées, et papa roulait dans une Buick toute neuve... C'est vous le banquier, Victor : faites les comptes !

Jim sentit la nausée lui soulever le cœur. L'injustice dont Judith avait souffert, il en avait lui-même goûté toute l'amertume. Comme elle, il avait subi son martyre en

254

silence, conscient de l'inutilité de chercher secours à l'extérieur, convaincu de la toute-puissance de l'auteur de ses jours...

La voix de Wade le tira de ses amères réflexions.

— Aidez-moi, Jim. Nous allons installer Betty sur ce banc.

Lorsque ce fut fait, Wade déboucha le flacon de sels et le passa sous le nez de Betty. Il ne lui fallut pas longtemps pour qu'elle revienne à elle dans un sursaut. Affolée, elle jeta autour d'elle des regards apeurés, puis éclata en sanglots en se souvenant de ce qui venait de se passer.

Comme un gamin qui a peur de se faire gronder, Schuler vint s'agenouiller près d'elle et tenta de lui prendre une main qu'elle lui refusa aussitôt.

— Pardonne-moi, Betty, supplia-t-il. Tu dois comprendre : je n'étais qu'un gamin, je ne savais pas ce que...

Betty le coupa d'une voix glaciale :

— Tais-toi, Victor ! Ce n'est pas à moi qu'il faut demander pardon. Tu es toujours à accuser les autres de ce qui t'arrive, mais cette fois, il n'y a personne d'autre que toi à blâmer...

Sur ces paroles, elle se leva d'un bloc et se dirigea vers la porte.

— Wade, si vous le permettez, je vais partir...

Wade hocha la tête. En ce qui le concernait, la femme de Schuler n'avait jamais rien eu à faire au poste de police.

— Avez-vous besoin qu'on vous raccompagne ? demanda-t-il.

Sur le seuil, elle serra son sac contre sa poitrine, évitant avec soin le regard de son mari.

— Non, merci, répondit-elle. Je prends la voiture. Ce sera à Victor de se débrouiller quand il en aura terminé avec vous...

Victor s'affola, soudain conscient que ce qui se jouait dans cette pièce ne concernait pas seulement son passé, mais aussi sans doute son avenir.

— Betty, supplia-t-il. Je t'en prie, ne me laisse pas. Je...

Sans lui répondre, sa femme se tourna vers Judith.

— Je sais que ce n'est rien, lui dit-elle, mais je voulais vous dire que je suis vraiment désolée...

Dès qu'elle eut quitté la pièce, Schuler se redressa et laissa son regard errer stupidement entre la porte où elle venait de disparaître et le bureau devant lequel Judith Dandridge, toujours très digne, s'était rassise. Partagé entre le besoin de suivre sa femme et la crainte des accusations qui pourraient être portées contre lui en son absence, il lança à Wade un regard affolé et murmura :

— Je retire ma plainte. Je la retire tout de suite !

Wade soupira. Le renoncement du banquier n'était pas pour le surprendre.

— Peut-être, dit-il en se retournant vers Judith, mais cela n'efface en rien le crime qu'elle a commis.

— S'il y a procès, reprit Schuler sur un ton catégorique, je refuserai de témoigner.

Puis, pour la première fois depuis son entrée dans le bureau, Victor leva les yeux vers celui qu'il devait à présent considérer comme son fils. A sa grande surprise, il reconnut alors en lui certains de ses traits. Ce nez un peu trop court pour la taille du visage ; cette petite fossette sur le menton... Surpris de n'avoir jamais été frappé auparavant par cette ressemblance, Victor battit des paupières et ne put retenir une larme. Lentement, elle glissa le long de sa joue.

— Mon fils..., murmura-t-il.

Réfugié dans les bras de sa mère, Davie refusa de lever les yeux vers lui. Victor ne le quittait pas du regard. Soudain, il paraissait plus accablé encore que lorsqu'il avait entendu le témoignage de Judith.

— Mon garçon, reprit-il d'une voix enrouée, regarde-moi, s'il te plaît.

A contrecœur, Davie obéit.

— Jamais plus, promit Schuler en plongeant son regard dans le sien, jamais plus je ne serai méchant avec toi...

Un sourire hésitant se dessina sur les lèvres de Davie. Victor le lui rendit timidement, puis se tourna vers Judith.

— Mes regrets les plus profonds ne suffiront pas à excuser mon acte, dit-il. Mais s'il y a quoi que ce soit que je puisse faire pour vous, ou pour lui...

— Davie, rectifia-t-elle sèchement, sans le regarder. Il s'appelle Davie.

— Davie, répéta docilement Schuler, surpris de l'émotion qu'il ressentait à prononcer pour la première fois le nom de son fils. Si je peux faire quoi que ce soit pour Davie, vous n'avez qu'à demander...

— Tout ce que je vous demande, conclut-elle en se détournant, c'est de nous laisser en paix.

Les épaules de Victor Schuler s'affaissèrent. A pas traînants, la tête basse, il se dirigea vers le hall. En sortant du poste de police, il n'était plus que l'ombre de l'homme qu'il avait été.

Après son départ, Jim adressa à Wade un regard indécis. Aux yeux de la loi, la situation de Judith Dandridge était loin d'être claire. Victime d'un crime par le passé, coupable d'un autre aujourd'hui, elle n'était cependant ni plaignante ni accusée...

Comprenant que ce serait à lui de prendre ses responsabilités dans cette affaire en faisant de la loi la lecture la plus humaine possible, Wade se pencha vers Judith, le front barré de plis soucieux.

— Vous ne pouvez rester ainsi, Judith. Vous avez besoin, psychologiquement, de vous faire aider pour surmonter ce traumatisme...

La pharmacienne haussa les épaules.

— C'est ce jour-là que j'aurais eu le plus besoin d'aide... Mais personne n'est venu à mon secours.

Jim sentit son estomac se contracter. En quelques mots, elle venait de le ramener dans ce sous-sol humide, sous ces escaliers branlants, où il s'était réfugié pour prier un Dieu qui ne l'avait pas sauvé.

— Je suis le premier à le regretter, reprit Wade. Mais

c'est d'aujourd'hui dont je vous parle, et c'est de ma responsabilité de le faire... Qui me dit que la prochaine fois vous ne commettrez pas un acte plus grave encore?

Impassible, Judith ne quittait pas Wade des yeux. Son regard était calme et déterminé.

— Il n'y aura pas de prochaine fois, affirma-t-elle. J'ai fait ce que j'avais à faire.

A ces mots, Jim sentit son cœur s'accélérer. Ce que Wade expliquait à Judith, c'était ce que le capitaine Shaw avait essayé de lui faire comprendre à lui, avant de prononcer sa mise à pied. Il avait préféré ignorer ses mises en garde, continuer à jouer à l'homme fort qu'il croyait être devenu. Mais aujourd'hui, l'exemple de Judith Dandridge lui prouvait combien il pouvait être dangereux de refouler sa haine et de ravaler la colère née de l'injustice subie. Tant qu'il ne se serait pas retourné vers les démons de son enfance pour les combattre, il ne pourrait prétendre leur avoir échappé...

— Si vous le voulez bien, reprit Wade au bout d'un moment, nous allons conclure un marché. Je suspends dès aujourd'hui toute poursuite, à condition que vous vous engagiez dans une démarche thérapeutique. Quand vous penserez avoir surmonté ce drame, revenez me voir. Je ne classerai l'affaire de façon définitive que lorsque nous serons sûrs l'un et l'autre que votre légitime soif de vengeance est apaisée. Nous sommes d'accord?

Judith se leva.

— Puisque vous ne me laissez pas le choix, dit-elle en remballant les reliefs du repas de Davie, je suppose que nous le sommes.

— Tante Judy, demanda celui-ci, le pique-nique est terminé?

Judith suspendit son geste et le regarda un long moment en silence, avant de remettre en place un épi dressé sur son crâne.

— Oui, mon chéri. Je crois que le pique-nique est finalement terminé.

Durant tout le trajet qui le ramenait chez les Franklin, Jim repensa à son enfance. Il se revit en train de subir la haine que son père nourrissait à son égard et la violence dont il l'abreuvait. C'était tout ce que Joe Hanna avait jamais eu à lui offrir : des insultes et des coups. Si le petit Jim avait tout pris de ce cadeau empoisonné, l'adulte qu'il était devenu continuait à en subir les conséquences...

Dans son esprit en proie au tumulte s'imposa soudain l'image tendre et rassurante de Charlotte, berçant dans ses bras la petite Rachel endormie. Jim crispa les mains sur le volant. Ni l'une ni l'autre ne méritaient de vivre auprès d'une bombe humaine à retardement, ce qu'il se savait être à présent...

Il n'y avait plus pour lui qu'une seule solution. En garant sa jeep dans la cour, il savait ce qui lui restait à faire...

Charlie était encore toute retournée par le coup de fil de Wade lorsqu'elle entendit la voiture de Jim se garer devant la maison. En quelques mots, son frère lui avait révélé la triste histoire de Judith Dandridge et de Victor Schuler. Puis il lui avait annoncé que Jim avait quitté le bureau précipitamment, l'air bouleversé, sans un mot sur sa destination et ses projets.

Lorsqu'elle se retourna, Jim était debout dans l'embrasure de la porte. Un seul regard lui suffit pour comprendre. Jim était venu faire ses adieux. Jim s'en allait...

— Ce n'est pas juste, murmura-t-elle en baissant les yeux pour lui cacher ses larmes.

Incapable de déterminer de quoi elle parlait, il pénétra dans la pièce et la prit dans ses bras.

— La vie l'est rarement, tu sais...

Elle s'accrocha à lui et fit de son mieux pour résister à l'envie de le supplier de rester. Mais sa fierté était tout ce qui lui restait, et elle en aurait grand besoin dans les jours à venir pour survivre à son départ...

— Wade m'a expliqué ce qui s'est passé, dit-elle en ravalant ses pleurs. Je suppose que tu es là pour prendre tes affaires ? J'aurais dû m'y attendre... Pourtant, je dois reconnaître que je suis un peu prise de court.

Jim soupira.

— Ce n'est pas ce que tu penses, répondit-il en lui caressant les cheveux. Je dois m'en aller, sinon je finirai comme elle.

Charlie fronça les sourcils.

— Comme qui ?

— Judith Dandridge. Si je ne me décide pas à exorciser cette haine qui bouillonne en moi quand je pense à mon père, je risque de finir par commettre un acte insensé. Il est hors de question que je vous fasse courir un tel risque, à toi et à Rachel.

Incertaine d'avoir bien commpris, Charlie scruta son regard. Une esquisse de sourire se dessina sur ses lèvres tremblantes. Elle ne se trompait pas ? Vraiment ? En partant, Jim n'avait pas l'intention de la quitter, mais simplement de mettre un point final à sa vie antérieure pour mieux démarrer une nouvelle existence... D'un geste vif, elle essuya les larmes qui avaient coulé sur ses joues.

— J'ai une demande à te faire, dit-elle enfin, plongeant son regard dans le sien.

— Tout ce que tu veux, mon amour...

— Va-t'en. Va exorciser ces démons que tu portes en toi, va consoler l'enfant que tu as été. Cela, toi seul peux le faire...

Sans retenue ni fausse honte, Jim s'autorisa à laisser couler les larmes de joie et de tristesse mêlées qui perlaient à ses paupières.

— Mais lorsque ce sera fait, reprit-elle, promets-moi de me revenir apaisé...

— Je reviendrai plus vite que le vent...

Avec passion, il resserra l'étreinte de ses bras.

— Maintenant, dit-il, à mon tour de te demander une faveur...

— Tout ce que tu voudras...

— Même lorsque je serai loin, je t'en prie reste auprès de moi.

— Pour toujours, lui murmura-t-elle au creux de l'oreille, la voix brisée par l'émotion. Pour toujours mon amour...

20.

Une semaine s'était écoulée depuis le départ de Jim. Il avait quitté Call City le cœur lourd, mais plus que tout décidé à faire le nécessaire pour y revenir bien vite, libéré des derniers liens du passé.

Sur le chemin qui le menait vers la ville où s'était déroulé le long cauchemar de son enfance, il avait fait une halte à Tulsa. Dès son arrivée, ses collègues lui avaient appris l'arrestation des deux malfrats responsables de la mort de son coéquipier. Soulagé d'apprendre cette bonne nouvelle, Jim avait aussi été très touché de l'amitié qu'ils lui avaient témoignée après cette longue absence.

Pourtant, cela ne l'avait pas empêché de comprendre à quel point il était éloigné d'eux et de la vie qu'ils menaient. Aussi, était-ce sans le moindre regret qu'il avait laissé les portes de l'hôtel de police se refermer une dernière fois derrière lui, après une ultime entrevue apaisée avec le capitaine Shaw.

Il lui avait fallu deux jours pour briser ses dernières attaches dans cette ville. Dans l'urgence, il avait vendu ses meubles, résilié ses abonnements, rendu l'appartement à son propriétaire. Tout ce qui restait de ses maigres possessions personnelles était entassé à présent à l'arrière de la jeep. Plus rien ne le séparait de sa nouvelle vie qu'un fantôme encombrant. Un fantôme qu'il lui fallait combattre et terrasser...

Durant tout le trajet vers Boyington, Jim avait lutté contre l'angoisse qu'il sentait poindre en lui à l'idée de ce qui l'attendait. Mais dès qu'il eut passé la frontière du Kentucky, il la sentit très nettement se nicher dans son ventre et s'y contracter en un nœud douloureux.

Autour de lui, montagnes et vallées étalaient leurs splendeurs à ses yeux, sans qu'il y soit sensible. Dans son esprit s'imposaient les images de ce jour, il y avait plus de vingt-trois ans, où il était monté dans un bus pour rejoindre sa première famille d'accueil. Il n'avait alors que dix ans, mais il était déjà passé maître dans l'art de dissimuler la peur que lui inspirait cet avenir inconnu qui l'attendait.

Il était également farouchement déterminé à ce que sa vie ne ressemble en rien à celle de son père. En un sens, il y était parvenu. En un sens seulement... Contraint et forcé, Joe Hanna avait dû renoncer à l'emprise tyrannique qu'il exerçait sur la vie de son fils. Cependant, comment Jim pourrait-il jamais s'estimer libre, tant que brûlerait en lui cette haine qu'ils avaient en commun ? Elle constituait le dernier lien qui les unissait. Un lien morbide et dangereux, qu'il était bien décidé, cette fois, à trancher.

A court d'essence, Jim dut s'arrêter dans une station-service au bord de l'autoroute. Pendant qu'il remplissait son réservoir, ses yeux se posèrent par hasard sur une cabine téléphonique. Aussitôt, ses pensées s'envolèrent vers Charlie. Comment allait-elle ? Maintenant qu'il était loin, gardait-elle en lui cette confiance qu'elle lui avait témoignée avant son départ ou commençait-elle à douter ? Et Rachel ? Avait-elle déjà oublié son visage, les jeux et les « 'mallows » qu'ils aimaient partager ?

Après avoir payé, Jim reprit la route, sans même prendre le temps de manger. S'il arrivait à tenir sa moyenne, il serait à Boyington en milieu d'après-midi. Bien assez tôt pour trouver un motel et appeler Charlotte.

A défaut de pouvoir la toucher, il avait désespérément besoin d'entendre sa voix. Après cela, lui semblait-il, plus rien ne pourrait l'atteindre...

264

***

Wade aidait Rachel à manger une assiette de spaghettis, sans pour autant perdre de vue sa sœur qui s'agitait autour d'eux. Il la connaissait depuis assez longtemps pour deviner, en dépit des apparences qu'elle tentait de préserver, à quel point elle était inquiète. Jim était parti depuis plus d'une semaine à présent, et il n'avait toujours donné aucun signe de vie. Chaque fois qu'il se risquait à aborder le sujet, elle préférait couper court en lui assurant qu'il serait bientôt de retour.

— Comment le sais-tu? demandait-il alors, perplexe.

— Je le sais parce qu'il me l'a dit, répondait-elle invariablement.

Soudain, alors que Wade tentait de dissuader pour la troisième fois sa nièce de faire d'un spaghetti plein de sauce tomate un ravissant collier, la sonnerie du téléphone retentit. Charlie sursauta et laissa tomber dans le saladier les couverts qu'elle s'apprêtait à y déposer. Les yeux écarquillés, elle contempla le téléphone, sans oser décrocher.

— J'y vais, annonça Wade en soupirant.

Après s'être assuré que sa nièce ne risquait rien dans sa chaise haute, il se dirigea vers le combiné.

— Allô? Wade Franklin à l'appareil.

— Charlie est là?

Dès qu'il reconnut la voix de Jim, Wade adressa un sourire rassurant à sa sœur, qui trépignait d'impatience derrière lui.

— Juste derrière moi, espèce de déserteur... Je suppose que tu préfères cent fois sa conversation à la mienne!

— Désolé Wade, mais tu n'es pas de taille.

— Ce n'est pas ce que pense la nouvelle serveuse de la brasserie! plaisanta Wade, avant de se retourner vers Charlie pour lui tendre le combiné.

— Allô? dit-elle avec une timidité qu'elle se reprocha aussitôt.

— Charlotte?

Comme un baume bienfaisant, la voix lointaine mais familière de Jim, à l'autre bout du fil, balaya toutes ses craintes. Envahie par un soulagement intense, Charlie s'appuya contre le mur.

— Ton frère est-il toujours à l'écoute ?

D'un œil amusé, Charlie regarda Wade tenter de débarrasser Rachel des colliers de spaghettis qu'en son absence elle s'était accrochés autour du cou.

— Non, répondit-elle. Il est trop occupé...

— Tant mieux, parce que ce que j'ai à te dire ne doit pas tomber dans d'autres oreilles que les tiennes.

A ces mots, Charlie pressa un plus fort l'écouteur contre son oreille. Dès que Jim commença à parler, ses joues rosirent de plaisir. Et lorsqu'il fit une pause, le rouge de la confusion empourprait son visage.

— Arrête, dit-elle tout bas, un grand sourire aux lèvres. Tu crois que c'est possible ?

— Fais-moi confiance, assura Jim. Et quand j'aurai fini, je vais aussi...

Ravie, Charlie l'écouta encore quelques instants détailler le menu sensuel de leurs futures retrouvailles. Intrigué par les petits rires étouffés et les soupirs de sa sœur, Wade ne put s'empêcher d'intervenir.

— Tu te sens bien ?

Charlotte éclata de rire.

— Je ne me suis jamais sentie aussi bien, déclara-t-elle, à l'intention de Jim aussi bien qu'à celle de son frère.

A Boyington, dans sa chambre de motel froide et impersonnelle, d'une propreté presque clinique, Jim rayonnait de bonheur. L'entendre rire était un véritable régal. Oui, il avait pris la bonne décision en l'appelant.

— Tu me manques, Charlotte. J'aimerais te voir, te toucher... Ton sourire me manque, ton regard, ta démarche. Tout me manque ! Même cette manie déplorable que tu as de me donner du « Jim Hanna » chaque fois que tu es fâchée contre moi...

— Tu me manques aussi, murmura-t-elle en écho, incapable de masquer la mélancolie qui la submergeait à l'idée de raccrocher.

Après un court instant d'hésitation, elle ajouta :

— As-tu trouvé ce que tu cherchais ?

Assis sur son lit trop dur, Jim jeta un coup d'œil machinal à l'annuaire posé devant lui. Avant de composer le numéro des Franklin, il avait encerclé d'un trait rouge, au bas d'une page, un nom et une adresse.

— Pas encore, répondit-il. Mais ça ne saurait tarder.

A travers le combiné, le soupir de Charlotte l'atteignit comme une caresse.

— Prends bien soin de toi, dit-elle. Et surtout, rentre vite à la maison.

Ce n'était que quelques mots, mais Jim sentit qu'ils lui procuraient autant d'apaisement qu'auraient pu le faire ses baisers.

La nuit était interminable. Jim ne s'était même pas essayé à rechercher un sommeil qu'il savait introuvable. A 1 heure du matin, il en était encore à arpenter comme un fauve en cage les dix mètres carrés de sa chambre. Soudain, alors qu'il passait pour la centième fois devant le grand miroir en pied du placard, il tomba en arrêt devant l'image que celui-ci lui renvoyait.

L'homme qui le dévisageait était grand, fort, et inspirait le respect. Dans l'exercice de ses fonctions, il lui était arrivé une fois d'être blessé par balle, deux fois de se casser la jambe. Il avait eu deux coéquipiers au cours de sa carrière. Tous deux étaient morts ; l'un de mort naturelle, l'autre en service commandé. Lorsqu'il avait fallu les enterrer, il était demeuré chaque fois au bord de la fosse, en grand uniforme, au salut, et les yeux secs. Il était l'homme de fer, celui qui ne renonce jamais...

Incapable de supporter plus longtemps cette revue de détail, Jim finit par détourner le regard. L'homme de fer ? songea-t-il avec un sourire de dérision. Quelle farce ! S'il était si fort, pourquoi la perspective d'avoir à affronter un vieil homme l'épouvantait-elle à ce point ? Il n'était plus depuis belle lurette ce gamin faible et terrorisé qu'il était si facile de martyriser. Sans fléchir ni trembler, il s'était déjà maintes fois lancé à la poursuite d'individus autrement plus dangereux que Joe Hanna ne le serait jamais...

Soudain surpris par une évidence qui lui était jusqu'alors demeurée inaccessible, Jim se figea sur place. Dans son esprit, son père demeurait ce dangereux et invulnérable croque-mitaine qu'il avait été à ses yeux d'enfant. Sans qu'il pût rien faire pour s'en défendre, l'adulte qu'il était devenu continuait d'être terrorisé par cette image, la seule de lui qu'il eût jamais connue...

Sans même prendre le temps d'enfiler une veste, rendu furieux par cette découverte, Jim se rua sur la porte. Lever cette malédiction était dorénavant pour lui une nécessité vitale, une urgence absolue. Sans plus tergiverser, il lui fallait récupérer la pleine maîtrise de son existence. Cela se ferait tout de suite, lui semblait-il, ou alors jamais...

Le 122 sur May Street était une vieille maison délabrée, tout à fait semblable à celle dans laquelle Jim et son père avaient vécu autrefois. La façade craquelée n'avait pas été repeinte depuis des lustres. Le jardin minuscule qui s'étendait devant la bâtisse était laissé à l'abandon ; les quelques arbres qui y poussaient s'y étouffaient l'un l'autre. Au bout d'une allée gravillonnée envahie d'herbes folles, d'épaisses broussailles masquaient au regard un vieux porche de béton.

Comme s'il avait à se frayer un chemin dans une forêt touffue jusqu'au château d'un ogre, Jim écarta soigneusement quelques branches qui lui barraient le passage. D'un pas résolu, il gravit les marches qui menaient à la petite terrasse couverte et s'arrêta devant la porte. Après avoir pris une longue inspiration pour se donner du courage, il s'apprêtait à cogner contre le vantail de bois lorsqu'une voix sur sa gauche le fit sursauter.

— Qu'est-ce que vous voulez?

Se penchant pour sortir de l'ombre dans laquelle il était tapi, un vieil homme assis sur une chaise branlante apparut dans la lueur jaune que dispensaient les réverbères de la rue.

— Je cherche un homme, annonça Jim après s'être rapidement ressaisi.

— Pas possible, railla l'autre sur un ton graveleux. C'est pas chez moi que vous le trouverez : on n'a pas ce genre de mœurs par ici...

— Cet homme s'appelle Joe Hanna, reprit Jim, préférant ignorer l'allusion. Ce nom vous dit quelque chose?

A la surprise de Jim, sa question déclencha chez le vieil homme un fou rire interminable, ponctué de claques retentissantes sur les genoux et de quintes de toux rocailleuses.

— Vous allez bien? s'enquit Jim, un peu inquiet.

La face congestionnée, soufflant et crachant, l'homme secoua vigoureusement la tête. Les deux mains sur la gorge, il semblait à deux doigts de rendre l'âme.

— Pas du tout, répondit-il d'une voix rauque. Je suis mort...

A la lueur moqueuse qu'il vit luire dans son regard, Jim comprit qu'il n'en était rien.

— En tout cas, votre sens de l'humour ne l'est pas...

Aussitôt, l'inconnu sembla recouvrer tous ses moyens et se redressa sur sa chaise.

— Alors, dit-il, c'est que je ne dois pas être encore tout à fait mort de rire...

Puis, comme un chat qui reprend son jeu mortel avec une souris après avoir feint de s'en désintéresser, il s'accouda sur ses genoux et plissa les yeux pour le détailler de la tête aux pieds.

— En ce qui concerne Joe Hanna..., reprit Jim, sans se laisser impressionner par ce manège plus pitoyable qu'inquiétant, on trouve dans l'annuaire son nom à cette adresse. Savez-vous depuis combien de temps il n'y est plus?

Le vieil homme se pencha un peu plus en avant, pointant en direction de Jim un long doigt osseux.

— Dites-moi d'abord qui vous êtes, monsieur. Votre père vous a jamais appris la politesse?

Saisissant son portefeuille dans sa poche arrière, Jim l'ouvrit pour mettre en évidence sa carte d'identité. Dès qu'il l'eut tendu en direction du vieil homme, celui-ci le repoussa.

— Je n'y vois rien, protesta-t-il d'une voix geignarde. Je n'arrive même plus à lire les gros titres des journaux. Allez-vous me dire qui vous êtes à la fin?

— Je suis policier. Mon nom est Jim Hanna. Je suis à la recherche de mon père, Joe Hanna.

A ces mots, Jim vit le visage du vieil homme se décomposer. Tremblant de tous ses membres, celui-ci fit des efforts désespérés pour se redresser, puis s'avança vers lui en effectuant de curieux petits sauts de côté. De toute évidence, le pauvre vieillard n'était plus en pleine possession de tous ses moyens physiques.

Fugitivement, Jim se demanda ce que pouvait ressentir un homme confronté à l'imminence de sa mort, et sentit son cœur se serrer. Puis il prit conscience du malaise que suscitait en lui la proximité de l'inconnu et toute compassion le quitta. En dépit de la décrépitude qu'il subissait et de son apparence inoffensive, il émanait de toute sa personne quelque chose d'agressif, de profondément mauvais. Quelque chose que Jim n'avait jamais ressenti auprès d'aucun autre homme, à part...

Quand lui vint la certitude que sa quête avait pris fin, Jim éprouva un immense soulagement. Soudain, la peur panique qu'il avait gardée en lui au cours de toutes ces années s'était évanouie... Joseph Hanna, le démon qui avait hanté ses jours et ses nuits depuis qu'il était enfant, n'était plus qu'un vieillard presque aveugle, à la démarche chancelante...

Prêt à livrer le dernier combat, Jim prit une profonde inspiration et baissa les yeux pour planter son regard dans celui de son père. Sans doute handicapé par sa mauvaise vue, Joe Hanna écarquilla les siens pour le contempler longuement, puis déclara:

— Je ne m'attendais pas à te revoir un jour...

— Moi non plus.

La rudesse avec laquelle son fils lui avait répondu cueillit Joe Hanna de plein fouet. Ce n'était plus le petit morveux tremblotant qu'il avait connu. L'homme qu'il était devenu était grand, beaucoup plus grand que lui-même ne l'avait jamais été, et il émanait de sa personne une assurance que Joe ne pouvait que lui envier. A cet instant, il aurait sans doute volontiers vendu son âme pour pouvoir ne serait-ce qu'une fois encore se redresser et retrouver un peu de vigueur.

— Qu'est-ce que tu fous là ? demanda-t-il en baissant les yeux le premier.

— Je viens régler de vieux comptes...

— Je ne comprends pas.

Jim haussa les épaules et enfouit ses mains dans ses poches.

— De ta part, vieil homme, cela ne m'étonne pas...

— Comment oses-tu ! protesta Joe en serrant les poings. N'oublie pas qu'autrefois j'étais grand et fort, moi aussi, et que...

— ... et que tu me battais comme plâtre jusqu'à me laisser pour mort, dès que l'envie t'en prenait. Comme ça, sans raison, simplement pour passer ta rage et te prouver que tu étais le plus fort.

Joe s'agita nerveusement. Tout son corps sembla se tasser un peu plus sur lui-même, sur la défensive.

— J'ai toujours fait de mon mieux. Tu crois que c'était facile de t'élever tout seul ?

— Tu ne m'as jamais élevé, déclara Jim d'une voix glaciale. Tout ce que tu as fait, c'est de me rabaisser, de me piétiner autant que tu le pouvais.

— Tu ne comprends rien à rien...

— Peut-être... Mais ce que je comprends aujourd'hui, c'est qu'il me faut enfin te quitter.

Surpris, Joe battit des paupières.

— Déjà ? protesta-t-il. Mais tu viens à peine d'arriver...

— Tu te trompes. Dans ma tête, je ne suis en fait jamais parti. A présent, il est plus que temps pour moi de te dire adieu.

Sur ces mots, Jim réajusta son chapeau sur son crâne et entreprit de descendre les marches du porche.

— Où vas-tu ?

En bas des marches, Jim marqua une pause et se retourna.

— Je rentre chez moi. Là où on m'aime et où on m'attend.

Tandis qu'il s'éloignait, Joe clopina jusqu'au bord du porche. Avec envie, il regarda disparaître la haute silhouette de son fils, dont chaque pas, chaque mouvement débordaient de souplesse et d'énergie. A cette minute, il lui en voulait bien plus qu'il ne lui en avait jamais voulu par le passé. De rage impuissante, il se mit à crier :

— Tu te crois arrivé, pas vrai ? A présent que tu es plus fort que moi tu te prends pour un caïd... Mais j'ai une mauvaise nouvelle pour toi, petit ingrat. Jamais tu ne seras comme moi ! Tu m'entends ? Jamais !

A mi-chemin de la rue, Jim s'arrêta. Pour la dernière fois, il se retourna et toisa son père de la tête aux pieds. Il ne ressentait plus en lui ni colère ni haine, ni tristesse pour ce qu'il avait enduré... Il n'y avait plus place dans son cœur, devant ce vieil homme à l'article de la mort, qu'une vague pitié.

— Merci papa, répondit-il avec un sourire. C'est le plus beau cadeau que tu pouvais me faire.

En quelques pas, Jim regagna son véhicule. Son empressement à quitter les lieux ne devait plus rien à la peur d'affronter le passé. Il avait hâte à présent d'écrire avec celle qui attendait son retour les premières lignes d'une histoire plus heureuse que celle à laquelle il venait de donner un point final.

Il avait combattu ses vieilles peurs et il avait gagné. Cela lui avait pris vingt-trois ans, mais il avait fini par vaincre les monstres tapis sous son lit...

*

Durant deux jours, Jim conduisit presque sans relâche. Le besoin de retrouver Charlie, de la serrer dans ses bras, de la couvrir de baisers, de lui murmurer à l'oreille des mots d'amour, ne faisait que grandir en lui au fur et à mesure que son but se rapprochait.

Au crépuscule du deuxième jour, alors que s'amoncelaient à l'horizon de grosses masses nuageuses annonciatrices d'orage, Jim jeta un coup d'œil à sa montre. Il lui faudrait sans doute encore trois heures, peut-être quatre, pour atteindre Call City. Il se sentait vidé, lessivé, à deux doigts de s'endormir au volant... Puis il se souvint d'un motel en bord de route, à quelques kilomètres de la petite ville dans laquelle il venait de pénétrer, et se demanda s'il ne serait pas plus raisonnable de s'y arrêter pour la nuit.

« Plus vite que le vent... » Comme un écho lointain, la promesse qu'il avait faite à Charlie tourbillonna quelques instants sous son crâne. Secouant la tête, Jim se redressa sur le siège et resserra l'emprise de ses mains sur le volant. Ce n'était pas le moment de flancher. De toute façon, si près du but, il serait sans doute incapable de s'endormir...

Une autre heure s'écoula péniblement. Comme il l'avait redouté, Jim roulait à présent en plein cœur d'un orage. De fortes bourrasques donnaient à la jeep de violents coups de boutoir. Le ballet frénétique des essuie-glaces sur le pare-brise suffisait à peine à évacuer les torrents de pluie. Précédés de coups de tonnerre qui faisaient vibrer le sol, d'impressionnants éclairs s'abattaient autour de lui. Amusé, Jim songea qu'avoir à lutter contre la furie des éléments lui permettrait au moins de ne pas s'endormir...

— Je t'en prie, ramène-moi à la maison...

Le fait d'avoir parlé tout haut sans l'avoir voulu l'étonna moins que le sens des paroles qui venaient de lui échapper. Ne venait-il pas de prononcer une prière ? Depuis la nuit passée sous l'escalier de la cave pour tenter d'échapper à son père, jamais plus il ne s'était adressé à Dieu. D'où lui venait ce soudain besoin de renouer avec la foi directe et spontanée de son enfance ? Etait-ce parce qu'il avait enfin trouvé auprès de Charlie et des siens un foyer où arrêter son errance ? Etait-ce parce qu'il était finalement parvenu à exorciser la violence et la haine qui bouillonnaient en lui ?

Surpris de se découvrir les yeux baignés de larmes, Jim s'éclaircit la gorge et demanda tout haut, d'une voix hésitante :

— Tu es là ? Cela faisait si longtemps que je n'avais pas senti ta présence...

Attentif au moindre signe, Jim fit taire dans son esprit les multiples pensées qui s'y entrecroisaient. Mais il eut beau se concentrer, aucune réponse ne lui parvint et son cœur demeura solitaire. Si Dieu marchait à ses côtés, alors ses pas devaient être parfaitement silencieux...

Un peu déçu, il haussa les épaules. C'est alors qu'un bouquet d'éclairs particulièrement lumineux, accompagné d'un roulement de tonnerre, fendit le ciel en deux derrière un grand chêne sur l'horizon.

— Merci, murmura Jim en souriant.

Toute fatigue oubliée, le cœur plein d'allégresse, il continua sa route dans la nuit trouée par les faisceaux de ses phares puissants. Du regard, il ne quittait plus cette ligne blanche, au milieu de la chaussée, qui le menait droit vers Charlie.

L'orage était passé sur la maison des Franklin depuis une bonne heure déjà. Dans le silence nocturne, à peine troublé par le tic-tac d'une pendule et par les ronflements occasionnels de Wade, Charlie ne parvenait pourtant pas à retrouver le sommeil.

Elle en était à retourner pour la énième fois son oreiller lorsqu'une brusque appréhension lui étreignit le cœur. Paniquée, elle se redressa dans son lit et se mit à l'écoute, tous les sens en éveil. Qu'était-ce ? Qu'avait-elle entendu ? Il lui avait semblé percevoir un faible roulement de tonnerre, mais c'était impossible : l'orage était bien trop loin à présent.

Décidée à en avoir le cœur net, Charlie rejeta ses draps au

pied du lit et longea le couloir jusqu'à la chambre de sa fille. Rachel, nichée dans le cocon douillet de sa couverture fétiche, dormait d'un profond sommeil.

Désorientée, elle se rendit dans le salon où brillait près de la fenêtre la vieille lampe de famille. Quelque chose allait se produire. Elle le savait, elle le sentait. Mais quoi ? Et quand ?

— Seigneur, murmura-t-elle. Je sais que tu es là, mais que veux-tu me dire ?

Consciente qu'elle ne parviendrait plus à fermer l'œil de la nuit, Charlie s'installa dans le rocking-chair de Wade et se laissa bercer par son doux balancement. Les yeux écarquillés, le regard perdu dans les ténèbres de la fenêtre, elle attendit avec sérénité et confiance la réponse à sa question.

Les paupières de Jim étaient lourdes, tout son corps engourdi par le manque de sommeil, mais le besoin d'aller de l'avant était en lui toujours aussi puissant.

De temps à autre, pour se donner du courage, il jetait dans le rétroviseur un œil aux deux paquets-cadeaux sur le siège arrière. Celui qui était recouvert de papier rose et d'une multitude de rubans contenait une charmante poupée aux grands yeux bruns et aux longs cheveux noirs, ainsi qu'un gros sachet de marshmallows multicolores.

Dans le second, bien plus petit et empaqueté dans un discret papier blanc, reposait l'anneau qu'il rêvait de passer au doigt de Charlotte. Ainsi lieraient-ils à jamais leurs existences : deux anneaux, deux simples mots, un prêtre, et beaucoup d'amour pour tout contrat de mariage...

Soudain, Jim commença à reconnaître des éléments du paysage et se redressa sur son siège. Malgré l'obscurité, il devina les contours familiers de la grange des Tucker. Et là, cette masse au bord de la route, ce ne pouvait être que l'arbre à trois fourches qui marquait l'entrée de leur chemin. Encore dix mètres, cent mètres, un kilomètre... Enfin, le carrefour familier qui menait à la maison des Franklin apparut dans ses phares. Il poussa un profond soupir de soulagement. Il était arrivé. Il était chez lui !

Pourtant, à quelques dizaines de mètres à peine du but tant espéré, il grimaça, déçu. En colère contre lui-même, il assena du plat de la main un grand coup sur son volant. Comment n'y avait-il pas pensé plus tôt ? A cette heure de la nuit, ils seraient tous couchés. Et jamais il n'aurait le courage de les réveiller. Pourtant, la perspective d'avoir à dormir dans sa voiture, si près du corps inaccessible de sa bien-aimée, après tant d'efforts pour la rejoindre, lui parut insoutenable.

Lorsqu'il atteignit le sommet de la colline qui dominait la maison, son cœur marqua une pause. Là, tout en bas, luttant contre les ténèbres, la vieille lampe brillait dans l'encadrement de la fenêtre du salon... Les larmes brouillaient sa vision, mais Jim reconnut dans la cour la silhouette familière de la voiture pie de Wade, et celle beaucoup plus discrète de la berline de Charlie. Tout le monde était à la maison. Tout le monde sauf lui...

Avec la lampe en ligne de mire, Jim s'engagea dans l'allée qui le ramenait chez lui.

Dès qu'elle vit par la fenêtre du salon les phares apparaître au sommet de la colline, Charlie se redressa et se mit à courir en direction de la porte d'entrée. Luttant fébrilement contre les verrous, elle riait et pleurait tout à la fois. Dieu merci, elle avait sa réponse. Jim était de retour ! Comment aurait-elle pu ne pas être là pour l'accueillir ?

Repoussant la moustiquaire à la volée, elle se précipita sur le porche et attendit en haut des marches que la jeep se fut garée. Jim ne prit même pas le temps d'éteindre ses phares avant de se précipiter vers elle, de l'étreindre dans ses bras, et de la couvrir de baisers. Le flot d'amour qui lui gonflait le cœur était bien trop puissant pour être exprimé en paroles. Tout ce qu'il pouvait faire, c'était de serrer Charlotte contre lui, l'étouffer de baisers, se repaître de ses larmes et de ses rires... et répéter son nom encore et encore, comme une douce litanie dont il ne se lasserait jamais.

Au beau milieu d'un baiser passionné, Charlotte s'écarta en riant et lui prit le visage en coupe entre ses mains. Dans ses yeux brillaient la foi en l'avenir et l'assurance de doux lendemains.

— Oui, oui, Jim Hanna... Je suis là. Bienvenue à la maison, mon amour. Bienvenue chez toi...

Chère lectrice,

Vous nous êtes fidèle depuis longtemps?
Vous venez de faire notre connaissance?

C'est pour votre plaisir que nous avons
imaginé un rendez-vous chaque mois
avec vos auteurs préférés, vos
AUTEURS VEDETTE dans les
collections Azur et Horizon.

Les **AUTEURS VEDETTE** vous
donneront rendez-vous pour de
nouveaux livres vedette.

Pour les reconnaître, cherchez
l'étoile ... Elle vous guidera!

Éditions Harlequin

HARLEQUIN

LE FORUM DES LECTEURS ET LECTRICES

CHERS(ES) LECTEURS ET LECTRICES,

VOUS NOUS ETES FIDÈLES DEPUIS LONGTEMPS?

VOUS VENEZ DE FAIRE NOTRE CONNAISSANCE?

SI VOUS AVEZ DES COMMENTAIRES, DES CRITIQUES À
FORMULER, DES SUGGESTIONS À OFFRIR, N'HÉSITEZ
PAS… ÉCRIVEZ-NOUS À:
LES ENTERPRISES HARLEQUIN LTÉE.
498 RUE ODILE
FABREVILLE, LAVAL, QUÉBEC.
H7R 5X1

C'EST AVEC VOS PRÉCIEUX COMMENTAIRES QUE NOUS
ALLONS POUVOIR MIEUX VOUS SERVIR.

DE PLUS, SI VOUS DÉSIREZ RECEVOIR UNE OU
PLUSIEURS DE VOS SÉRIES HARLEQUIN PRÉFÉRÉE(S)
À VOTRE DOMICILE, NE TARDEZ PAS À CONTACTER LE
SERVICE D'ABONNEMENT; EN APPELANT AU
(514) 875-4444 (RÉGION DE MONTRÉAL) OU 1-800-667-4444
(EXTÉRIEUR DE MONTRÉAL) OU TÉLÉCOPIEUR
(514) 523-4444 OU COURRIER ELECTRONIQUE:
AQCOURRIER@ABONNEMENT.QC.CA OU EN ÉCRIVANT À:
ABONNEMENT QUÉBEC
525 RUE LOUIS-PASTEUR
BOUCHERVILLE, QUÉBEC
J4B 8E7

MERCI, À L'AVANCE, DE VOTRE COOPÉRATION.

BONNE LECTURE.

HARLEQUIN.

VOTRE PASSEPORT POUR LE MONDE DE L'AMOUR.

ROUGE PASSION

**De fiévreuses histoires
d'amour sensuelles!**

De provocantes histoires
d'amour passionnées et romantiques qu'on lit d'une seule
traite. Aventureuses, parfois
humoristiques, et sensuelles,
elles mettent en vedette des
hommes et des femmes
d'aujourd'hui.

**ROUGE PASSION...quatre
nouveaux titres chaque
mois.**

COLLECTION
HORIZON

Des histoires d'amour romantiques qui vous mènent au bout du monde!

Découvrez la passion et les vives émotions qu'apportent à la Collection Horizon des auteurs de renommée internationale!

Captivantes, voire irrésistibles, ces histoires d'amour vous iront assurément droit au coeur.

Surveillez nos quatre nouveaux titres chaque mois!

La COLLECTION AZUR

Offre une lecture rapide et

- stimulante
- poignante
- exotique
- contemporaine
- romantique
- passionnée
- sensationnelle!

COLLECTION AZUR... des histoires
d'amour traditionnelles qui vous
mènent au bout du monde!
Six nouveaux titres chaque mois.

GEN-AZ

Composé sur le serveur d'Euronumérique, à Montrouge
PAR LES ÉDITIONS HARLEQUIN
Achevé d'imprimer en février 2001

BUSSIÈRE

GROUPE CPI

à Saint-Amand-Montrond (Cher)
Dépôt légal : mars 2001
N° d'imprimeur : 10101 — N° d'éditeur : 8679

Imprimé en France